GEBROKEN LELIE

Rani Manicka

GEBROKEN LELIE

the house of books

Oorspronkelijke titel
Touching Earth
Uitgave
Sceptre/Hodder and Stoughton, Londen
Copyright © 2004 by Rani Manicka
Copyright voor het Nederlandse taalgebied © 2006 by The House of Books,
Vianen/Antwerpen

Vertaling
Ineke van Bronswijk
Omslagontwerp
Marlies Visser
Omslagdia
Torleif Svensson/Corbis/TCS

ISBN 90 443 1472 6
D/2006/8899/36
NUR 302

Voor
Girolamo Avarello, die me vertelde over een man die
Ricky heet, en Sue Fletcher, die dit boek tot leven
heeft gewekt.

Met dank aan...

Mijn ouders – ik kan me geen betere wensen. Mijn zus Lalita, die het manuscript heeft gelezen en de saaie stukjes eruit heeft gezeefd. Elizabeth, Heather en Margaret Josiah, die me een wereld hebben laten zien waarvan ik het bestaan niet eens vermoedde, en Lee Arnold omdat hij Bruce Arnold kleur heeft gegeven. Darley Anderson, die voor me vecht als een moedertijgerin, een agent van wie elk welpje droomt. Elizabeth, Julia, Lucie, Rosie en Carrith van Darley Anderson voor... voor alles!

Mijn redactrice en uitgeefster, de vrouw van wie terecht wordt gezegd: 'Je hebt Sue Fletcher, en dan zijn er alle anderen in de uitgeverswereld.' Swati Gamble omdat ze zo bijzonder is, Jocasta Brownlee, die onnavolgbaar is in de manier waarop ze aan pr doet, en de rest van het Hodder-team. Allemaal hebben ze op hun eigen wijze aan dit boek bijgedragen.

Noot van de auteur

Beste lezer,
Als je De rijstmoeder hebt gelezen en verlangt naar net zo'n soort verhaal, moet ik je in alle eerlijkheid aanraden dit boek niet te lezen, want het is een afzichtelijk lelijke wereld waar je in terecht zou komen. Alle anderen nodig ik uit om de stoute schoenen aan te trekken; kom, dan wagen we het erop. We moeten op zoek naar Schoonheid, ze heeft een vergissing gemaakt, ze is voor de verleiding bezweken en is nu naakt en zonder vrienden, maar ze houdt vol omdat ze door een bewonderende blik van jou kan opstaan uit de as van haar verwording.

De vrouw legde haar hoofd naar achteren en huilde als een wolf. Ze trok aan haar haren, rukte met krampachtig samengeknepen vuisten hele plukken uit haar hoofd. Met diezelfde vuisten beukt ze op de aarde. Helaas, helaas, de jongen was dood. Opeens sprong ze overeind, een verwilderde blik in haar ogen. 'Raak hem niet aan totdat ik terug ben,' beval ze, en ze rende helemaal naar de *bodhi*-boom om zich aan de voeten van Boeddha te laten vallen. 'O, Verlichte,' riep ze uit, 'mijn zoon is dood. Als u echt de ware meester bent, wek hem dan weer tot leven.' Boeddha opende zijn ogen. Misschien wilde hij haar vertellen over de onvermijdelijkheid van geboorte en dood voor hen die nog niet zijn ontwaakt, maar hij moet het droomstof in haar ogen hebben gezien, want hij zei tegen haar: 'Ga en breng me een handvol graan uit een huis waar de dood nog niet is geweest. Dan zal ik je zoon aan je teruggeven.' Overstelpt door dankbaarheid en blijdschap boog de jonge vrouw vele keren, waarna ze aan haar zoektocht begon. Ze zocht en ze zocht en ze zocht...

Inhoud

De spelers

Houd ze goed in de gaten. Ze zijn niet allemaal te vertrouwen en er zijn misschien zelfs een of twee geesten bij.

De tweeling

Nutan

Boven de heuvels brak de dageraad aan toen ik de houten deurtjes van ons huisaltaartje opende. In de nissen zette ik bakjes van palmblad met fruit, bloemen en cake. Het was heel stil in de bomen en struiken, de lucht was koel en geurig. Ik stak wierookstokjes aan, sloot mijn ogen en legde mijn handpalmen tegen elkaar... en de wereld viel weg. Ik had wel een uur zo kunnen blijven zitten, maar opeens klonk er achter de tuinmuren kindergelach. In de flarden van dat geluid flakkerde ze vluchtig op. Met een schok kwam ik bij. *Ze was het niet.* Natuurlijk niet. Als versteend staarde ik naar mijn gevouwen handen. De knokkels waren wit geworden. Ze kon het niet zijn... maar plotseling stoof ik weg en klauterde tegen de muur op door mijn voeten snel in de vertrouwde holtes tussen de stenen te plaatsen. Over de rand van de muur kon ik ze zien. Twee kleine meisjes van vier of vijf jaar oud in schitterende danskostuums, hun hoofdtooi van bladgoud deinend en glinsterend in het vroege licht. Ze waren onderweg naar het dorp. Fruitschillen die de eekhoorns 's nachts hadden laten vallen werden geplet onder hun blote voeten toen ze langs ons hek liepen. Ze gingen de hoek om en waren weg.

Ik hees mezelf op de muur en zat daar zonder ergens aan te denken, het zachte mos als fluweel onder mijn vingers, en opeens kwam het verleden terug. In mijn onschuld was ik in een armoedige Londense kamer, omringd door onverschillige vreemden, op een smerige vloer in elkaar gezakt en doodgegaan.

Ik staarde er gefascineerd naar. Wat was het compleet onaangeroerd door verlies. Wat waren we allemaal prachtig. Een zon van vloeibaar goud ging onder en mijn zus en ik dansten bij het snaarinstrument van mijn moeder, de *sape*. Met haar misvormde rechterbeen opgetrokken onder haar billen en het andere opgetrokken tegen haar slanke lichaam was Ibu, onze moeder, zo gracieus als ze overdag nooit kon zijn.

En ik zag ook mijn vader, zijn lange haar nog zwart, gedragen in de knot van een priester, gehurkt bij een rij kooien. Liefdevol voerde hij maïskorrels aan zijn vechthanen. Hij was een wajang-speler en een verbijsterend knappe buikspreker, een plaatselijke ster. Zijn voorstellingen waren zo populair dat hij vaak gedurende lange periodes van huis was; dan trok hij van het ene dorp naar het andere om voorstellingen te geven met zijn ongeveer tweehonderd wajangpoppen. Ik was enorm trots op hem. Toch zag ik Nenek, onze grootmoeder, het duidelijkst voor me. Ze zat op het stoepje van haar deel van het huis, haar ondoorgrondelijke zwarte ogen alert achter de grijswitte rook van haar kreteksigaretten.

Ach, het verleden, dat betoverend schadelijke sprookje.

Tranen drupten op mijn armen, welden omhoog uit een bron van verdriet. Kon ik het verleden maar vangen. Ik had het onnodig kapotgemaakt. Wat was ik toch oneindig onvoorzichtig. Kijk toch eens wat er van gisteren over is.

De zon was opgekomen. Een gevlekte kikker sprong tussen een paar bananenbomen, en ik sprong rusteloos van de muur. Ja, ik zal je alles vertellen, maar niet hier. Niet in deze tuin met de felgekleurde bloemen en boomtakken die doorbuigen van het rijpe fruit. Hier zou ik alleen maar sentimenteel doen over het verleden. Mijn verhaal hoort in de tempel van de doden thuis. Daar zal ik vergiffenis krijgen. Het is niet ver hiervandaan, en het is een prachtige plek waar de tijd ophoudt te bestaan. De poort is kunstig versierd en wordt dag en nacht bewaakt door figuren van steen.

Maar wacht, als ik je alles vertel en niets weglaat, wil je me dan beloven dat als je op je reizen naar mijn paradijselijke eiland komt en je ziet me, je nooit mijn naam zult zeggen? Jouw blik van herkenning zou pijn doen, zou de beschuldigende vinger en de schaamte wakker schudden, o hemel, zoveel schaamte. Wat zal er worden gepraat! En dat terwijl het zo belangrijk is om je reputatie hoog te houden. Mij kan het natuurlijk niet meer schelen, maar ik moet aan mijn familie denken.

Kom, als we eenmaal op het marktplein zijn, kun je de tempel zien.

We zijn er. Kijk. Is de poort niet schitterend? Doe je schoenen uit. Zelfs zo vroeg in de ochtend zijn de stenen al warm. Een hond zul je hier nooit zien, maar katten komen en gaan alsof ze hier wonen. We kwamen hier vaak toen we klein waren, aangetrokken door de spookachtige stilte. Stervelingen tussen de goden. Op onze tenen liepen we door gangen waar levensgrote beelden van grijnzende demonen stonden, met tongen die omlaag bungelden tot aan hun navel. Maar nu ik volwassen ben en aan ze terugdenk, komen ze me juist goedmoedig en vriendelijk voor. Sterfelijkheid is een spel.

Hier. We gaan in het zonnetje zitten, zodat we, als de desillusie te pijnlijk wordt, kunnen kijken naar de uitbundige rode pluimen van de *flame tree* daarginds. Pak mijn hand en kom dichterbij, maar vergeet je belofte niet.

Ik werd vierentwintig jaar geleden in dit afgelegen dorpje geboren. Balinezen geloven dat elk kind een kostbare gift van de hemel is, en mijn zus en ik, een identieke tweeling, werden letterlijk op handen gedragen. De eerste paar maanden werden we zo aanbeden dat we permanent lichamelijk contact hadden met Nenek of Ibu, opdat we nooit in aanraking zouden komen met de bezoedelde aarde. Daarna werd er alles aan gedaan om ons een wonderbaarlijke jeugd te bezorgen.

Mijn zus en ik ontwaakten met de herinnering aan kusjes in onze haren en kregen dan voedzame ingedikte koemelk met suiker. We dronken limonade van regenwater en limoenen die Nenek onder haar brede voeten had gerold om ze nog geuriger te maken. En omdat we ook geloven dat een kind slechts losjes met het eigen lichaam en deze materiële wereld verbonden is, werden we nooit geslagen of zelfs maar berispt.

Waarom werd ik te midden van al dit moois dan wakker uit verwarde dromen, om geconfronteerd te worden met een werkelijkheid die alleen bestond uit het rauwe gelach van nachtdieren, en het geluid van boomwortels die naar water zoeken? Een bespottelijke fluistering die van kamer naar kamer gaat: 'Het zijn allemaal leugens… allemaal leugens…' Waarom leek het soms net alsof mijn zus en ik te gast waren bij vriendelijke vreemden? Alsof Nenek, Ibu en mijn vader met hun drieën een geheim bezaten en dat voor ons verborgen hielden. Jammer genoeg wisten ze niet dat er in het paradijs geen leugens mogen zijn; vanuit een verlangen naar bevrijding zullen die alles kapotmaken.

Ik denk dat ik met mijn vader moet beginnen, de ongeëvenaard getalenteerde wajangspeler met vingers als soepele slangen. Hij speelde zittend op een mat voor een lamp met kokosolie, en begon altijd door met een houten hamer die hij tussen zijn tenen klemde een ritmisch geluid te maken. Dat was het teken waar het orkest op wachtte. Hij haalde een platte, dode pop uit een lange doos, en op het scherm begon een kanten silhouet te trillen, scherp of juist wazig, afhankelijk van de afstand tot de vlam. Plotseling bleef de schaduw bewegingloos hangen in het midden van het scherm.

Tegen de tijd dat hij zijn magische mantra's had opgezegd, waren alle poppen tot leven gekomen. Hun fantastische avonturen waren nooit voor de dageraad afgelopen. Wat waren we trots als we in het publiek zaten, met buikpijn van het lachen of onze wangen nat van de tranen. Na de voorstelling knielden we voor hem neer. Om ons met magische bescherming te zegenen, sprenkelde hij gewijd water over ons uit en drukte hij vochtige rijstkorrels op ons voorhoofd, onze slapen en onze keel.

O vader... hoe kón je?

Zonder dat wij het wisten, had de poppenspeler onzichtbare draden aan ons lichaam bevestigd, en stiekem stopte hij zijn stem in onze monden terwijl hij ons hierheen en daarheen trok. Hij was de eerste die verdriet naar ons huis bracht.

In mijn herinnering blijft hij razend knap, met lange wimpers en een neus met een hoge brug, maar ook mysterieus en afstandelijk. Onder zijn smalle snorretje gingen zijn mondhoeken omhoog in een beleefd en waardig glimlachje. Al zijn bewegingen waren even doordacht. Hij droeg altijd simpele, zwarte kleren, en soms een zwart met gele orchidee achter zijn oor. Minzaam, jazeker, maar achter het masker?

'Hij houdt onnoemelijk veel van jullie,' zei Ibu tegen mijn zus en mij.

Maar ik kende een geheim waar zij niets van wist. Mijn vader hield alleen van mijn zus, misschien omdat hij aanvoelde dat zij zijn waardering harder nodig had. Of, wat veel waarschijnlijker was, omdat ik met mijn verbeten kaak te veel op Nenek leek. Hij vond me te fel en te vrijpostig. Ik voelde de nauwelijks verholen afwijzing in zijn hele wezen, in de strak opgetrokken knieën, in de zuinige glimlachjes die hij voor mij bewaarde, en in zijn mooie, onpeilbare ogen. Maar dat is niet het geheim. Het kon me niet schelen, dát was het ware geheim. De enige van wie ik liefde wilde was Ibu. Het enige waar ik naar hunkerde, was dat ze bewonderend naar me keek, met dezelfde strelende zachtheid waarmee ze naar mijn vader keek. Ik vond niemand zo bijzonder, zo mooi en zo slim als haar. Ik wilde precies zo zijn als zij. Ik herinner me flarden van gesprekken, de geestige opmerkingen die ze maakte.

Mijn geheugen bedriegt me. In werkelijkheid was ze een in zichzelf gekeerde, frêle en kreupele vrouw. Niemand had haar mooi kunnen noemen, maar ze had wel twee bijzondere kenmerken. In de eerste plaats haar dikke, knielange, ravenzwarte haar, opgestoken in een geparfumeerde knot in haar nek. Daarnaast had ze een ongebruikelijk bleke huid, het gevolg van het feit dat ze nooit buiten kwam vanwege een gat in haar hartklep. Als baby deed ze er, liggend in Neneks schoot, zes uur over om een flesje leeg te drinken. De artsen schudden hun hoofd, waarschuwden dat ze nooit volwassen zou worden. Maar Nenek drukte mijn moeder aan haar borst, spuugde op de gedesinfecteerde vloer en sprak een vloek uit: 'Moge jouw kind overkomen wat je mij met je wrede mond hebt toegeworpen.' Verbeten en vastbesloten ging ze terug naar huis. Was zij soms geen telg uit een lang en illuster geslacht van medicijnmannen?

Haar dochter zou blijven leven. Ze was tot alles bereid, geen offer was te groot om het kind uit haar eigen schoot in leven te houden.

Ik herinner me afschuwelijke nachten uit mijn jeugd, als de wind door het dal huilde, omhoogklom en terugrolde als een troep hongerige wolven. Hoe vurig ik ernaar verlangde dat Ibu's raspende ademhaling weer gewoon zou worden. Ik wilde haar strelen, tot rust brengen, maar dat durfde ik niet. Ze lag ineengekropen op haar dunne matrasje op de grond, te broos om geholpen te kunnen worden.

Zo herinner ik me Angst. Een kleine, schemerdonkere kamer met rokende kruiden en zaden. In het midden een vrouw die wanhopig naar adem snakt. De opgejaagde blik in de ogen van mijn zus als we geruisloos langs elkaar heen lopen om ontelbare komforen met roodgloeiende kolen naar Ibu's kamer te brengen. En natuurlijk het bloed dat klopt in mijn aderen.

En Hoop herinner ik me als de figuur die naast Ibu op haar hurken zat. Ze bezat een kracht die uit haar handpalmen straalde en om haar heen kronkelde. Ik wou dat je Nenek toen had kunnen zien. Langzaam en ritmisch masseerde ze de borst van haar dochter met zelfgemaakte zalven, terwijl ze intussen onafgebroken zong tot de geesten, smekend, vleiend, soms dreigend. Ze beloofde offerandes. Ik werd al snel de apostel van die merkwaardige, half bevelende, half smekende gezangen. Met elke bliksemschicht die de lucht doorkliefde, herhaalde ook ik telkens weer:

Zeg haar naam niet in het donker, niet in het donker.
O, machtige geesten, jullie zijn welkom in mijn huis.
Als ik jullie iets heb misdaan, vergeef het me dan.
Aanvaard mijn offers, o machtige geesten.
Neem niet wat niet van jullie is,
laat jullie toorn niet blijken.
Ik smeek jullie, laat het kind bij mij,
sta toe dat ze nog een dag blijft leven.
Zeg haar naam niet in het donker, niet in het donker,
niet vannacht.

Ibu's kleine handen, roodgeverfd met henna, lagen stil, haar ogen staarden zonder hoop. Dan leek ze net een mooi en teer kind dat niet meer van ons was. Soms kuste ze haar moeders brede voeten, en ze legde haar wang ertegen alsof ze een kussen waren, volkomen afgemat. Zachtjes troostte ze haar: 'Het is alleen een omhulsel dat ik afleg, moeder. Laat mijn ziel toch gaan.'

Als Nenek deze redelijke woorden hoorde, smeekte ze de geesten zo erbarmelijk dat ze luisterden. Mijn zus en ik zaten dan op afstand in de deuropening, diep onder de indruk van de liefde in dat kamertje, ons bewust van de nacht die dorstte naar wat van ons was. Stel nou dat we Ibu kwijtraakten aan de nacht? Stel nou dat we in een moment van zwakte de strijd verloren? Buiten loeide de onvermoeibare wind.

Tegen de tijd dat mijn vaders hanen de dageraad aankondigden, was mijn zus uitgeput in slaap gevallen, weggekropen tegen de muur, en was mijn stem hees van het onophoudelijke onderhandelen. Dan pas kon ik opgelucht ademhalen. Dan pas keek Nenek me triomfantelijk aan, mij, haar medeplichtige.

Zelfs in het donker hadden we de dood van zijn prooi beroofd. Alweer. Hij was niet sterk genoeg, niet opgewassen tegen Nenek en mij. Nenek ging staan met Ibu's spuugbakje in haar hand: een halve kokosnoot met as en geelgroen slijm. Duizelig van vermoeidheid stond ik op om als overwinnaar Neneks plaats in te nemen. Zacht raakte ik Ibu's hand aan, en haar krachteloze, bleke vingers sloten zich rond de mijne. Ze deed haar ogen dicht en opende haar mond, misschien om me te bedanken, maar ik was haar voor. 'Sssst,' fluisterde ik met alle tederheid van de wereld, 'stil.' Ik herinner het me als de dag van gisteren hoe het was om naast Ibu te zitten, mijn arme moeder, die triest en dapper glimlachte en weer een nieuwe dageraad moest meemaken.

Ibu was pijnlijk verlegen en bracht haar dagen meestal zwijgend door, terwijl haar lenige, behendige handen een palmblad moeiteloos in kunstwerkjes omtoverden. Mijn zus en ik mochten ze als offergaven naar de tempels brengen.

Voor de *Galungan*, een groot hindoefestival, maakte Ibu een keer de mooiste offerande die ik ooit heb gezien, een twee meter hoge toren met de stam van een bananenboom als kern, zo kunstig gemaakt dat je zelfs de stokjes niet zag waarmee de hele geroosterde kippen, snoepjes, vruchten, groente, cakes en bloemen op de stam waren vastgezet. Nenek droeg het majestueuze gevaarte op haar hoofd naar de tempel. Bij de ingang ging ze zo ver door haar knieën dat de hoge toren van haar aangepakt kon worden.

De andere vrouwen verdrongen zich rond mijn moeders schitterende creatie en bestudeerden de techniek die vruchten en gele en paarse bloemen en trossen roze bessen en dieprode chilipepers bij elkaar hield. Ik zag de bewondering in hun ogen, de afgunst, hoe diep ze waren geraakt door mijn moeders handigheid. In hun hart wisten ze allemaal dat ze Ibu's perfectie nooit zouden kunnen evenaren. Dat kon niemand.

We holden naar huis om het haar te vertellen. Glimlachend gaf ze ons toestemming om haar haar te versieren.

Nooit zal ik het verrukkelijke eerste vleugje kokosolie vergeten, noch het gevoel van het zijdezachte haar in mijn handen. Samen speldden we haar haar in een traditioneel kapsel, *susuk konde* geheten. We staken er met edelstenen bezette kammen en vergulde spelden in, terwijl Ibu kauwde op dadels die in betelblad waren gewikkeld. Toen we klaar waren, streek ze met haar eeltige vingers over onze ogen, neuzen en monden en zei ze: 'Het is maar goed dat jullie allebei het gezicht van je vader hebben gekregen. Ogen als glanzende morgensterren. Jullie zijn de mooiste kinderen die ik ooit heb gezien.'

Daarna stak ze takjes bougainville in ons haar. Ze hoopte dat we beroemde Balinese danseressen zouden worden. Met een hand rond onze kin trok ze ons allebei naar zich toe, en we roken de dadels en het betelblad in haar adem. Ik kwam nog dichterbij, verlangde naar een onstuimiger omhelzing, want zelfs ter-

23

wijl ze ons gezicht aanraakte, voelde ik dat ze ons wegduwde. Alsof we niet van haar waren. Vanwege haar tere gestel mochten we nooit bij haar slapen, dus genoten we ervan als we op lome middagen stilletjes naast haar lagen. We smeekten haar om verhalen te vertellen over haar kinderjaren in de heuvels samen met Nenek, maar Ibu's geheugen was slecht en haar tong lui. Het enige wat ze wilde vertellen, was dat ze vaak nog honger had na een karig maal van een restje gebakken rijst, en dat ze in de deuropening van een gammel hutje op Nenek zat te wachten. En als Nenek dan tegen de helling op liep, bewoog haar nek heen en weer zoals bij een klassieke Indiase danseres, zodat ze het enorme vat water op haar hoofd in evenwicht kon houden.

In haar rechterhand droeg ze een blauwe emmer met nog meer water, en met haar linkerhand hield ze de hand van mijn allang overleden oom vast. Hij was een nevelig beeld in mijn moeders geheugen. Een mager jongetje dat Neneks hart brak toen hij stierf.

Ibu heeft ons een keer verteld over de dag dat hij doodging. 'Er liepen bruine ratten door de gang van het ziekenhuis toen een man in een witte jas Nenek kwam vertellen dat haar zoon dood was. Even bleef ze roerloos staan, toen zakte ze op de grond, haar adem raspend als van een geveld groot dier, gekweld door de vreselijkste pijnen maar niet in staat om te sterven. Soms denk ik dat ze beter dood had kunnen gaan.'

We vroegen niet waarom. Gehypnotiseerd door Ibu's stem streken we afwezig over de teenloze stomp die ze meestal onder haar sarong verborg. De stomp was glad en roze, en totaal nutteloos. Ibu kon alleen met behulp van een stok een beetje strompelen. Wij kenden nog geen schaamte en aanvaardden de dingen zoals ze waren; vanwege haar onvolmaaktheid hielden we zelfs nog meer van haar.

Als Ibu zich goed voelde, werkte ze overdag aan een simpel weefgetouw. We woonden misschien in het paradijs, maar we waren wel straatarm en we hielpen allemaal om de ton met rijst te vullen; mijn vader liet zijn poppen praten, Nenek genas de zieken en bakte de cakes die mijn zus en ik na schooltijd verkochten, en Ibu weefde schitterende *songket*, met goud- of zilverdraad geborduurde zijde in warme kleuren als indigo, oker, turkoois, limoengroen, zwart of kaneelbruin. De patronen waren zo ingewikkeld dat ze er maanden over deed. Alleen rijke vrouwen konden de stoffen kopen. Zelfs nu doet het me nog verdriet dat mijn moeder nooit een van haar eigen creaties heeft gedragen. Ibu droeg altijd alleen eenvoudige batik sarongs. 'Het zou zonde zijn om zoiets moois in huis te dragen,' zei ze altijd.

Op onze tiende verjaardag begon ze op twee chocoladebruine lappen aan de *songkets* voor onze uitzet, en ze deed twee jaar over de schitterende creaties. Fantastische bossen met vogels, dieren, bloemen en dansende meisjes. Ik lieg niet als ik zeg dat het de mooiste stukken waren die ze ooit heeft gemaakt. Als ik mijn ogen dichtdoe, hoor ik nog de belletjes aan haar weefgetouw; het geluid van Ibu, haar werk, haar kwaliteiten, haar schoonheid. Nenek bracht de zorgvuldig gevouwen doeken naar de dure, airconditioned boetieks in Seminyak.

Hoe zal ik Nenek beschrijven? Om te beginnen zag ze er niet uit als een grootmoeder. Vreemden zagen haar soms voor onze oudere zus aan. Naar Balinese maatstaven was ze een grote schoonheid, en ik herinner me dat ze werkelijk altijd werd aangestaard door toeristen, mannen met ogen als likkende tongen, dus moet ze ook naar jullie maatstaven mooi zijn geweest.

Mijn grootmoeder leefde heel eenvoudig, maar ze bereikte dingen die westerlingen nooit zullen begrijpen. In haar universum was de natuur een bron van spiritualiteit. Ze praatte ertegen, en de natuur praatte terug. Heb jij weleens een boom zien glimlachen? Ik wel. Als Nenek langsliep. Ze vertelde de bomen wat ze nodig had, en ze deelden hun oeroude kennis met haar. Soms gaven ze haar wortels die eruitzagen als cassave, maar onder de dikke schil ging vruchtvlees schuil dat fris en zoet was als watermeloen. Andere keren vertelden ze haar over bijzondere wortels die met de hand uitgegraven moesten worden om te voorkomen dat hun magie in de aarde wegsijpelde. Zittend op haar hurken groef ze diep in de grond. Soms bloedden haar vingers, maar dat gaf niet, als de patiënt maar glimlachte. Ze had de wortels ook nodig om Ibu's medicijn te maken.

De dorpelingen noemden haar *balian*, iemand die zieken genas en gebroken botten kon zetten, maar ze voelden dat Nenek meer was. Veel meer. Niemand kon het bewijzen, maar er werd gefluisterd dat ze een *balian uig* was, een bedenker van spreuken en bezweringen, ook gevaarlijke. Ze wezen op de 'manlijke' papajaboom in onze tuin. Volgens een oud Balinees bijgeloof hebben alleen heksen de grillige schaduw van die bomen nodig, ze zitten eronder, drinken bloed en houden obscene orgieën. De onschuldige boom bevestigde hun vermoedens.

Hoewel Nenek in het dorp was komen wonen toen Ibu nog maar negen jaar oud was, bleef ze altijd een buitenstaander. Het kon haar niet schelen. Dagelijks bracht ze offers van bloemen, fruit en cake in de tempels, en bij kruispunten, begraafplaatsen en plaatsen waar een ongeluk was gebeurd, legde ze rottend vlees, uien, gember en alcohol. Geknield zong ze 'Rang, ring, tah'. Geboren, levend, dood. Geen wonder dat de mensen haar vreemd vonden.

Ze weigerde zelfs haar manier van dansen te veranderen, om te zijn zoals de andere vrouwen in het dorp. Ik zag ze kijken als Nenek danste op de binnenplaats van de tempel, een schaal met gloeiende kooltjes op haar hoofd. Ze keken quasi-ongeïnteresseerd, maar ik wist dat ze haar ordinair vonden.

Haar vitaliteit werd gewantrouwd, maar ik zag alleen de verbijsterende energie in haar heidense bewegingen. Dit waren immers tribale dansen. Zonder glimlach op haar gezicht rekte ze haar nek, tilde ze haar rechtervoet op en schopte ermee alsof het een wapen was. Met haar polsen voor haar gezicht begon ze rond te wervelen, eerst gracieus, maar steeds wilder, totdat ze zo snel ronddraaide dat haar felle zwarte ogen net donkere rivieren waren in haar gezicht. Oranje vonken vlogen om haar heen.

De andere vrouwen waren bang voor haar.

Toch was hun ijdelheid groter dan hun angst, en ze maakten haar voorzichtig het hof. Ze wilden de schoonheid die Nenek in haar kookpot kon brouwen. Wortels en bladeren veranderden in haar betoverde handen in krachtige brouwsels, *jamu*, die een lichaam mooi maakten en de jeugd net iets langer aan een vrouwengezicht lieten kleven. Zij en Ibu waren de beste reclame voor haar medicijn, want zelfs toen Nenek vijftig was en Ibu dertig zagen ze er nog uit als twintig, met een wespentaille, ravenzwart haar en een zachte huid. Ze gebruikten zoveel zalven dat hun huid altijd heerlijk rook.

Toen mijn zus en ik in de puberteit kwamen, kregen ook wij een handvol van de kleine zwarte balletjes die Nenek eens per week rolde. En een keer per maand smeerde ze ons van top tot teen in met *lulur*, een gele pasta gemaakt van gember, geelwortel, olie, rijstpoeder en een geheim mengsel van wilde wortels. Het viel niet te ontkennen dat mijn zus en ik een uitzonderlijk gave huid hadden, gaver dan van alle andere meisjes in het dorp. Iedereen was jaloers op onze goudkleurige huid, dus kwamen de vrouwen en hun dochters glimlachend bij Nenek.

Maar achter haar rug noemden de lafaards haar *Ratu Gede Metjaling*, naar de legendarische koning van Nusa Penida, een tovenaar met vampiertanden, of simpelweg *leyak*, heks. Een enkele keer heb ik haar *rangda* horen noemen, weduwe, maar de naam wordt geassocieerd met een vreselijke heks die met haar lange nagels kinderen openscheurt om hun ingewanden op te eten.

'*Leyak geseng, teka geseng.*' Verbrand de heks, verbrand ze allemaal, scholden de kinderen op straat.

Ik rende naar ze toe en gaf de gangmaker zo'n harde duw dat hij struikelde en viel. Met mijn handen in mijn zij daagde ik de kinderen uit om met me te vechten. Niemand durfde. Ik was de kleindochter van een heks. Ze mompelden dat ze haar 's nachts op de begraafplaats hadden gezien.

'Ik geloof jullie niet. Jullie durven er zelf helemaal niet te komen,' hoonde ik.

Ze beweerden dat het uitgedroogde lijk van mijn oom bij haar in een kast lag. Ik sloeg mijn armen over elkaar en vertelde dat ik in haar kast had gekeken en dat er niets ongewoons in lag. Ik noemde ze dom omdat ze praatten over dingen die ze niet begrepen.

Maar in feite was het niet zo dom van ze om bang te zijn voor mijn grootmoeder. Nenek wás een heks. Ze had magische krachten, die ze van haar vader had geërfd. Ze kon 'ver weg zien'. Dingen die jij en ik niet kunnen zien. Ze leerde ons over de geesten in elke boom en merkwaardig gevormde steen, in elk dier. 'Wees goed voor ze,' zei ze, 'ze geven je kracht als je respect voor ze hebt.'

Maar haar ware kracht putte ze uit een andere bron. In het geheim hield ze er *buta kalas* op na, onzichtbare verraderlijke geesten, die ze kocht van net zo iemand als zijzelf. Het was heel gevaarlijk, en ze moest ze doorgeven aan een andere heks of tovenaar voordat ze zelf doodging, anders zou ze op haar sterfbed folterende pijn lijden omdat ze niet over kon gaan naar het hiernamaals. Het was een lelijke, griezelige hobby, maar ze kon niet zonder. Ze had de geesten nodig om Ibu te beschermen. Het belangrijkste doel in mijn grootmoeders leven was het leven van haar dochter te verlengen. Ze had alles voor Ibu over.

Om te beginnen was er *matjan tutul*, een rank schepsel dat op een panter leek. Hij deed alles wat ze vroeg, maar eiste regelmatig vers bloed en vlees van wild zwijn, en soms een hele hond.

Ook vroeg ze hulp aan een andere krachtige geest, bleke slang, die haar visioenen gaf en haar leerde genezen. De eerste keer dat hij verscheen, stelde hij haar zelfbeheersing op de proef door zijn monsterlijke slangenlijf helemaal om haar heen te winden. Ze stond ingekapseld door de kolossale slang, zonder angst, totdat hij haar herkende, zijn nieuwe meesteres, en zich gewonnen moest geven. Hij leerde haar luisteren naar het bloed in iemands aderen, om te weten aan welke ziekte iemand leed.

Ik werd een keer in de kleine uurtjes wakker op een maanverlichte nacht, en meende hem te zien, enorm, een dampige vorm een klein eindje boven de grond bij Neneks hoofd. Ik knipperde met mijn ogen, maar de dikke witte spiraal was alweer opgelost.

'Stel nou,' vroeg ik een keer aan haar, 'dat je echt niemand kunt vinden om je *buta kalas* aan over te doen?'

Met haar raadselachtige ogen keek ze me strak aan. 'Ik heb het gezicht van mijn erfgenaam al gezien,' zei ze, haar stem vreemd en triest.

'Wie is het?' vroeg ik met bonkend hart, bang voor het antwoord.

'Je bent nog te jong om mijn opvolger te ontmoeten. Wees maar niet bang. Ik zal geen pijn lijden en vreedzaam sterven.' Zacht legde ze haar hand op mijn voorhoofd. 'Kom, ga lekker buiten spelen met je zusje.' En dat deed ik, gerustgesteld door de koele hand op mijn huid. De wereld was toen nog vol geheimen van de grote mensen.

En Nenek ging weer door met het koken van bladeren, om er boven wonden en zweren het groene vocht uit te knijpen. Ze spuugde op haar patiënten. Haar speeksel was heel krachtig. Het kon de zieken genezen. Terwijl ze spreuken mompelde wreef ze met een deegbal over een ziek lichaam om het gif eruit te trekken. Dan scheurde ze de deegbal open en keek erin. Als er naaldjes of zwarte zaadjes in zaten, was zwarte magie de oorzaak van de ziekte. Haar patiënt ging dan weg met een kaalgeschoren plekje op het achterhoofd, een klein gaatje in het midden ervan.

Op een dag zag ik Nenek zonder waarschuwing een snee maken tussen de vingers van een man. Geschrokken wilde hij zijn hand terugtrekken, maar ze hield hem in een ijzeren greep en liet het bloed in zijn eigen medicijn vloeien. Ook was er die vrouw van Sumatra. Ze leed aan ernstige migraine die de westerse artsen niet konden genezen. Ik zag dat mijn grootmoeder heel zorgvuldig een ader doorsneed in het voorhoofd van de vrouw. Er werd een hele kom bloed opgevangen voordat de hatelijke geest die in het hoofd van de vrouw in een zenuw kneep haar lichaam verliet.

In Neneks geheime wereld doolden geesten rond die zich vermomden als zwarte katten, naakte vrouwen of glanzende kraaien en ongelukken veroorzaakten. Soms ving Nenek ze als ze bij ons huis kwamen, en liet ze dan weer vrij in stenen en bomen. Ik had gelijk. Je hebt je wenkbrauwen opgetrokken. Je gelooft me niet, je denkt dat het hocus-pocus is. Maar vergeet niet dat jullie op de wetenschap vertrouwen, en wij op onze magie. Kijk maar in de ogen van mijn grootmoeder, dan zie je dat ik de waarheid vertel.

De ogen van mijn grootmoeder zijn zwart als kooltjes, bodemloos, en in flakkerend lamplicht haast onmenselijk. Als je in haar ogen kijkt, begrijp je waarom de Hollanders ophielden met het importeren van Balinese slaven. Het waren onbevreesde vrouwen zoals zij die zichzelf verwondden met een mes en met hun eigen bloed hun voorhoofd rood maakten voordat ze in de vlammen sprongen die hen en hun dode mannen naar de onderwereld brachten.

Toch herinner ik me Nenek vooral als een vloeibare schaduw, stilletjes bewegend in de ochtendschemering, haar gouden armbanden glinsterend. Ze stond altijd om vier uur 's ochtends op en liep dan zachtjes naar Ibu's kamer. Als ze haar dochter regelmatig adem hoorde halen, ging ze gerustgesteld haar zangvogels wekken. Op Bali wordt het vroeg licht; om vijf uur staat de zon al aan de hemel.

Ze veegde de binnenplaats, waar 's nachts witte frangipanibloesem was gevallen, en ging dan met een bamboemand op haar rug de bergen in. De jungle met de lachende apen, prachtige vlinders en krijsende vogels was haar medicijntuin.

Als wij thuiskwamen nadat we onze cakejes hadden verkocht, zat Nenek in de deuropening, at ze wilde pruimen en floste ze de schilletjes tussen haar tanden vandaan met een lange haar van zichzelf, of waaierde ze zichzelf koelte toe met een palmblad, verlangend naar de koelte van de bergen. Ze was een nakomeling van de geïsoleerde stammen die in de blauwgrijze bergen leven. Dat was duidelijk, de rest was een raadsel. Er waren ergens een overleden man en een dood kind, maar over al het andere wilde ze niet praten. Ze had vele geheimen. Als ze die onthulde, kon ze haar kracht verliezen of, erger nog, gek worden. Vreselijke geheimen kunnen alleen aan hagedissen worden toevertrouwd. Dat zijn bijzondere dieren. Nenek zei dat ze onze taal verstonden, maar alleen over de toekomst mochten praten. Soms ving Nenek er een met haar blote handen en dan naaide ze hun bek dicht voordat ze het dier haar geheimen influisterde. Ik had medelijden met ze. Ik weet nog dat ik vond dat Nenek haar geheimen maar voor zichzelf moest houden als ze zo vreselijk waren dat een hagedis de hongerdood moest sterven om ze te beschermen. Toch hield ik innig van haar, en zag ik haar als het hoofd van ons huishouden, niet mijn vader. Hoewel ze duidelijk veel minder van ons hield dan van Ibu, was ze voor mij de belangrijkste figuur van mijn jeugd. Ze liet ons de meest verbijsterende dingen zien.

Om een bloem te zien die negen maanden een knop is en dan slechts vier dagen bloeit, moesten we helemaal naar Sumatra. Aan het eind van een vermoeiende reis vonden we diep in het regenwoud de merkwaardige bloem, tussen wortels en wingerd en rottend blad. Dieprood, met fluwelige gele wratten, meer dan een meter groot. Het was meteen duidelijk waarom hij de lijkenbloem wordt genoemd, want hij stonk als een lijk in staat van ontbinding. Vliegen gonsden eromheen. Maar eenmaal gedroogd en verpulverd is een klein snufje poeder genoeg om de baarmoeder van een vrouw te laten slinken na een zwangerschap, of een wat oudere man zijn potentie terug te geven.

Vaak nam Nenek ons mee naar zee, naar plaatsen met rotsen waar de toeristen niet kwamen. Gehurkt op de rotsen stak ze haar hand in het water en trok ze zee-egels los van de onderkant. Wij renden rond door het zoute water en verzamelden zeewier. Op de terugweg gingen we naar het arme dorp van de viseters om zowel zoute als verse vis te kopen.

Bij zonsondergang roosterde Nenek de vis. Ibu bracht schalen met gekookte zoete aardappelen en sappige bamboescheuten in azijn met chilipepers. We zaten in een kring bij de deuropening van mijn moeders kamer en aten gebakken tahoe terwijl de vleermuizen uit de bomen kwamen om naar voedsel te zoeken. Het werd snel donker, en dan stak Nenek de koperen lantaarns aan die een zachte gloed verspreidden over de binnenplaats. En als het helemaal donker was, gloeiden de vuurvliegjes.

Het paradijs is onvergetelijk.

Ik herinner me ook dat we met Nenek naar de vogelmarkt gingen. Feilloos koos ze de vogels die het mooist konden zingen, de ene vanwege het hoge, zoete stemmetje – *keekey, keekey, keekey* – de andere vanwege het malle ronde grinniken – *churr, churr, churr.* Ze hield de vogels in bamboekooien die ze overal op de binnenplaats ophing. Als ze ziek waren, voerde ze de diertjes medicijnen die ze zelf maakte en tot balletjes zo klein als rijstkorrels rolde. Bij volle maan liet ze alle vogels vrij, maar in plaats van weg te vliegen, kwamen ze op haar schouders, handen en schoot zitten, tam en zingend. Mijn zus en ik zaten naast Ibu en keken vol ontzag naar mijn met vogels overdekte grootmoeder.

Samen zochten we op de markten naar het vlees van groene woudduiven, paarse waterhoenders en vleermuizen. De vleermuizen kocht Nenek levend, en dan hing ze die thuis ondersteboven aan het plafond. Altijd verontschuldigde ze zich tegenover de dieren. 'Ik heb eerbied voor je en ik hou veel van je, maar nu moet ik je uitnodigen om een smakelijk ingrediënt van ons feestmaal te worden.' Dan pakte ze het nekje beet, en met een snelle beweging waren ze klaar voor de pan.

Mijn vader leerde ons Engels, en Nenek zat bij ons als wij samen oefenden, een ondoorgrondelijke uitdrukking in haar ogen, maar haar mond grijnzend van trots. Ze weigerde de taal van de blanken zelf te leren. 'Doornen in mijn mond,' zei ze.

Ze had een onverklaarbare minachting voor het blanke ras, die ik pas leerde begrijpen toen het al veel te laat was. In die tijd vond ik de toeristen juist geweldig, rijk en gul. Nenek zou woedend zijn geweest als ze had geweten dat wij in troepjes naar busjes renden als toeristen werden rondgereden om de rijstvelden te zien. We strekten onze bruine handjes uit en zetten een zielig gezicht. Bedelen was een makkelijke manier om aan geld te komen. Als we met Nenek in Denpasar waren, waar ze zwarte koraal en boomsappen uit Borneo kocht van de Dayaks, vroegen toeristen vaak of ze ons mochten fotograferen. Wij grijnsden dan en dachten aan het gevoel van muntjes in je hand, maar zij schudde haar hoofd, greep ons bij de hand en versnelde haar pas.

Niet alleen wantrouwde ze het fenomeen om iemands wezen te vangen op papier, ze had bovendien hun eten geproefd, zo *nyam-nyam*, smakeloos, dat ze zich afvroeg hoe ze zo vadsig waren geworden, of ze misschien in het geniep mensenvlees aten. Verder had ze gehoord dat blanken ongehoord smerig waren.

'Ze gaan zelden in bad en ze gebruiken een kam om in hun thee te roeren,' vertelde ze met haar mondhoeken vol walging omlaag getrokken.

Wij dachten aan de bankbiljetten die ze ons gaven, zo schoon en krakend. 'Wie heeft je dat verteld?' riepen we in koor. 'De Dayaks,' zei ze. 'Toeristen komen in hun huizen slapen.' 'O, maar dat zijn backpackers,' verdedigden wij ze. We hadden over hen gehoord op school. 'Waarschijnlijk hadden ze gewoon geen lepel.'

Nenek was niet overtuigd. 'Zou een tijger ooit dadels eten, zelfs als hij honger heeft?'

'Wel als het magie was,' zei mijn tweelingzusje grinnikend.

Mijn zus hield van dieren. Alle dieren raakten haar hart. Ze redde vermoeide bijen van de dood door ze op te rapen van de grond en ze in een lepeltje met suikerwater te zetten. Gefascineerd keek ze naar het kleine trompetje dat het insect uitstak om mee te drinken. En ze was intens gelukkig als ze het beestje weer hoorde zoemen.

Mijn zus was de geefster, degene die altijd zei: 'Hier, neem jij de grootste maar.' Of het nou een stukje rijstcake, een vlieger, of een bloemenkrans was die Ibu voor ons had gemaakt, altijd kreeg ik van haar de grootste of de mooiste.

We zagen een keer een stervende aap die was overreden door een motor, en mijn zusje keek naar mij. 'Stel nou dat we van elkaar gescheiden raken?' vroeg ze met een klein, bang stemmetje. Ze hield haar roze slippers in haar hand, want ze vond ze te mooi om ze te dragen. 'Doe niet zo mal,' zei ik. 'Dat gebeurt heus niet. Dat laat Nenek niet gebeuren. We blijven samen totdat we twee oude vrouwtjes zijn. We zijn onafscheidelijk.'

Ja, mijn zus was zo argeloos. Ik heb een beeld van haar in mijn hoofd, zoals ze als kind door het dorp ging, met op haar hoofd een dienblad met cakejes op een schaal, een grote pot boordevol zoete koffie en een stapel glaasjes. Ik ben misschien vergeten het te zeggen, maar mijn zus is ook mijn hart. Ze is van mij. En als mijn hart niet meer klopt, stokt mijn adem en hou ik op te bestaan.

Zeenat

Wat doe jij hier? Waar is mijn zus? Je zult wel verdwaald zijn, want dit kronkelpad voert alleen naar de begraafplaats, een gevaarlijke plek aan de rand van een diep ravijn. Het spookt er. Niemand durft er in het donker in z'n eentje te komen, maar jij hoeft niet bang te zijn, geef me maar een hand. Het is nog geen avond, en de tempel van de doden is niet ver hiervandaan. Ik breng je voor zonsondergang terug naar mijn zus. Ze is te zachtaardig. Bij dit deel van het verhaal moet ze altijd huilen, dus pik ik de draad voorlopig op. Totdat zij weer terug is.

Haar noem je Nutan, dus mag je mij Zeenat noemen. Het zijn natuurlijk niet onze echte namen, maar ook ik heb veel te verbergen, ook ik vrees de wijzende vinger en de roddelende tongen. Triest maar toepasselijk dat we ons verschuilen achter de namen die we ooit aan twee van onze varkens hebben gegeven. Maar ach, het waren mooie beesten en we hielden van ze. Met hun buik hangend op de grond keken ze over het lage muurtje van hun kot naar de papaja's aan de boom. De slimme beesten wisten wel dat ze de schillen van ons kregen, maar vergaten hun lot: de vlijmscherpe messen waarmee hun leven zou worden beëindigd.

Ook wij vergaten in onze hebzucht, maar daar wil ik het nu niet over hebben. Pas op, er zit een kuil in het pad. Zie je die enorme donkergroene bomen langs de rand van de begraafplaats? Dat zijn magische *kepuh*-bomen. Er huizen geesten in.

Aha, je glimlacht. Probeer je soms beleefd je superieure minachting te verbergen? Maar ik herken je wel. Soms spreek je Engels, soms Italiaans en soms Duits of Japans, en je zakken zitten altijd vol geld. Elke zomer komen jullie met duizenden tegelijk naar onze eilanden, op zoek naar dat ene onbedorven strand, een glimp van een mysterieuze prins of een badend meisje in een stenen poel, verleidelijk in haar naaktheid.

Je dorstige ziel vermoedt de verborgen magie achter de tweedimensionale mannen die je dag en nacht lastigvallen: '*You want room? You want taxi? You want girl?*' Maar wat je krijgt zijn onverschillige *sucky-sucky girls*, en travestieten die poseren onder het neonlicht van het Hard Rock Café. Of misschien heb je zelfs wel tussen de Japanners in het theater gezeten en gekeken naar de barongdans, lusteloos uitgevoerd op het heetste moment van de dag door dansers die net zo verveeld zijn als jij. Heb je gezien dat ze doen alsof ze in trance zijn en zichzelf steken met de stompe punt van een dolk? Na afloop klap je beleefd en ga je weer weg.

Je weet dat je te veel hebt betaald voor te weinig, maar dat niet alleen. Zal ik je de leugens laten zien achter de betekenisloze Aziatische glimlach in je camera? De mystieke rituelen bij lamplicht waar menselijk bloed vloeit? Zou je me geloven als ik je vertelde dat Bali een magisch eiland is? Elk briesje is de ademhaling van de goden en godinnen.

Ik moet je wel waarschuwen dat ik alleen kruimels in mijn handen heb. Schaduwen van toen mijn zus en ik nog de lieftallige tweeling waren. Niemand kon ons uit elkaar houden. De mensen zagen ons als een persoon. 'Waar is de tweeling?' vroegen ze. Het zou nooit bij iemand opgekomen zijn om slechts een van ons om de simpelste boodschap te sturen.

Van ons tweeën danste mijn zus het beste. Zelfs met neergeslagen ogen en bewegingloos was ze adembenemend hypnotiserend. Tussen haar wenkbrauwen – geschoren en met zwarte verf tot perfecte boogjes geschilderd – zat een witte stip, *priasan*, het teken van schoonheid van de danser. Moeiteloos kon ze haar vingers naar achteren buigen en haar onderarmen aanraken, alsof het de blaadjes van een lotus waren. Ze kon urenlang dansen, als een marionet aan een touwtje, haar gezicht steeds hetzelfde, als een masker.

Tijdens feestelijkheden danste ze de *legong*. In met gouddraad versierde stoffen, een hoofdtooi met verse frangipani en lange gouden nagels aan haar trillende vingers, veranderde ze in de eenzame en ontroostbare prinses. Het publiek smolt als ze haar zo verdrietig zagen.

Na afloop renden we altijd naar de *warung* van Ni Made Wetni, het stalletje waar ze schijven onrijpe ananas in een saus van rode pepers, knoflook en zout verkocht. We hoopten altijd dat we die dag de eerste klanten waren. De eerste klant is koning; er moet tot elke prijs iets worden verkocht, anders loopt het niet goed af. Met een diepe zucht pakte ze de verkreukelde bankbiljetten van ons aan, mompelend dat ze zo nooit winst kon maken.

We aten ons fruit in de schaduw van een tamarindeboom. 'Doe alsof je mij bent. Doe wat ik doe,' zei Nutan, en dan werd ik haar spiegel. Het was een spelletje waar ik erg goed in was. Ik kon elke beweging in een fractie van een seconde nadoen, zodat het leek alsof we één en dezelfde persoon waren. De andere kinderen benijdden ons.

Onbewust zorgde ze voor me. Ik ben jonger dan Nutan, een paar minuten maar, en toch leek het vaak alsof ze jaren ouder was dan ik. Ik was verlegen, en zij juist vrijpostig, een durfal. Ze vertelt iedereen dat ik zo lief ben en altijd dieren red, maar in feite ben ik niets vergeleken bij haar. Heeft ze je verteld dat ik moest huilen om een aangereden aap? Toen ze klein was, maakte ze op haar zandkastelen altijd heel zorgvuldig kleine randjes waar vermoeide vogels op neer konden strijken om uit te rusten. En als de jongens na de oogst in de dorre rijstvelden krekels hadden gevangen, was het altijd haar idee om naar hun huizen te sluipen, eronder te kruipen en de gevangen insecten te bevrijden.

Mijn zus is bijzonder, ik ben lang niet zo bijzonder als zij.

Ik kan mijn gevoel voor Nutan niet goed beschrijven. Ik hou van Nenek en Ibu, maar dat zijn afzonderlijke personen. Mijn zus zit in mijn botten, ze is een deel van mij. We horen bij elkaar. Wat van mij is, is van haar en omgekeerd. Als kinderen hadden we soms zelfs dezelfde droom, dan zagen we elkaar in onze slaap. Ik had medelijden met de andere kinderen op school omdat ze zo alleen waren.

Toen ik een foto van een Siamese tweeling zag, was ik diep geschokt. Een kwade geest moest dit monster tot leven hebben gewekt. Die nacht droomde ik dat mijn zus en ik met onze heupen aan elkaar vastzaten en met veel moeite een trap beklommen. Op de overloop bleven we staan. Samen, voor altijd aan elkaar vast, een onbevallige Y. We hadden drie benen, twee goede, en het derde bungelde slap tussen ons in. Ik keek mijn zus aan en voelde geen afschuw over het driebenige schepsel dat we waren. We glimlachten naar elkaar. Ze troost me. Ze is mijn hart. In ons hart zijn we een Siamese tweeling. Hoe moet ik het je uitleggen? Het is niet te beschrijven.

Twee middagen per week gingen we naar het huis van de tempelbeheerder om naar oude Hindoestaanse films te kijken. Hij had een enorme verzameling. Als betoverd keken we naar de beeldschone heldinnen in sari's die samen met hun geliefde dansend en zingend van een heuvel omlaag huppelden. Later probeerden we de liedjes na te zingen als we in het water van de rijstvelden naar kikkers en visjes zochten.

Als onze vader terugkwam van zijn lange reizen bleven we de hele nacht op en luisterden we ademloos naar alle verschillende stemmen en melodieën die hij in zich had. Nutan heeft je vast en zeker al verteld dat hij meer dan honderd verhalen uit zijn hoofd kende. Naadloos glipte hij weg uit de huid van een demon die met bliksemschichten gooide en werd hij een knappe prins die ouderwets Javaans sprak. We hadden natuurlijk ons favoriete verhaal. Vol spanning zaten we te wachten terwijl hij de mantra's zei waarmee hij zijn poppen wekte, om dan zijn verhaal te beginnen met de woorden: 'En Valmiki zat op een tapijt van *kusa*-gras, dronk gewijd water en zei: "Zolang de bergen hoog zijn en de rivieren naar zee stromen, zal de Ramayana door de mensen worden verteld…"'

Je kent het verhaal van Rama en Sita natuurlijk wel, maar niet zoals mijn vader het vertelde. Uit zijn mond klonk het als muziek. Wist je dat Rama en Sita op een maanverlichte nacht verstoppertje spelen tussen de blauwe lotusbloemen? Rama laat zich in het water glijden, zodat alleen zijn blauwe gezicht nog boven het oppervlak uitsteekt. Sita kan geen verschil zien tussen de blauwe bloemen en Rama en buigt zich telkens voorover om te ruiken, totdat haar lippen op een gegeven moment die van haar geliefde raken.

Maar in mijn supergeheime dromen was Rama niet blauw, en had hij het gele haar van de Australische surfers. Mannen die op de golven konden dansen. Vanaf het strand waren ze onwaarschijnlijk mooi.

O, waren we al bij canto veertien? Rama zou koning worden. Feest en vreugde, maar kijk, kijk, daar links waar alle slechte figuren vandaan komen; de misvormde bediende, Kuni, met giftige woorden. 'Wees niet zo dom!' siste vader met haar hatelijke stem tegen Rama's stiefmoeder. Ze haalt de jonge koningin over om de twee vergeten gunsten die de maharadja haar heeft geschonken te gebruiken om Rama te laten verbannen en haar eigen zoon tot koning te kronen.

Je hebt geen idee met hoeveel kinderlijke hartstocht we dat

gedrocht, die Kuni, haatten. Als hij de woorden van zijn favoriete vrouw hoort, valt de koning hulpeloos op de grond. 'Mijn mooie koningin, een tijgerin? Zo gemakkelijk richt ze mij te gronde,' snikte mijn vader met de diepe stem van de oude koning. Iedereen huilde mee. Rama werd naar de jungle verbannen.

Een paar verzen later slaat mijn vader op de gamelantrom, en hij dempt het geluid door zijn hand erop te leggen. Het is de adem van de kwade demon Ravana, die zich verstopt in de bosjes en naar Sita kijkt, die wilde bloemen aan het plukken is. En zo gingen de fantastische avonturen verder, totdat Rama alsnog de troon kan bestijgen.

Mijn zus en ik zuchtten voldaan. Mijn vader deed de lamp uit en het scherm werd zwart. Zijn gezicht verscheen ernaast, en zijn mooie ogen zochten ons tussen het publiek. Hij glimlachte, wij grijnsden terug. We hielpen hem bij het inpakken van zijn spullen en liepen samen naar huis. De zon verschool zich nog achter de heuvels, en in het zeeblauwe licht zagen we Ibu in de deuropening zitten, stralend, haar blik op mijn vader gericht. Ze hield zoveel van hem dat ik weleens dacht dat ze jaloers was op mijn zus en mij.

Het was een raadsel hoe ze met mijn vader getrouwd was geraakt, want ze was niet alleen kreupel, ze stamde bovendien af van de animistische Bali Agas, een strijdlustig bergvolk dat geen enkele vorm van klasse erkende en vroeger hun tanden vijlde en zwartmaakte. Hun isolement was een obsessie voor ze; als er vreemden in hun dorp waren geweest, veegden ze de paden om hun voetafdrukken uit te wissen.

Het verleden van mijn ouders was obscuur, maar Ibu begon altijd te huilen als we ernaar vroegen, dus stelden we geen vragen meer. Soms meende ik schaamte te lezen in mijn vaders ogen en kreeg ik de indruk dat hij zich gevangen voelde. Het leek wel of hij een bepaalde vrijheid had opgeofferd. Vroeger dacht ik dat hij zich schaamde voor mijn moeders lichamelijk gebrek, maar later besefte ik dat hij altijd alleen maar achting voor haar heeft gehad.

Het was geen weerzin, maar een tedere liefde zonder passie. Een hand op haar gebogen hoofd alsof ze zijn zus was. De schaamte zat in iets anders. Misschien in de *jong*, de droomarmband die hij droeg? Die vertegenwoordigde een dierbare herinnering. Een andere vrouw, vóór Ibu?

Ibu's bewondering voor hem kende echter geen grenzen. Ze sloofde zich voor hem uit, zorgde dat het hem aan niets ontbrak. Op een ochtend bedacht Ibu opeens dat we taart moesten bakken voor mijn vader. Nenek, Nutan en ik gingen met de bus helemaal naar Denpasar om de ingrediënten te kopen, en die middag volgden we het recept op het kuipje margarine. Ibu lachte de hele middag. Ze was zo gelukkig. Mijn zus en ik gingen naar het huis van een vriendin en bleven buiten zitten wachten terwijl de taart in de oven stond. Met de geurige taart, diep chocoladebruin, gingen we weer naar huis. We hadden zo lang geklopt dat het gebak net een wolk op je tong was. Maar onze vader kwam die avond niet thuis, en met z'n vieren zaten we op de *bale*, het platform, etend, pratend, lachend. Wat was Ibu vrolijk die avond.

Bij zonsondergang zette Nenek extra bakjes van palmblad met eten, bloemen en geld en de smeulende schil van een kokosnoot voor ons hek, zodat kwade geesten daar alles van hun gading zouden vinden en ons huis niet binnen hoefden te komen.

Is het niet vreemd, de dingen die je je herinnert? Ik herinner me mijn moeders handen, hoe bleek ze waren toen ze opeens aankondigde dat ze moe was en naar haar kamer ging. Nenek tilde haar op en droeg haar als een kind. Ik weet nog dat ik naar haar toe ging om te vragen of ze nog een stukje taart wilde. Ze lag op haar bed en schudde haar hoofd. 'Geen taart meer voor dit lichaam. Zoals de adelaar het nest verlaat om door de lucht te zweven, zo moet ook ik het nest verlaten en wegvliegen.'

Mijn vader werd gewaarschuwd. Ibu was heel erg ziek. Ze lag in bed, kon niet meer weven of spinnen, haar huid leek net papier, en als ze haar ogen opendeed, wat zelden voorkwam, glinsterden ze van een merkwaardige opwinding, zoals bij een kind dat zich op een uitje verheugt. Als ze mijn betraande en bange gezicht zag, zei ze alleen: 'Niet huilen. Alleen zonder mijn benen kan ik langs de rivier lopen.' Nutan huilde niet. Ze zat met kaarsrechte rug bij de deur en richtte zich met een bevelende stem tot de geesten. Alsof ze Nenek was. Urenlang raspte ze dezelfde woorden, zonder te huilen. Ze was net een vreemde. Het was eng.

Vergeef me als ik iets heb misdaan
maar neem haar niet mee.
Neem niet wat niet van jullie is.

Zeg haar naam niet,
niet in het donker. Niet vannacht.

Uit een dorp in de verte klonk het roffelen van trommels en gezang, de voorbereidingen voor een dansvoorstelling. Teder streken Ibu's vingers over Neneks hoge jukbeenderen. 'Kijk,' zei ze, 'zelfs tranen durven je niet aan te raken.' Nenek boog haar hoofd nog dieper, zodat Ibu's stervende hand erop kon rusten, alsof Nenek het kind was en de dochter de moeder. Toen mijn vader thuiskwam, haastte hij zich naar Ibu's bed. Ze draaide haar hoofd opzij, en ik hoorde haar tevreden zucht. Haar ogen waren niet langer koortsig, haar stem was niet meer dan een fragiele fluistering. 'Al die tijd heb ik de lach gelachen die jij in mijn mond legde, de tranen gehuild die jij in mijn ogen achterliet, maar het is tijd om wierook te branden en mij terug te geven. Ik verlang naar het gevoel van jouw handen op mijn as, als je die uitstrooit over zee.' Een dag later doofde ze haar eigen lampje.

Ik schrok midden in de nacht wakker en zag mijn vader roerloos als een stenen beeld op het trapje van de rijstschuur zitten, Nutan die geschrokken en ongelovig toekeek, en Nenek die zich over Ibu's lichaam boog. Ik rook wierook. Nenek, dronken van *arak madu*, palmwijn met citroensap en honing, masseerde liefhebbend Ibu's lichaam terwijl ze hartverscheurend zong:

Blijf, blijf voor altijd dicht bij me.
Vergeet nooit
ik pakte je voet,
ik streelde je gezicht,
ik waste je haar,
ik kuste je koude lippen.
Vrees niet. Vlucht niet.
Blijf, blijf voor altijd dicht bij me.

Toen ze me uiteindelijk aankeek, schudde ze haar hoofd alsof ze in de war was. Daarna keek ze naar Nutan en riep ze met verstikte stem: 'Ik kon haar niet hier houden. Het spijt me zo. Je weet dat er niets is wat ik niet voor haar had willen doen. Niets. Ik had me door wilde dieren laten verslinden, ik had het niet erg gevonden als ik in het hiernamaals mijn borsten aan giftige vissen had moeten geven. Ze was mijn leven. Mijn leven is weg.'

Ze drukte haar wang tegen die van Ibu en huilde. Haar verdriet was zo immens dat ik naar haar toe ging en me hulpeloos aan haar voeten liet vallen. Die hele nacht bleef Nenek huilen en zingen. Haar stem zweefde over de stille rijstvelden, terwijl mijn vader bewegingloos op het trapje zat, en de rest van de wereld zonder iets te merken verder sliep. Vlak voor de dageraad, toen alle palmwijn op was, stond Nenek langzaam op, wankelend op haar benen.

De lucht was bloedrood.

Behoedzaam opende ze de blaadjes van talloze bloemen, en die strooide ze over Ibu's lichaam. Terwijl ze dat deed, zei ze bitter: 'Als ik in de jungle woonde, zou ik mijn vingers en oren afsnijden als teken van verdriet, maar in dit leugenachtige land moet ik doen alsof ik blij ben dat mijn dochter is heengegaan.'

Toen haalde ze alle vogelkooien naar de kamer waar Ibu sliep en opende ze de deurtjes. Staand in het midden van de kamer klapte ze hard in haar handen. In een wolk van fladderende veertjes vlogen de geschrokken vogels door de openstaande ramen naar buiten. De nieuwe diertjes vlogen weg, maar de vogels die ze al een tijd had streken verward neer in het bamboebosje bij ons huis, waar ze nog één keer zongen, voordat ook zij de vrijheid kozen. Ze sloeg een doek voor haar gezicht en huilde. Later zagen we dat ze al onze altaars vernielde. Haar gebeden waren niet verhoord, dus zou ze een groter altaar bouwen, voor een andere godheid.

Ik herinner me dat ze Ibu's bleke lichaam wasten en zalfden met geurige olie en bloemen. Nenek poederde haar huid met fijn rijstpoeder en versierde voor de laatste keer haar haren. Haar enkels en duimen werden bij elkaar gebonden. Staal op haar tanden om ze scherp te maken, spiegels op haar ogen om ze te laten glinsteren, *intaran*-blad op haar wenkbrauwen om ze mooier te maken, en jasmijnbloemen in haar neusgaten om haar adem te parfumeren. Na een hele tijd waren ze klaar. En toen was ze echt dood. Tot op dat moment leefde ze nog. Nu was ze een ontzield lichaam. En ik weet nog hoe mooi ze was.

We bleven de hele nacht op om haar lichaam tegen hatelijke geesten te beschermen. Er brandde een lamp om haar dolende ziel de weg naar huis te wijzen. In donkere hoekjes kropen mensen weg om dutjes te doen. De hele nacht gonsde en dreunde de *gambang*.

Ze goten kerosine over haar heen.

Nenek stond in de schaduw van de grote *kepuh*-boom achter de tempel. Ze leek net een speeltje, klein en misplaatst. Nutan hield mijn hand vast, en Nenek wendde haar hoofd af toen de mannen tegen mijn moeders lichaam duwden om het beter te laten branden. Op een gemoedelijke manier maakten ze grapjes met het lijk, ze adviseerden haar om snel te verbranden zodat zij naar huis konden. Je hoeft niet gechoqueerd te zijn. Het is onze manier. Een crematie is een blije gebeurtenis van vrienden en familieleden die een dierbare naar huis sturen.

Toen pas drong tot mijn vader door hoe groot zijn verlies was. In z'n eentje zat hij in de deuropening, zijn hoofd geleund op zijn arm, zonder een traan te laten maar helemaal kapot van verdriet. Verbijsterd was hij dat haar slechte been hem een doorn in het oog was geweest. Beschaamd dat hij haar niet in zijn wereld had toegelaten. Diepbedroefd omdat hij nooit meer het middelpunt in het leven van een engel zou zijn. Nooit meer zouden haar ogen oplichten als ze hem zag.

Voor mij was de dood van mijn moeder verwarrend. Had ze zelf niet graag uit het leven weg gewild? Ik geloofde Ibu toen ze me uitlegde, haar ogen glinsterend, dat het niet meer dan terecht was dat zij als eerste naar de hemel zou gaan, zodat ze haar goede been terug kon krijgen.

'Er wacht een paar prachtige schoenen op me. Als jij komt, gaan we samen kilometers en kilometers wandelen,' had ze me beloofd. En die belofte verlichtte het huis waarin mijn gedachten woonden, maar geen enkel straaltje van mijn lamp kon in Neneks huis doordringen. In het pikkedonker strompelde ze rond, ze stootte zich aan meubels en gooide stoelen om. 's Ochtends werd ze wakker met de naam van haar dochter op haar lippen. Als we thuiskwamen uit school voelden we haar verdriet al bij het hek.

Ibu's zwijgende weefgetouw trok haar als een magneet. Soms zat ze op de *bale* en luisterde ze naar geluiden die er niet meer waren, het zachte rinkelen van belletjes, de kam tegen de holle bamboe, het intrappen van de pedalen. Vaak stond ze ook in Ibu's schemerdonkere kamer en staarde ze naar de matras waarop haar dochter was gestorven.

In tegenstelling tot mijn vader was Nenek niet vertrouwd met de manieren van de aristocratie. Ze kon niet geringschattend doen over dit leven, de spot drijven met vluchtige pleziertjes en lijden. De dood zien als een deur, een vriend. De dood, zei ze altijd, was als je geen pad meer voor je zag en viel. De dood was barbaars, en het was onnatuurlijk om er blij mee te zijn. Zij was een kind van moeder aarde, en zolang haar voeten contact hielden met de grond, was ze thuis.

Ze leed enorm onder het lichamelijke verlies van haar dochter. Voor haar was het lichaam geen onrein omhulsel van de ziel, het lichaam zat vol magie. De voorouders van mijn grootmoeder zijn zelfs wel eens van kannibalisme beschuldigd. Dat is natuurlijk onzin, maar als ze ooit, lang geleden, mensenvlees hebben gegeten, dan was het een daad van liefde om hun dode in leven te houden.

Diep in een van Ibu's laden vond Nenek een oude, gekreukelde zwartwitfoto die mijn vader genomen moest hebben toen zij er niet bij was. Geschokt staarde ze naar de foto: Ibu's geest, gevangen op papier. Ze brak toen ze haar dochter zag, begroef haar gezicht in de holte van haar arm en snikte. Ze had oprecht van haar dochter gehouden, maar foto's waren verkeerd. Een foto kooide de geest. Toch kon ze het niet over haar hart verkrijgen om het portret te vernietigen.

Dagenlang staarde ze naar haar gevangen dochter. Op een dag nam ze een besluit. Ze ging ermee naar de Japanse fotograaf in Denpasar en die restaureerde de foto. Elk vlekje werd geretoucheerd, hij kleurde Ibu's wangen roze en haar lippen vurig rood, zodat ze net een filmster leek. De foto kreeg een zwart met gouden lijst en werd opgehangen in Neneks kamer. Vaak offerde Nenek wierook aan de beeltenis van haar dochter.

Nutan

Hoe ben jij nou op onze begraafplaats terechtgekomen? Kom mee, voordat het donker wordt. Hierheen, en loop voorzichtig. Zie je die zielige, ineengedoken figuur in dat geïmproviseerde hutje daar? Het is mijn vader. Hij is onrein, maar ik heb hem vergeven. Ik had geen keus. Het is zeker volle maan vannacht, want dan zoekt hij zijn eigen gezelschap. De hele nacht blijft hij daar zitten, oud en vergeten, en laat hij de klanken van zijn fluit over de zilveren rijstvelden dwalen. Als hij geluk heeft, ziet hij misschien een hemelslang, een vallende ster.

Heel lang heb ik gedacht dat ons beschamende familiegeheim iets met zijn voorouders te maken had. Je had het nooit kunnen vermoeden omdat we zo arm waren, maar eens waren het de machtige heersers van Bali. Alles wat er restte van hun glorierijke verleden waren drie stukken zilveren tafelgerei, afkomstig uit een Hollands scheepswrak. Ik vond het schitterende spullen, maar Ibu zag alleen de glans.

'Wat zijn deze dingen slim,' zei ze terwijl ze haar handen over het glimmende zilver liet gaan. 'Verblind door hun glans gaan we ons verbeelden dat ze ons bezit zijn. We vergeten dat we er alleen tijdelijk op mogen passen. Ze zullen ons allemaal overleven. Zij hebben het eeuwige leven, en worden gekoesterd door idioten.'

En ze had gelijk. Deze stukken bepaalden dat mijn vaders trotse voorouders ten val kwamen. Het was het excuus dat de blanken gebruikten om onze macht, ons land en onze rijkdommen onrechtmatig in bezit te nemen. Nu waren de familieleden van mijn vader eigenaar van vervallen paleizen die ze niet langer konden onderhouden, nederige wajangspelers zonder land, en zwijgende vegers in verlaten bergtempels.

In mijn dromen zag ik mijn eenvoudige vader in een heel ander licht: met een rijk versierde kris op de rug van zijn lange goud met zilveren gewaad, staand bij de poort van een indrukwekkend paleis. Een Hindoestaanse prins. Mijn vader mocht de koninklijke titel *I Gusti Agung* gebruiken.

Hij was een van de weinige nog levende nakomelingen van het koningshuis Majapahit, de heersers van Java, die vol afschuw de islamisering van hun rijk aanzagen. Alle schoonheid die verloren ging. Ze besloten naar elders te gaan met hun decadentie. Niet alleen hun religie brachten ze naar Bali, ook hun beste acteurs, dansers, handwerkslieden, concubines en trouwe bedienden. Maar ze leefden niet nog lang en gelukkig. De glorie van een gehele dynastie ging verloren in een bloedstollend ritueel: *puputan*. Je hebt er vast weleens van gehoord. Het gebeurde toen de Hollanders besloten om Bali te veroveren. Gewapend met ontelbare geweren rukten de troepen op, in de verwachting dat het een makkelijke strijd zou worden tegen mannen met kleine messen, maar in plaats daarvan kwamen ze bij een verlaten stad. Trommels roffelden binnen de paleismuren, en uit het paleis zelf steeg rook op. Terwijl de Hollanders verbijsterd toekeken, kwam er een stille processie door de hoge poort naar buiten.

De raja, helemaal in het wit gekleed, behangen met juwelen, zat trots in zijn palankijn met vier dragers. Hij droeg zijn ceremoniële kris. Zijn hele hofhouding en zijn vrouwen en kinderen volgden hem, starend alsof ze in trance waren. Op honderd pas van de Hollanders liet de raja zijn dragers halt houden, hij stapte uit en gaf het teken.

Een hogepriester kwam naar hem toe, maakte een diepe buiging en stootte met volmaakte precisie zijn dolk in de borst van de raja. Er ontstond een wilde orgie van zelfvernietiging, mensen staken elkaar of zichzelf, zingend vonden ze de dood, allemaal gadegeslagen door de geschokte Hollanders. Toen kwamen de vrouwen naar voren, gekleed in hun mooiste brokaat, ze beschimpten het leger en smeten met minachtende gebaren hun juwelen en munten naar de verstijfde soldaten. Ze boden hun borst aan, nodigden de mannen uit om te schieten.

De Hollanders waren overdonderd. Nooit eerder had een gekoloniseerd volk zich zo onbegrijpelijk gedragen. Waar was de automatische dociliteit die ze overal elders hadden meegemaakt? Dit was het onweerlegbare bewijs dat de Balinezen zo krankzinnig waren dat ze dit volk nooit klein zouden krijgen. Wilden waren het.

Schaamteloos openden de Hollanders het vuur.

De kinderen vielen, met kogels doorzeefd. De kleintjes in de armen van hun stervende moeders. Steeds meer mensen met krissen stormden blindelings uit het paleis naar buiten en struikelden over de berg doden. De Hollanders bleven vuren totdat de doden een hoge berg vormden. Onder alle lichamen met de boze ogen lag een mooie droom: ze weigerden zich door de vijand te laten regeren. Een van de vrouwen van de raja keek toe, zonder zelfs maar te kreunen. Ze wachtte totdat de soldaten alle lijken van goud en juwelen hadden ontdaan, en toen rolde ze het bebloede lichaam van de raja zorgvuldig in een mat. Ze zou zichzelf met liefde in zijn brandstapel hebben geworpen, maar ze was in verwachting. Een gift van de goden mag je niet weigeren.

Zij was mijn overgrootmoeder, Nyang Ratu, en in haar schoot groeide mijn grootvader, Anak Agung Rai. Dat is een ander verhaal, maar ik ken de geheimen van de wajangspeler niet, en bovendien heb jij haast. Ik zal wat sneller gaan. We laten de jaren overvliegen als vogels tegen de avondlucht.

Gevoerd met Neneks brouwsels en kruiden schoten we op als bamboe.

Bij het begin van de menstruatie hield Nenek het overgangsritueel. Na drie dagen van afzondering en allerlei ceremonies hielden we tussen duim en wijsvinger een lapje katoen met afbeeldingen van de liefdesgoden, en daarmee streken we over onze wang. Op die manier werden we aan de liefdesgoden gegeven. Ze beschermen maar brengen ook onzekerheid en verleiding. Zeenat en ik waren niet geïnteresseerd in de dorpsjongens. Ze keken wel, maar ze waren zo bang voor Nenek dat ze ons niet durfden aan te spreken.

De dag kwam dat onze tanden werden gevijld. Gekleed in brokaat, met een bloemenkrans op ons hoofd, werden we naar de rijkversierde *bale* geleid. Een brahmaanse priester hield onze mond open met een stukje suikerriet terwijl onze zes boventanden tot gelijke lengte werden gevijld om ons uiterlijk te verfraaien en ons te verlossen van de dierlijke trekjes van de mens: lust, hebzucht, woede, dronkenschap, verwarring en jaloezie. Bij Nenek was het nooit gedaan. Lachend vertelde ze ons dat lange hoektanden waren voorbehouden aan dieren, demonen en heksen.

We waren achttien jaar oud toen onze vader op een dag thuiskwam en ons met zijn beschaafde stem iets verbijsterends vertelde. Hij had zijn zilveren erfstukken verkocht zodat we konden gaan studeren aan de universiteit van Bandung, maar daarvoor was er nog een verrassing. We luisterden met open mond. Een vakantie overzee! Drie of misschien zelfs vier maanden in Londen? Wat wist ik nou helemaal van Londen? *London Bridge is falling down, falling down*... Hij vertelde van een oom die werk voor ons had gevonden als serveerster in het eethuis van een kennis. We kregen een kamer in een huis daar niet ver vandaan, vlak bij Victoria Station. *Victoria Station.* Wat klonk dat exotisch uit de mond van mijn vader.

Alles was geregeld, tot in de allerkleinste details. We konden geen woord uitbrengen. Het leek te mooi om waar te zijn. Wat een droom! Opeens slaakte Nenek, die zich de hele tijd stil had gehouden, een langgerekte, schrille kreet. Ze was heel bleek. 'Nee, haal hen niet ook bij me weg!' riep ze.

Mijn vader keek zelfs niet om. Zijn ogen staarden in de verte, naar de blauwe schaduw van de berg Agung. 'Het zijn mijn kinderen en ik beslis,' zei hij. Voor het eerst hoorde ik hem niet in ons gewone vertrouwde taaltje praten en gebruikte hij de deftige, formele woorden van zijn voorouders. Alsof hij een vreemde was. Alsof zíj een vreemde was. Zo beleefd, zo kil dat er een rilling langs mijn rug ging. Hij draaide zich om, en de twee keken elkaar aan.

Op dat moment stortte mijn hele wereld zonder enige waarschuwing in elkaar. Het was alsof ik in de spiegel keek en een ander gezicht zag. Ik besefte dat het de eerste keer was dat ik Nenek recht in de ogen van mijn vader had zien kijken. Een hele tijd bleven ze opgesloten in een kloppende, ziedende wereld. Mijn zus en ik bestonden niet meer. In mijn hoofd hoorde ik een stem van heel ver weg, allang vergeten. Ida Bagus.

Het was geen vriendelijke stem, die van Ida Bagus. Zij had geweten van het taboe dat mijn familie altijd had verhuld. Dus de spottende stem die ik had gehoord toen ik krekels stal onder haar huis had de waarheid gesproken. Het was geen roddeltje over Nenek geweest, het was gewoon waar. Toen pas begreep ik waarom ze haar *janda kembang* noemden. Letterlijk vertaald betekenen de woorden jonge weduwe, maar ze hebben een denigrerende klank, want ze doelen op een jonge weduwe van lichte zeden.

Voor het eerst begreep ik alles. Hij had haar naar hem laten kijken, eindelijk, en haar zijn macht getoond. Natuurlijk, had ik maar beter opgelet. Het was mijn grootmoeder geweest, zíj was de eerste en ware liefde van mijn vader. Het was Nenek die hem eerst als minnaar had gehad, totdat ze het verlangen in de ogen van haar kreupele dochter zag. Er waren twee wetten waarnaar mijn grootmoeder leefde: ze ontzegde haar dochter niets, en ze maakte haar eigen regels. Ze deed een stap opzij en gaf haar minnaar aan haar dochter.

Ach, stilte. De Balinese stilte is een teken van onenigheid of woede. Nijdig draaiden mijn vaders vingers de armband die hij zo lang ik hem kende dag en nacht had gedragen. Nenek had hem zo onverschillig afgedankt, maar zijn gebroken hart koesterde jaloers haar herinnering. In gedachten hoorde ik Neneks stem, die nacht dat Ibu stierf, de enige keer dat ik haar dronken had gezien: *'Er is niets wat ik niet voor haar had willen doen. Niets.'* Ze heeft er nooit spijt van gehad. Een minnaar is makkelijk te vervangen, een dochter nooit.

Opeens bleek alles te kloppen. Geen wonder dat Ibu's liefde zo wanhopig was, geen wonder dat de wajangpoppen van mijn vader zo boos waren. Van ver weg zag ik Neneks diepe angst, haar erfenis. En ik had medelijden met haar. Wat was haar liefde voor mijn moeder groot en prachtig geweest.

Maar mijn vader zag alleen dat ze hem had opgeofferd, dat ze hem als een ongewenst bezit had weggegeven aan haar kreupele dochter. Wat waren mijn zus en ik blind geweest! Het drama dat de volwassenen in ons leven voor onze nietsvermoedende neuzen hadden opgevoerd.

Geen wonder. Geen wonder.

En die dag wist ik waarom de benauwende fluistering 'het zijn allemaal leugens... allemaal leugens...' rusteloos van de ene kamer naar de andere ging. Hij had nooit van ons gehouden. Geen van hen drieën had van ons gehouden. Ibu niet, Nenek niet, en zeker vader niet. Wij legitimeerden hun bestaan tegenover de buitenwereld.

Wat bood mijn vader ons eigenlijk aan? In werkelijkheid was deze vakantie een bitter brouwsel van afgewezen hartstocht, ingekookt tot wraak. Uit vergif was het idee geboren, en het plofte op de vloer van ons armoedige hutje neer als een prachtige, gevleugelde vos. Ik wist dat de pijlen voor Neneks hart waren bedoeld. Ik wist het, en toch kon ik het niet helpen, toch wilde ik naar Londen. En waarom ook niet? Hadden ze ons niet jarenlang bedrogen met hun valse blijken van liefde?

Londen was opeens heel dichtbij. Hoewel ik niets zei, had ik

Bali en mijn dierbare Nenek in mijn hart al verlaten. Het is maar een vakantie, hield ik het schuldgevoel in mijn borst voor. 'In elke tijger schuilt een vermoeide oude man,' waarschuwde Nenek nauwelijks verstaanbaar. Mijn vader verstijfde zichtbaar, en hij staarde zonder iets te zien naar de eens kleurige matten aan de muur. Ze sprak de waarheid. Het leger van een tijger is altijd verwaarloosd en met onkruid overwoekerd. Vrienden heeft hij niet, en in elke majestueuze tijger schuilt een vermoeide oude man. Ik zag hem zitten, zijn houding zo trots als een krijger, maar niet meer dan half levend. Hij was niet een van ons. Zijn hart was niet Balinees, zoals dat van Nenek, mijn zus en mij. Mijn vader was een Javaanse prins, en dat was hij geen moment vergeten.

Ach, vader, je had je geheim beter moeten bewaken, want ik vind je nu minder mooi. Je bent niet meer dan een blinde havik, kwaadaardig geworden door alle frustratie en wrok. Door de jaren heen hadden we geleerd om zijn verval als schoonheid te zien. De omgevallen pilaren, de met mos overdekte beelden, de gebarsten stenen treden en de stinkende stilstaande vijver, we hadden het allemaal bewonderd. Opzettelijk sloten we onze ogen voor het ding binnenin hem dat versleten en verslagen was. Diep vanbinnen hunkerde ik nog naar zijn liefde, en met dat kleine deel van mijn wezen had ik medelijden met hem, wilde ik zijn eenzame lichaam, gebogen door het jarenlange poppenspelen, vasthouden.

'Mijn verdriet is niet van belang, maar is het zoet, het bloed van je eigen kinderen in je mond?' vroeg Nenek triest.

'Heb jij soms de toekomst van je kind niet bepaald?' vroeg mijn vader met bijtend sarcasme in zijn stem. 'En wil je mij dat voorrecht nu ontzeggen?'

Nenek glimlachte. Het was een Balinese glimlach. Het betekende niet dat ze blij was, het was gewoon een poging om te sussen, om aan een ruzie een positieve draai te geven. Om de oppositie te laten zien dat je geen bedreiging vormt.

Er viel een stilte, en mijn vader stond plotseling op om naar de tempel te gaan. Die avond verstopte ik me bij zijn kamer nadat hij zijn hanen had gevoerd en was ik getuige van een schokkend gebed. Het was een gebed om een heks te intimideren.

Je ogen zullen blind worden,
je handen verlamd,

je voeten nutteloos.
Zij die verheven en geleerd zijn, waken over mijn slapende
lichaam.
Ik zal niet dromend sterven,
mijn parasol is geel, de goden hebben respect voor me.
Ik ben niet bang, niet bang.
Duizend heksen zullen voor me buigen.
Ik ben niet bang, niet bang.

Die nacht kreeg Nenek een toeval. In een soort trance kroop ze door de kamer, grommend dat wij het eiland onder geen beding mochten verlaten. De goden zouden vergeten ons te beschermen, en zij zou geen macht meer hebben over de boze geesten die ons kwaad wilden doen. Ze sneed haar polsen door en liet ze bloeden terwijl ze heel stil bleef zitten, ze voedde de onverzadigbare bleke slang en de zwarte kat zó lang dat mijn zus zich snikkend in haar schoot wierp. 'Genoeg, genoeg, genoeg!'

Later schrok ik wakker van de angstige stem van mijn zus. 'Snel, het is Nenek.' Samen renden we naar de *bale*. Nenek snikte als een kind, net als toen mijn moeder doodging. Mijn zus knielde naast haar neer en streelde haar haren.

Ik zag Nenek bijkomen, alsof ze ontwaakte uit een nachtmerrie. 'Mijn verdriet is groot. Ik heb de regels overtreden. Het was dom om terug te kijken. Nu wil de zwarte kat zich niet meer stilhouden. Ik raak mijn macht over hem kwijt. Hij begint hebzuchtig te worden,' riep ze uit, haar ogen rusteloos. Toen ik haar water bracht, greep ze mijn hand beet en smeekte ze: 'Ga niet. Als ik je om vergiffenis vraag, beloof je dan dat je niet zult gaan? Zeg het! Zeg dat je niet zult gaan.'

Maar ik sloeg zwijgend mijn ogen neer. Mijn besluit stond vast. Ze hielden niet van ons. Toen ik weer opkeek, zag ik Nenek onder mijn ogen oud worden. Haar ravenzwarte haar leek onecht in vergelijking met haar vermoeide gezicht.

'O nee, heb ik mijn dierbare eieren nou echt laten bewaken door een kraai?' fluisterde ze. Weer keek ze me aan. Dit keer was haar blik angstaanjagend. Ze begreep dat ik het hoofd was en mijn zus de staart. 'Willen jullie echt weg?' vroeg ze uiteindelijk.

Het reisje was geen cadeau, het was chantage. Ik probeerde me voor te stellen hoe het zou zijn, die twee samen in ons huis. De verbitterde stilte, Neneks trieste voetstappen. Dat was wat hij wilde. Daarom wilde hij ons weg hebben. Arme Nenek.

Maar die dag wilde ook ik haar straffen. Hield zij niet de ene kant van een deken van leugens vast? Ik voelde de hand van mijn zus op mijn arm, en toen ik haar aankeek, stonden haar ogen smekend. Maar de gevleugelde vos accepteerde geen nee. 'We doen wat vader wil,' zei ik. Ik wilde weg uit ons claustrofobische dorp waar iedereen wist wat wij niet hadden vermoed. Ik wilde weg, de grote wijde wereld in. We verdienden het. Ze hadden ons beroofd van de liefde van onze moeder. Nu liet ik ons niet ook deze kans nog eens afpakken.

'Ze rennen hun lot tegemoet,' zei ze heel zacht. Hoewel haar ogen glinsterden als twee zwarte kooltjes, had haar gezicht een verslagen uitdrukking. Nenek had ons nooit iets ontzegd. Niet één keer. Ze heeft ooit een keer tegen me gezegd: 'Van onze kinderen proberen we de boodschappers van onze eigen gedachten te maken. Maar onze ziel wordt wijs en onze kleinkinderen durven we alleen lief te hebben.'

Dagenlang was ze bezig om duizenden kleine zwarte pareltjes te rollen, vijf maanden *jamu* voor ons. Ze verpakte de hele voorraad in twee lege blikken. Op de dag van ons vertrek gingen we naar haar schemerdonkere kamer om haar zegen in ontvangst te nemen. Ze zat op haar smalle bed. De ingrediënten om kruidnagelmedicijn tegen pijn te maken lagen verspreid om haar heen. We gingen op onze knieën voor haar zitten.

'Het is zelfs nu al te laat,' zei ze verwonderd. Ze keek me aan. 'Als de poppenspeler je vleugels geeft, is het logisch dat je weg wilt vliegen, maar vergeet nooit op je hoede te zijn voor de roofdieren in de lucht.' Ik wist niet dat ze me al zonder de bescherming van haar blik voor zich zag – verlamd door een gebroken hart, net als zij. Tegen mijn zus zei ze alleen: 'Droom van Ibu.'

Toen we bij de hoek van de straat waren, draaide ik me om en zag ik haar staan bij het hek, haar gezicht een masker van verdriet. Ik hief mijn hand om te zwaaien, maar ze trok zich onmiddellijk terug en verdween uit het zicht, haar hand tegen haar mond. Haar smeekbedes hadden me alleen maar in mijn voornemen gesterkt, maar dit, dit stille verdriet, dit raakte me. Het leek oneerlijk dat een zo formidabele vrouw door mij geveld moest worden. 'Het spijt me, het spijt me heel erg, maar het moet zo zijn,' fluisterde ik.

Opeens herinnerde ik me mijn zus en mij bij mijn vader op de knie. We deden dan alsof we de poppen van een buikspreker waren en bewogen onze monden volmaakt synchroon met zijn stem. En voor het eerst aarzelden mijn voeten, achter de rug van mijn vader, en voelde ik angst voor de grote wijde wereld en de roofdieren in de lucht. Toch had Nenek gelijk. Zelfs toen moet het al te laat zijn geweest, want mijn vader keek om en zei met zijn kalme, ongeïnteresseerde stem: 'Schiet eens een beetje op, anders missen jullie het vliegtuig.' En de angst verdween en mijn voeten snelden voort.

Ik moet het verhaal nu heel zorgvuldig zeven, ervoor zorgen dat alle goud uit de rivier wordt gewassen.

We kwamen in januari in Engeland aan. Een familielid van mijn vader haalde ons op van het vliegveld Heathrow. Het was een trotse, knappe man die ons van hoofd tot voeten opnam alsof hij het onvoorstelbaar vond dat mijn vader de zuiverheid van hun bloed had bezoedeld. Voor dít, zei zijn blik.

'Kom,' zei hij kortaf, en hij nam ons mee door de menigte naar de uitgang. Vlak voor de deuren bleef hij staan. Vol verwachting zetten we onze koffers neer. Hij keek op zijn horloge. Hij had haast, zei hij. Hij moest terug naar Manchester, waar hij woonde met zijn gezin. Wij zouden hen nooit ontmoeten.

Het was ijskoud buiten, kouder dan de koudste nacht in de bergen. We waren er niet op gekleed. Snel stapten we achter in een zwarte taxi en kropen dicht tegen elkaar aan om warm te blijven. Hij vertelde de chauffeur waar we heen moesten. We begrepen dat we rechtstreeks naar onze kamer zouden gaan. Boven een snackbar waar ze kebab verkochten. Hij wilde niet met ons mee naar boven en bleef in de taxi wachten, terwijl er een man uit de snackbar kwam. Hij heette Mustafa en ging ons over een donkere steile trap voor naar onze kamer. Het was een smerig hok en het rook er muf. Twee bedden tegen elkaar aan. Een raam met uitzicht op de straat. Zwarte vegen rond het lichtknopje. Er was een soort meter waar je muntjes in moest doen als je verwarming wilde. In een hoek van de kamer was een douchehokje, en aan het eind van de gang was de wc, die je echt door kon trekken, zoals de wc's in Denpasar. De huur voor dat rattenhol was 105 pond per week. Ik keek naar mijn zus, zag haar verontwaardigde blik. Het kon gewoon niet dat zo'n hol zoveel kostte. Voor zo'n bedrag kon je op Bali een paleis huren.

We zetten onze bagage neer, stommelden de armoedige trap af en stapten weer in de wachtende taxi. Het was maar een klein eindje rijden naar het eethuis waar we zouden gaan werken. De ramen waren beslagen. Een koperen bel klingelde. Binnen hing een walm van vet eten. Een paar klanten verorberden enorme borden voedsel, het *Full English Breakfast*, zou ik later leren. Gebakken eieren, worstjes, bacon, bonen in tomatensaus, champignons en een halve gebakken tomaat. In deze vettige wereld was zelfs het brood gebakken. Mijn oom begroette de eigenaar, een man met een messnee als mond, en stelde ons voor, niet als familieleden maar als oude vrienden.

'Dan ga ik maar weer,' zei hij tegen ons. 'Ik zie jullie niet meer, dus ik wens jullie alvast een goede reis terug naar Bali.' We keken hem na toen hij in de wachtende taxi stapte.

De eigenaar had een hart van steen. We moesten zes dagen per week werken, van halfzeven 's ochtends tot halfzeven 's avonds, met twee pauzes van een halfuur, en we verdienden ieder 120 pond per week. We kregen uniformen, een wit bloesje en een kort zwart rokje. De eerste week trok hij zestien pond van ons loon af voor de kosten. We mochten zoveel restjes eten als we wilden en elke dag was er een grote fles frisdrank voor ons.

'Jullie kunnen morgen beginnen,' zei hij. 'Als iemand vragen stelt, jullie zijn familieleden op vakantie. Jullie helpen alleen een handje.'

We knikten. In werkelijkheid waren we bang. We hadden niet verwacht dat we zo snel aan ons lot overgelaten zouden worden in een vreemde stad. Zo begon onze geweldige vakantie, met zes dagen werken per week in een groezelig en deprimerend eethuis. De tafels bleven altijd vet, hoe vaak ik ze ook schoonmaakte.

Zes ochtenden per week liepen we door de ochtendkou naar ons werk. We stonden buiten te wachten op de kok, die de deur opendeed. Al snel raakten we gewend aan de klanten. Als eersten kwamen de bouwvakkers, die altijd probeerden met ons aan te pappen, maar gemoedelijk, nooit op een vervelende manier. Wat later kwamen de veeleisende, vormeloze vrouwen met harde gezichten en twee of drie kinderen op sleeptouw. Worstjes met patat voor de kleine monsters, het grote ontbijt voor de moeder. Van de kok hoorde ik dat deze mensen niet hoefden te werken omdat de overheid hen en hun kinderen onderhield.

Rond lunchtijd kreeg je de kantoortypes, doorgaans mannen met lichte, verlegen ogen en vaak iets te lezen in hun hand.

Na school kwamen er meer profiteurs van de sociale zekerheid die te lui waren om het avondeten klaar te maken (dat maal noemden ze *tea*). Daarna, vlak voor sluitingstijd, nadat onze gemene baas de kassa op slot had gedaan en ons had achtergelaten om de asbakken te legen en af te sluiten, allerlei zwervers. De eerste keer was het er één, een man die zorgvuldig zijn kleingeld telde en een kop koffie bestelde. Ik had medelijden met hem, dus liet ik hem niet voor de koffie betalen en bovendien warmde ik een restje bacon voor hem op. Binnen een week had het nieuws de ronde gedaan en werden het zeven of acht vaste klanten. We gaven ze niet alleen restjes maar plunderden de koelkasten.

Als onze baas erachter kwam, zou hij woedend zijn en ongetwijfeld geld inhouden van ons loon, maar we voelden geen loyaliteit tegenover hem, al helemaal niet meer toen we hoorden dat alleen wij tweeën en de illegale Macedonische afwasser zo weinig verdienden. De Engelse serveersters en de Griekse kok met de juiste papieren verdienden meer dan twee keer zoveel.

De zwervers stonken als een dode hond, een mix van alcohol die uit hun poriën wasemde en de rottende etenswaren in hun zakken. Zogenaamd omdat ik uit moest kijken of de baas eraan kwam, zette ik de deuren open om te luchten.

Vaak keek ik naar de bushalte aan de overkant van de straat en de indrukwekkende rode dubbeldekkers die er stopten. In de vallende duisternis kregen de chauffeurs haast iets onwerkelijks in het verlichte interieur. Verlangend keek ik naar de mensen die in de rij stonden en een voor een instapten. Ik volgde ze met mijn ogen door de raampjes van de bus, zag dat ze betaalden en snel een plekje zochten. Als ze zaten, pakten ze een boek of staarden ze naar buiten. Soms zagen ze dat ik naar hen keek en zag ik hun verbazing daarover, maar dan dwaalde hun blik weer af, ongeïnteresseerd in een starende serveerster. Ik benijdde hen.

Toch durfde ik niet zelf in de rij te gaan staan. Ik was bang dat de bus alleen een symbool was, de illusie van een ontgoochelde buitenlander. Ik stelde me voor dat we door in zo'n voertuig te stappen weggevoerd konden worden, weg van de verveling en het keiharde werken, onze altijd koude kamer en de lelijke realiteit van onze vakantie, dat we als door toverkracht naar een plaats van warmte, veiligheid en liefde gebracht zouden worden. Waarvan had ik zonder die illusie moeten dromen? De bus zou gewoon een bus zijn geworden, een voertuig met graffiti en kauwgom onder de stoelen.

Ik had spijt als haren op mijn hoofd. In een vlaag van kinderlijke verbolgenheid had ik mijn grootmoeders hart gebroken voor dit grijze, harde oord. Ze had altijd van ons gehouden. Natuurlijk hield ze van ons.

En ik was diep teleurgesteld over Londen. Het was helemaal niet zoals de gevleugelde vos had beloofd. Zo vaak vergeten door de zon was de stad bitter en vochtig geworden. Het regende bijna elke dag, grote ijskoude druppels die tegen de ruiten sloegen. Zelfs de dag ging vroeg voorbij. Om vier uur 's middags was het al donker. En Victoria Station? De naam die zo spannend had geklonken, hoorde bij een plek die nog grijzer en vreemder was.

We liepen kilometers door die vreemde stad, maar altijd op schoenen. Je kon nergens op blote voeten lopen. Er waren nergens smaragdgroene of gouden rijstvelden. Mensen met sombere gezichten haastten zich in sombere kleren over straat. Niemand glimlachte. Niemand zei iets tegen ons. Op een dag zagen we een oude man met een verfomfaaide hoed op straat, en hij keek ons aan en verklaarde hoofdschuddend: ''t Is geen weer om over naar huis te schrijven, hè?' We waren zo verbaasd dat een onbekende Engelsman ons had aangesproken dat we knikten en grijnsden. We hunkerden zo naar een beetje liefde en warmte.

En waar woonde de rijstgodin? Die hadden ze kennelijk weggejaagd. Op geen enkel kruispunt zag je een altaartje met offergaven. Wat waren deze mensen gemeen dat ze hun god geen eten gunden. Festivals waren er ook al niet, en voor hun god – ze hebben er maar één – hebben ze immense gebouwen neergezet die ze kerken en kathedralen noemen. Het is er ijskoud en de gelovigen lopen met neergeslagen ogen in en uit. Ze zagen eruit alsof ze de meest vreselijke zonden hadden begaan en behoefte hadden aan vergeving.

Ik miste de smaak van de gloeiendhete chilipepers die langs de rand van rijstvelden in het wild groeien, en mijn tong herinnerde zich ook de kleine felrode ananassen die Nenek al voor de dageraad plukte in het bos. Als ik 's ochtends rillend wakker werd, zag ik door mijn gesloten oogleden dat Nenek zich bukte om stuifmeel op te vangen uit een exotische roze met gele bloem. Verschrikt vloog een enorme regenboogkleurige vlinder weg.

'Het bos is mijn moeder,' zei Nenek terwijl ze het gele stuifmeel zorgvuldig in een plastic zakje deed.

Dicht tegen mijn zus aan gekropen in bed om warm te blijven miste ik het geluid van krekels tjilpend in de nacht. Op vrijdag- en zaterdagnacht zwierven kinderen, soms pas dertien of veertien, in groepen door onze straat. De snackbar was hun ontmoetingsplaats. Ze dronken cider uit plastic flessen, vloekten, schreeuwden, scholden.

Er waren geen vogels om het ochtendgloren aan te kondigen, maar als we op zondagochtend door onze stille straat liepen om croissants te gaan kopen, zagen we hele zwermen kraaien en duiven die het braaksel van de kinderen aten.

Omdat we zes dagen per week werkten en net genoeg verdienden om de huur te betalen en wat noodzakelijke kleinigheden te kopen, konden we weinig leuke dingen doen. Alles was schreeuwend duur. Op zondag liepen we naar Trafalgar Square en keken we naar de ontelbare duiven. Het bewegende grijze tapijt op het plein deed me denken aan Bagaswati, een bergbewoner uit de hooglanden van Batak die zijn geld verdiende door 's avonds op te treden op Kuta Beach. In het midden van een kring toeristen stak hij een lamp aan, en als iedereen aandachtig naar hem keek, brak hij een lucifer tussen zijn duim en wijsvinger. Op datzelfde moment viel er in een kooi op de grond een duif dood neer. Altijd een kreet, dan stilte bij de vrouwen, terwijl de mannen allerlei theorieën bedachten. Iedereen betaalde.

Op Trafalgar Square zou Bagaswati een vermogen verdienen. We liepen naar Piccadilly Circus en daar verkocht een dik ingepakte man geroosterde kastanjes voor een pond per zakje. Geroosterde kastanjes ruiken heerlijk; het is een geur die ik met de winter in Londen associeer. We stonden bij zijn warme vuurtje te wachten terwijl hij met zijn pikzwarte handen twee zakjes vulde. 'Alsjeblieft, meissie,' zei hij met zijn hese stem, en hij gaf me een klein papieren puntzakje vol warme, zoete kastanjes.

Via Shaftesbury Avenue kwamen we in Soho. Wat vreemd dat homoseksuele mannen zo met zichzelf te koop lopen! Op Bali is homoseksualiteit alleen een experiment voor jonge jongens voordat ze trouwen en kinderen krijgen. Ach ja, Bali is het paradijs.

We lunchten in Chinatown, waar de geuren vertrouwd waren.

Daar vonden we ook doerians, een vrucht die heimwee opriep. Zeenat berekende dat het fruit tweeëntwintig keer meer kostte dan thuis. Hoewel we het ons eigenlijk niet konden permitteren om er een te kopen, was de verleiding te groot. In het metrostation werden we aangestaard. De geur waar ons het water van in de mond liep, vonden de Engelsen smerig. Onvoorstelbaar. Op onze kamer braken we de vrucht gretig open, maar tot onze teleurstelling zagen we niet het koperkleurige vruchtvlees van de doerians die Nenek altijd mee naar huis nam. Het binnenste was bleekgeel en had ook niet de rokerige, intens zoete smaak waar we zo van hielden. De vrucht was te vroeg geoogst. Later vulden we de uitgeholde schil met water, zoals we van kleins af aan hadden geleerd, en dat dronken we. Zeven keer.

Na meer dan twee weken kregen we de brief die Nenek op de dag van ons vertrek had geschreven. Het was een trieste brief. We hadden voor niets haar hart gebroken. We zaten voor het raam en keken naar de grijze regen. 'Zullen we naar huis gaan?' fluisterde ik.

Mijn zus knikte enthousiast. We besloten weg te gaan voordat we de volgende huur moesten betalen. Over minder dan een week zouden we thuis zijn. Opgewonden keken we elkaar aan. Wat zou Nenek blij zijn om te zien dat ons geen nare dingen waren overkomen. De volgende dag gingen we in de pauze naar een telefooncel en wijzigden we de datum op onze tickets. Ze waren een jaar geldig, daar had onze vader extra voor betaald, maar dat kon ons niet schelen. We wilden gewoon naar huis. Aan het eind van de dag zouden we ons ontslag indienen. Ik denk altijd met verbijstering terug aan die noodlottige dag, aan onze ontsnapping die zó dichtbij is geweest.

Een paar minuten later zouden we klaar zijn geweest met werken.

Als het niet plotseling was gaan regenen.

Terwijl Zeenat en ik toekeken, vond er een wolkbreuk plaats en kwam de regen met bakken naar beneden. Een man op straat, helemaal in het zwart, begon te rennen en besloot te schuilen. De koperen bel rinkelde en hij kwam het eethuis binnen.

Hij was heel anders dan onze vaste klanten. Hij was groot en breed, had golvend geel haar en een diep gebronsde huid. Zijn ogen waren zo blauw als de zee, zijn neus was recht en trots, maar ik staarde vooral naar zijn mond. Wat een onbeschrijfelijk sensuele mond. De mondhoeken krulden op in een soort spottend glimlachje. Nooit eerder had ik zo'n mond gezien, niet bij een man en niet bij een vrouw. Hij ging zitten en streek de druppels uit zijn gele haar en van zijn dure leren jack. Ik zag dat hij geen trouwring droeg, en toen hij naar een andere klant grijnsde, zag ik de lange tanden van een hond.

Toch wilde ik hem.

Mijn zus en ik keken elkaar aan.

'Ik ga wel,' zei ik, en ik zweer het je, ik voelde de adem van de tijger niet. Tot op dat moment waren we onschuldig geweest. Een onbeschreven blad, wachtend op een vileine pen.

Ricky Delgado

Ricky

Zonder enige waarschuwing begon het te plenzen. Vloekend op het Engelse kloteweer dook ik door een beslagen glazen deur een eethuis binnen. Jezus, wat een gribus! Iemand had er een bus luchtverfrisser leeggespoten, alsof het een plee was. De tafel waar ik aan ging zitten was vettig, en de plastic stoel een martelwerktuig. Een serveerster in zwart en wit kwam naar me toe, niet gehinderd door enige vorm van haast, al bewoog ze ontegenzeglijk. Hoofd opgeheven, schouders naar achteren en traag wiegend met haar heupen. Opeens was ik blij, onnoemelijk blij, dat het Engelse weer zo'n onvoorspelbaar secreet is.

Toen het zwart met witte visioen uiteindelijk voor me stond, haar ogen geheimzinnig en haar mond half glimlachend, liet ik mezelf helemaal gaan: ik nam haar van hoofd tot voeten op en floot. De andere klanten keken me aan. Stelletje idioten. Wat weten zij van Aziatische schatjes met een huid als zijde? Dit exemplaar was zo prachtig exotisch dat mijn bloed er sneller van ging stromen. O man, je had dat rokende lichaam moeten zien. Mijn handen jeukten.

Ergens tijdens mijn langgerekte fluiten verflauwde het halve glimlachje. Diepzwarte ogen keken me aan, verward en een tikje onvriendelijk nu, maar in gedachten ging ik al met mijn handen over de roomkleurige hals, omlaag naar haar borsten, de zachte huid van haar buik... neukte ik haar al.

'Wat zal het zijn?' vroeg ze. Opzettelijk koel, opzettelijk afstandelijk. Goeie tactiek, mislukt zelden.

'Een enkele espresso,' zei ik.

'Een enkele espresso,' herhaalde de stem met een accent dat verried dat ze nog niet lang in dit land was. Ik vermoedde dat ze gebrekkig Engels sprak. Mij maakt het niet uit. Voor wat ik in gedachten had, vond ik 'ooh' en 'aah' allang best. Kreetjes zijn natuurlijk altijd meegenomen, maar hé, ik doe niet moeilijk.

Heupwiegend liep ze weg. Hoofd hoog, schouders naar achteren, strak rokje, lekker kontje. Toen ze langs een spiegel liep, keek ze opzij; de blauwzwarte paardenstaart hoog op haar hoofd zwiepte naar links, en we keken elkaar aan. Snel keek ze weer weg. Achter de bar liep ze naar de koffiemachine, en in een raar taaltje zei ze iets tegen een onvriendelijk kijkende gele man. Ik had sinds de lunch van de vorige dag niets meer gegeten, dus zag zelfs het verlepte eten in de glazen vitrine er eetbaar uit. Misschien kon ik in die eettent wachten tot het ophield met regenen, samen met de traag bewegende godin. De godin bracht me mijn koffie.

'Dank je, Bella.' Ik streelde haar met mijn ogen.

'Verder nog iets?'

'Ga met me mee uit eten,' zei ik met een verlekkerde grijns. In tegenstelling tot wat de meeste mensen denken, vinden vrouwen tweebenige wolven onweerstaanbaar.

Tanden die eruitzagen alsof ze met een nagelvijl recht waren gevijld werden zichtbaar tussen haar lippen. 'Waar ik vandaan kom hebben ze een naam voor mannen zoals jij.' Ze zweeg even en glimlachte. 'Landkrokodillen.'

Ik schaterde van het lachen. Geweldig. Helemaal mijn type. 'En waar kom jij dan vandaan?'

'Bali.'

Ik wist het. Goddeloos. 'Daar ben ik geweest.'

'Echt waar!' riep ze uit. Zwarte ogen warmden op.

'Ik ben Ricky. Hoe heet je?' Niet dat het iets uitmaakte. De meeste meisjes zijn zo af te richten dat ze naar de naam Bella luisteren.

'Nutan.'

'Kom op, Bella, het is maar een etentje.' Ik knipoogde en knikte. Mocht je het nog niet door hebben, ik ben Italiaans. Sterker nog, ik ben een Siciliaan. Ze dacht erover na. Je kon de radertjes in haar hersenen horen knarsen.

'Neem gerust een vriendin mee als je me niet vertrouwt,' bood ik aan. Dit werkt altijd. Als het echt op geen enkele manier lukt, geloof me, probeer dit dan eens.

Ze lachte. 'Je dringt wel aan, zeg. Hoe moet jij vroeger zijn geweest als de ijscoman in jullie dorp kwam? Is het goed als ik mijn tweelingzus meeneem?'

Mamma mia, haar accent was een beetje gek, maar zei ze echt: twee voor de prijs van één? Nog eentje, precies zoals zij. Twéé! En helemaal voor mij alleen. Ik had nog nooit een tweeling gehad. Twéé van dat soort prachtlijven in je bed! Maar ze had ook iets anders gezegd, iets wat me terugvoerde in de tijd.

De ijscoman komt eraan. Ik hoor zijn bel.

Ik ben het kleine jongetje dat onze gezellige boerenkeuken binnenstuift. Er staat een goede vrouw in die keuken. Ze maakt *involtini*. Volgens haar man zijn de hare de lekkerste van heel Sicilië.

'*Mamma, mamma, gelato!*' roep ik.

'Vandaag niet.' Ze zegt het op haar meest besliste toon.

'*Mamma, gelato, gelato!*' roep ik nog veel harder, en ik ren als een idioot rondjes om haar heen.

'Nee, Ricardo. Ik zei nee,' herhaalt ze, luider dan mijn gekrijs.

Niemand noemt me tegenwoordig nog Ricardo.

Ik laat me op de grond vallen en trappel met mijn hielen op de stenen vloer. '*Gelato, mamma, gelato.*' Nu begin ik te huilen. Buiten komt de klingelende bel dichterbij, maar ik weet dat hij ook snel weer verdergaat.

Ze schudt haar hoofd. 'Nee.'

Ik krijg het gevoel dat ze het dit keer echt meent, maar ik ben een geboren sjacheraar. Ik druk mijn handen tegen mijn slapen alsof ik verrek van de pijn. Ze moet toegeven, anders is de ijscoman alweer weg. Ik word gek. Hysterisch, zo je wilt. 'Mijn hoofd, mijn hoofd, help me!' krijs ik.

'*O Dio bono,*' vloekt ze. Ze geeft het op, ik hoor het.

'Mamma, help me, mijn hoofd, mijn hoofd!' gil ik uit volle borst.

'*Disgraziato,*' sist ze, maar ze steekt haar mollige hand al in haar blouse om haar portemonnee te pakken. Ik hou meteen op met blèren en spring overeind, mijn hand gestrekt. Ik gris het geld uit haar hand en ren naar buiten.

Doe me een lol, je hebt toch helemaal geen zin in dit soort shit van vroeger?

Juist wel. Oké, schatje, ik zal je vertellen wat ik weet, en wat ik niet weet... nou, dat is niet de moeite waard. Ik zal het zo netjes mogelijk houden. *Andiamo*. Vanaf het begin dit keer.

Mijn moeder heeft me verteld dat ze bij een bruiloft op Corsica was toen ze in verwachting was van mij. Die Corsicanen hebben zoveel Afrikaans bloed dat ze in zwarte magie geloven. Tijdens die bruiloft zat er een waarzegster onder een olijfboom, een of andere oude heks in het zwart met een visnet voor haar lelijke tronie, en mijn moeder ging naar haar toe.

Het oude karonje legde haar knokige hand op mijn moeders buik en kwam met haar voorspelling: 'Wees blij. Je zult een mooie jongen baren. En ik kan je nu al zeggen dat hij een fenomeen zal worden.' Mijn moeder, die toen zesendertig was en zich een beetje geneerde omdat ze na een tussenpoos van zestien jaar weer zwanger was, was blij met de zegen van de Corsicaanse heks.

Als ik thuis iets stouts had gedaan, stoof ik naar buiten, en bleef mijn mamma met haar handen in haar zij achter in de deuropening, meestal met een bezem of een deegroller in haar rechterhand. *'Disgraziato. Ti faro in pezzi.'*

Schandelijk, ja, maar uiteraard sneed ze me niet in stukjes. In het onwaarschijnlijke geval dat het een stout kind niet lukt om aan de greep van boze ouders te ontsnappen, moet de straf mild zijn. Dat is het motto van alle Italiaanse ouders. Het arme ding, en zo. Bij mij versterkte het alleen mijn eigenzinnigheid en letterlijk al mijn slechte eigenschappen.

Uren later, als de kust weer veilig was, kwam ik terug om de vliegenkast in de keuken te plunderen, en hoorde ik haar de trap af schuifelen, een kleine mollige vrouw met praktische schoenen.

'Dus je hebt honger?' merkte ze dan op norse toon op, haar armen over elkaar geslagen, maar ze was mijn schandelijke gedrag al vergeten. Ik deed alsof ik me schaamde, liet mijn hoofd hangen en knikte. Vervolgens slaakte ze een lankmoedige zucht en maakte ze eten voor me klaar. Ze kwam altijd bij me zitten als ik at. Ach, mamma, met je mollige gezicht, je staalgrijze haar en je karamelkleurige ogen vol liefde en toegeeflijkheid.

We woonden in Ravanusa, een bijna volledig ontvolkt dorp. Het was zo onderontwikkeld dat er elke twee weken met een vrachtwagen water werd gebracht. Als ons water voor die tijd op was, moesten we lenen van onze buren. Zelfs op het centrale *piazza* heerste een pessimistische sfeer. Te veel magere jaren hadden de dorpelingen verdreven, en er woonden nog maar zo weinig mensen dat iedereen elkaar kende. Elke vreemde werd gewantrouwd.

Ravanusa kon bogen op een café, een redelijke markt, een paar zielige winkeltjes, een piepklein postkantoor, onbeminde kettinghonden in elke tuin, en de beruchte *circulos*, gokclubs. Aan het plein waren kamers die als goktenten werden gebruikt; gokken was een van de weinige ondeugden die de mannen in dit stervende dorp ter beschikking stonden, en voor velen werd het hun ondergang. Kun je het ze kwalijk nemen? Ik bewonderde ze in zekere zin. Het waren mannen die vluchtten voor de ondraaglijke verveling.

Het waren echtgenoten, broers, vaders, neven en zelfs een half verlamde advocaat, die altijd een hulpje bij zich had om de kaarten van zijn meester vast te houden en cheques uit te schrijven voor de enorme sommen die hij inzette.

Mijn oom is in zo'n tent zijn huis kwijtgeraakt. Hij had een zes, de ander een zeven. En dan had je de beroepsspelers, een bezeten blik in hun ogen, die zo snel konden schudden dat de kaarten leken te vliegen. Ze hadden veel bekijks. 'Ben je nou helemaal gek geworden?' of: 'Doe niet zo stom', werd er opgewonden gefluisterd tegen de dappere mannen die in hun roekeloosheid hun nietsvermoedende vrouw vergokten, voor een maand, voor een halfjaar, of soms voorgoed – dat laatste alleen als het beste mens zich bij het horen van het slechte nieuws van kant maakte.

Als je niet gokte, was de kans groot dat de andere ondeugd je grote vriend was: alcohol. Mijn favoriete zuipschuit was Toto, een grappig, keurig mannetje dat elke dag naar het café liep. Staand aan de toog bestelde hij drie grappa's, die hij snel na elkaar achteroversloeg. Dan deed hij een stap naar achteren en brulde hij als een drilmeester: 'Een stap naar achteren.' Dit werd gevolgd door een: 'Rrrrechtsomkeert!' en dan draaide hij zich scherp om, klikte zijn hielen tegen elkaar en marcheerde hij naar huis. Daar dronk hij dan een paar liter wijn totdat hij bewusteloos raakte, meestal in zijn schuur. Hij kocht de wijn van mijn vader, twee vaten rode wijn per jaar, elk vat van 1500 liter. Volgens mijn vader bedelde Toto als jongetje om wijn bij mijn grootvader.

'Toe nou, *zio*, mag ik een slokje wijn?'

'*Madonna mia*, begin nou niet weer,' verzuchtte mijn grootvader dan.

Op een dag zag hij Toto op de grond liggen, zijn mond open, en dronk hij wijn zo uit het kraantje op het vat.

Het was mijn taak om Toto 's ochtends te wekken. Welk jaargetijde het ook was, het ritueel was altijd hetzelfde: ik goot een emmer water over zijn hoofd en wachtte tot hij zich omdraaide. '*Alzati!*' Wakker worden, schreeuwde ik, net zolang totdat zijn zware oogleden bewogen en hij me met waterige oogjes aankeek. Zijn lippen waren paars van de wijn. Hij mompelde iets wat klonk als: 'Jij ook goeiemorgen,' en ging zitten, en ik zweer je dat hij kraakte. Dan grabbelde hij met zijn rechterhand in zijn jaszak naar mijn beloning.

Op een ijskoude ochtend in februari, toen de amandelbomen wit zagen van de bloesem, goot ik een emmer water over Toto's hoofd en riep dat hij wakker moest worden, maar hij bewoog zich niet, dus draaide ik hem om. Er speelde een vreemd glimlachje om zijn paarse lippen, alsof hij iets wist wat ik niet wist, en hij was stijf en hartstikke morsdood. Op zijn vijfendertigste.

'Toto, ben je dood?' vroeg ik aan het lijk.

Geen antwoord.

Ik deed een stap naar achteren en stootte de emmer omver. Die kletterde tegen de grond en rolde weg. Ik schrok ervan, en opeens was ik doodsbang. Toto glimlachte zijn dode lachje.

Ik was alleen met een lijk.

'Mamma!' gilde ik, en ging er als een speer vandoor. Ik rende zo snel mijn negen jaar oude benen me dragen konden, en dat was heel snel in die tijd. Ik stond erom bekend dat ik razendsnel was. Als er werd gevoetbald, wilden allebei de teams me altijd hebben, en dit werd geregeld op de Italiaanse manier: door me om te kopen. Onder het rennen zag ik de hele tijd het glimlachende gezicht van Toto voor me.

Tegen de tijd dat ik de deur van ons huis opendeed, bibberde ik van top tot teen. Het was koud en donker binnen. Het huis was door mijn overgrootvader gebouwd, en alle logge, sombere meubels dateerden nog uit zijn tijd. Aan de muur hing een portret van hem. Hij zag eruit als een goede, eerlijke, hardwerkende man, en wat ik ook deed, ik kon hem onmogelijk als een moordenaar zien.

Toch was hij dat wel. Hij heeft er zelfs voor gezeten. Twintig jaar, omdat hij het dorp had bevrijd van een gangster die iedereen terroriseerde. Na zijn vrijlating werd hij een *Godfather*. Precies zoals Mario Puzo's Godfather, alleen had mijn overgrootvader twintig jaar van zijn leven moeten opofferen voor het dubieuze voorrecht dat iedereen zoveel respect voor hem had dat er in het dorp niets gebeurde zonder zijn toestemming.

In die tijd betekende het woord *mafia* nog familie, het stond voor loyaliteit. Je prikte in je vinger, smeerde het bloed op een heiligenprentje, en dan zwoer je de *omerta* met een stukje brandend papier in je hand: 'Zo zal ik branden voordat ik de familie verraad.' Vroeger bleven de machtige mannen van eer, zoals mijn overgrootvader, anoniem en leefden ze in eenvoud. Ze verzamelden gunsten in ruil voor andere gunsten. Niemand wist dat mijn overgrootvader, een ongeletterde, arme herder die in een hutje op de heuvel woonde, een *capo* was. Zo was het op Sicilië altijd gegaan.

Als je oudere mensen naar Don Delgado vroeg, schudden ze weemoedig hun hoofd. 'Dat was toen…' verzuchtten ze. Voordat de gigantische winsten van drugs en prostitutie in de jaren zeventig en tachtig er de harde, gevreesde organisatie van maakten die de maffia nu is. Mijn vader haatte de maffia, in elk geval wat ervan was geworden. 'Laten ze elkaar maar allemaal afmaken,' hoonde hij altijd als er in Palermo weer eens iemand was vermoord. 'Het zijn honden zonder bloed of eergevoel en ze doden onschuldige vrouwen en kinderen.'

Op een bloedhete dag in de zomer kwamen er maffiasoldaten – vijf mannen, strak in het pak – naar het huis aan de overkant. Wij zaten minestrone te eten, met de voordeur open om het briesje binnen te laten, en zagen ze voor de deur van de buurman staan. Ze schoten hem dood, zomaar, waar zijn vrouw en zijn twee gillende kinderen bij waren. Hij viel met stoel en al op de grond. Ze draaiden zich om en wilden weggaan, maar toen zagen ze ons, onze geschrokken, starende gezichten. Eerst deed niemand iets, zij niet, wij niet, en toen stond mijn vader op om de deur dicht te doen. 'Weer eentje minder,' zei hij. Niemand heeft er ooit meer iets over gezegd. Toen de ongeïnteresseerde *carabinieri* kwamen, hadden we niets gezien, niets gehoord.

Hijgend sloeg ik de zware deur achter me dicht, alsof ik daarmee aan Toto's krankzinnige glimlach kon ontsnappen. Het was negen uur 's ochtends, en mijn mamma stond voor de kolossale haard met een pan met een lange steel in haar hand. 's Winters maakte ze vaak mijn ontbijt boven het vuur. Haar omelet was verrukkelijk, zo luchtig als een wolk. Ze draaide haar hoofd om, en haar gezicht werd verlicht door de oranjerode vlammen.

Ik rende naar haar toe, trok ademloos aan haar rok en bracht mijn doodsbericht: 'Dood, dood, Toto, Toto, dood.' Haar linkerhand vloog naar haar mond, maar ik weet nog dat ze de pan niet liet vallen. Ze was een pragmatische Siciliaanse moeder; als het geen dode binnen de familie is, hoef je er lekker eten niet door te laten bederven.

Ja, mijn mamma was geen madonna. Ze was nieuwsgierig,

bemoeizuchtig, luidruchtig, schaamteloos, agressief en ontzettend krenterig als er afgedongen moest worden. Ze sleepte me mee naar de markt en kon dan urenlang pingelen over een hemd of een korte broek, altijd volgens dezelfde strategie. Ze opende met de beschuldiging dat de koopman een schurk was dat hij zo'n exorbitante prijs durfde te vragen. Dat leverde meestal niets op, en dan schakelde ze van beschuldigen over op smeken. Ze hield haar portemonnee open om te laten zien hoe weinig erin zat. Dit werd gevolgd door weglopen, zodat hij haar terug kon roepen: 'Vieni, vieni, signora.' Dit was het moment van haar triomf. Maar soms werd ze niet teruggeroepen en moest ze inbinden. En dan begon het weer helemaal van voren af aan, tot en met het weglopen.

Voorzover ik weet volgt ze nu nog steeds hetzelfde scenario; het is haar niet af te leren. Ze weet nog goed dat haar familie in de oorlog zo arm was dat ze wekenlang dezelfde kleren droegen en leefden van amandelen. Het enige vlees dat er op tafel kwam, was als haar vader een wild konijn had geschoten.

De marktlui begrepen het. Ze waren allemaal van dezelfde generatie. Het is een spel. Soms verloren zij, soms verloor de onverzettelijke vrouw. Aan het eind was iedereen tevreden.

Toto werd drie dagen later begraven. Het ging er zeer Siciliaans aan toe. De verstikkende geur van witte lelies, mannen die zich ongemakkelijk voelen in hun enige nette pak, vrouwen in het zwart met gesteven, gestreken witte zakdoekjes, kamers vol familieleden, en uiteraard de ontroostbare mamma. Een treurende Siciliaanse mamma is een fenomeen.

Je vindt haar altijd naast de kist, de sleutelpositie. Ze moet huilen voor heel Sicilië. En dat doet ze ook. Ze slaat met haar vuist tegen haar eigen borst en kermt: 'Ooooo, de *pijn*, o, het doet zo'n *pijn*.' Zo langgerekt mogelijk. Dan begint ze heel omslachtig een of ander saai verhaal te vertellen, over die keer toen en toen, dat ze de overledene iets heeft geweigerd, ze vervloekt zichzelf erom, het is zó erg dat je aan monsterlijk onrecht gaat denken, terwijl ze het in feite alleen maar heeft vertikt om de dode een glas wijn te brengen, maanden geleden. Het klagen en kreunen en wenen houdt daar zeker niet mee op, want dan herinnert de mamma zich weer andere dingen waaraan ze zich schuldig heeft gemaakt, in een nog grijzer verleden. En zo gaat het maar door, telkens met dat langgerekte: 'O, de *pijn*!' ertussen.

Vergeet niet dat ze op haar borst blijft hameren. De mannen proberen haar te troosten, zonder enig resultaat. 'Genoeg, genoeg!' smeken ze zonder overtuiging. Iedereen kent zijn rol, net als de kooplui op de markt. Het is een spel.

Toto's moeder ziet mijn vader en kermt: 'Oooo, Toto zei verleden week nog tegen me dat hij zo op je gesteld was... Het doet zo'n *pijn*, ooooooo, wáááárom heb ik...' Enzovoort, enzovoort. Manhaftig probeerde mijn vader haar tot bedaren te brengen.

Het behoeft geen betoog dat mijn vader daar niet in slaagde, maar mijn papa is wel heel bijzonder. Hij kan regen ruiken en vertellen hoe laat het gaat regenen door uit het raam te kijken. Nooit zit hij er meer dan een kwartier naast. Wij tweetjes hadden een vast ritueel voor een zelfbedachte lekkernij. We deden twee ansjovisjes in onze mond, onmiddellijk gevolgd door twee of drie witte druiven, en daar ging dan een stuk brood bij. Niet te versmaden, vonden wij.

Hij is boer. Siciliaanse boeren werken als paarden, zonder te klagen, elke dag van de week, zelfs op zondag. Zelfs op de koudste winterochtend staat hij al om vijf uur op het land. Daar wil hij steeds meer van hebben, meer en meer land, en als hij het eenmaal heeft gekocht, verkoopt hij het nooit meer. Hij heeft twintig *tumina* land, een oude vlaktemaat die op het Italiaanse platteland nog wel wordt gebruikt.

'Hoe groot is dat?' vroeg ik.

'Groot, heel groot,' antwoordde hij met bescheiden trots.

'Vertel het me in hectaren.'

Hij haalde zijn schouders op. 'Wie weet? Maar het is groot. Heel groot.'

Ik herinner me hem als sterk, hardwerkend en geestig, enorm geestig. De verhalen die hij vertelde van voor de oorlog! De keren in Parijs, meer dan eens, dat hij 'per ongeluk' in een wilde bar verzeild raakte, met een glas in de ene hand en een blonde spetter in de andere. Je had hem moeten horen. Als hij zijn mond opendeed begon ik al te lachen. Hij was zo grappig. Maar hij was beledigd als ik hem onderbrak.

'Val me niet in de rede. Je grootvader deed het, je oom deed het, en nu doe jij het ook.'

'Al goed, al goed, vertel gewoon je verhaal.'

'Nu weet ik het niet meer,' mokte hij dan.

Toto's begrafenisstoet was een sombere toestand, een pijnlijk trage mars door het dorp, in de vrieskou, met de kermende vrouwen in het midden. Winkeliers en gewone dorpelingen lieten hun luiken neer. Het klinkt harteloos om de dood en de treurenden buiten te sluiten, maar het is nu eenmaal onze gewoonte. Op een dag doen ze het ook voor mij.

Voor de stoet uit liepen kinderen die bloemen strooiden op het pad van de baar. Helemaal achteraan liepen Giuseppe, Lillo, Ignizio en ik, smiespelend met elkaar. We waren een bende en we hadden niet veel goeds in de zin. Onze held was Sandokan, *la tigre de Malaysie*. Nooit sloegen we een aflevering van de Maleisische tijger over. We maakten plannen voor het carnaval in februari. Met een bende van twintig moesten we ons zien te beschermen tegen bendes uit naburige dorpen.

Maar de zomer was ons favoriete jaargetijde, als het om acht uur 's avonds nog warm en licht was. Terwijl mijn moeder beneden zat en een lijstje maakte van het kattenkwaad dat ik had uitgehaald (zodat mijn vader me kon straffen met zijn riem), sloop ik naar de zolder. Behoedzaam klom ik in de dakgoot en liet me langs de regenpijp omlaag glijden.

Ik zette koers naar het *piazza*, waar Giuseppe, Lillo en Ignizio al op me wachtten. We rookten goedkope Duitse sigaretten, legden botje bij botje en gingen in de rij staan voor *sangonaccio*, bloedworst. De worstjes die Don Collogere op een draagbaar kolenkacheltje opwarmde, zijn met niets ter wereld te vergelijken. Als je helemaal achteraan stond, kon Don Collogere soms alleen maar spijtig zijn hoofd schudden. Hij is dood nu, maar in mijn tijd was hij een begrip. Hij zat altijd op een bierkrat, van top tot teen in het zwart, zijn haar glimmend als lakleer, zijn schoenen keurig gepoetst. Staand schrokten we de worst naar binnen.

Op een avond hadden we geen geld voor worst en wist Giuseppe een kistje sardines los te peuteren van zijn vader, die visser was. We slopen naar mijn vaders opslagruimte en stalen wijn. Met de vis en de wijn gingen we naar een leegstaande boerderij, maakten daar vuur en roosterden we de visjes. Uit angst voor ontdekking aten we in het donker, en we waren zo dronken dat we zelfs de koppen aten. Giuseppe moest de volgende dag kotsen toen hij besefte dat hij vissenogen had gegeten. Ik niet. Ik doe niet moeilijk.

Soms hielden we zwaardgevechten in mijn vaders garage. Eerst doopten we de zwaarden in de benzinetank van mijn broers Vespa, en dan staken we ze aan. Op een dag stak die idioot van een Lillo een brándend zwaard in de tank, en de benzine vatte onmiddellijk vlam. In blinde paniek stoven we naar buiten, om drie meter van de garagedeur te blijven staan en gillend terug te gaan. Giuseppe pakte een stoel en liep op de Vespa af.

'Wat doe je?' krijste ik. Ik zag het hele huis al in vlammen opgaan. Wanhopig begon Lillo met zijn zwaard op de opening van de tank te rammen en, *grazia Santa Maria,* het vuur doofde. Van pure opluchting zakten we op de grond.

Toen begon de zomervakantie en hoefde ik niet langer om vijf uur 's ochtends met mijn vader mee voor een tergend trage rit van anderhalf uur op zijn open trekker. In de winter was het zo bitter koud dat mijn tanden al na een paar minuten begonnen te klapperen en mijn vingers gevoelloos werden. Als er automobilisten passeerden, stopten ze automatisch om 'die arme jongen' een lift te geven.

De winters op Sicilië waren bar, en de zomers bloed- en bloedheet. 's Nachts kon ik nauwelijks slapen van de hitte. Ik sleepte mijn matras naar het balkon en dan werd ik om halfvijf 's ochtends wakker van de boeren die voorbijreden op hun trekkers.

'Wat doe je daar? Ga naar binnen!' riepen ze boven het ratelen van hun trekker uit.

'Binnen is het te warm!' schreeuwde ik terug.

'*Allora*, ga dan maar weer slapen.' En het geluid van hun trekker stierf weg.

In de vakantie kreeg ik niet zoals anders brood met melk of een schuimomelet als ontbijt, maar ging ik met een bakje met deksel naar Tsi Stefano, bij ons in de straat. In de kelder sloot ik aan bij de rij kakelende huisvrouwen en slaperige jongetjes. In een enorm vat hield Tsi Stefano melk tegen de kook aan boven een vuur van olijfbomenhout. Als ik aan de beurt was, deed de kaasmaker drie, soms vier, scheppen luchtige ricotta en wat nat in mijn bakje. Ik betaalde mijn tweehonderd lira en haastte me naar huis om het bakje leeg te eten met een stuk brood. Prachtig.

Mijn eerste taak was het voeren van de varkens. Ze kregen een brij van zaagsel, water en restjes. Daarna rende ik naar mijn grootmoeder. Ze woonde in een huis waar het naar gist rook, alsof ze onder haar bed paddestoelen kweekte. Net als alle andere Siciliaanse grootmoeders had ze een rood vaasje met nepbloemen dat onder een plaatje van de Madonna stond. Ik deed haar afwas en dweilde de vloer, en daar betaalde ze me voor. Soms wilde ze dat ik ging zitten en vertelde ze verhalen over de oorlog:

'Twee dagen en twee nachten trokken er Duitsers door Ravanusa... en toen kwamen die aardige Amerikaanse soldaten. Ze vroeg om watermeloen en ze deden er suiker op!' Ze grinnikte. 'Die Amerikanen, ha, ha, suiker op een watermeloen.'

De zomer was ook de tijd voor de olijvenpluk; dan gingen mijn broer en ik met mijn vader mee. Met lange harken maakten we de olijven los en die vielen in een net op de grond. We vergaarden de felgroene olijven in een groot vat op wielen, en dat werd achter de trekker naar de molen gebracht. Ik herinner me ook de twee zomers dat mijn vader nog witte druiven kweekte voor de supermarkten. Ik moest tussen de druivenranken lopen en met een lepel op een pan slaan, zeven uur per dag, om de vogels te verdrijven. Hij was te gierig om in zo'n kanon te investeren.

In het jaar dat Toto overleed kwamen er *zingara*, zigeuners, naar ons dorp. Het was juli en we waren amandelen aan het plukken. De zigeunerkinderen kwamen toen het siësta was, er was niemand op het land, en ze stalen onze bijenkorf, vol honing van de nectar van kastanjebloesem. Toen ze de korf openmaakten, zwermden de bijen eruit, prikkelbaar door de middaghitte, en openden ze de aanval. Gillend renden de kinderen rond, maaiend met hun magere armen. We renden erheen en gooiden handenvol aarde en zand naar de bijen, en ze vlogen weg.

Op een heuvel bij ons dorp stonden Griekse ruïnes. We vonden er altijd potscherven, gebarsten amfora's en keukengerei van brons. Meestal waren het primitief gemaakte spullen zonder waarde die we niet eens meenamen. Totdat ik een keer in de lente bij toeval een schat vond. Ik vond iets wat zo mooi was dat ik, een vandaal die voor de lol kippen doodmaakte, besloot het te houden. Het was een eindje bij de omgevallen pilaren vandaan, waar vermoedelijk ooit een tempel had gestaan.

De ingang van de grot was zo nauw dat je plat op de grond moest gaan liggen en jezelf dan anderhalve meter door het aardedonker moest slepen, maar dan werd de tunnel groter en kwam je in een ruimte met een koepelvormig plafond waar je rechtop kon staan. Er waren nissen in de muren en op de grond lagen stenen in een cirkel. Het rare was dat iemand daar heel lang geleden helemaal door het lint was gegaan. Alles in die ruimte was gebroken of verbrijzeld. Overal lagen brokstukken, de kapotte torso van een beeld, stukjes geitenhoorn en scherven van wat ooit mooie vazen moesten zijn geweest, met rode figuren tegen een zwarte achtergrond.

In de haard trok iets mijn aandacht, en ik hield mijn kaars dichterbij. Ik vond een beeld, iets meer dan een halve meter groot, half begraven. De ene helft van haar marmeren gezicht was weg, alsof iemand er met een bijl op in had gehakt, en een lelijke barst liep van haar ronde borst door naar haar heup. De benen waren afgebroken bij de dijen en de beide handen waren weg. Later heb ik er een teruggevonden, in een van de nissen. Haar glimlach was vernield, en zelfs het ene goede oog was blind, zoals bij alle Griekse of Romeinse beelden, maar toen ik haar van opzij bescheen met het flakkerende vlammetje van mijn kaars ging er een golf van opwinding door me heen. Ik zag dat ze ongelofelijk, onbeschrijfelijk mooi was. Een bloedgodin. Een schat. Ik streek met mijn vuile vingers over de goede kant van haar gezicht en voelde me op de een of andere onverklaarbare manier ingewijd. Ze was van mij.

Eeuwen geleden had iemand de boel kort en klein geslagen in mijn geheime grot, maar waarom? Ooit moet ze in een tempel of een villa hebben gestaan. Wat deed ze dan, eenzaam en gebroken, in deze grot? Het was een raadsel. Ik maakte de godin schoon met de mouw van mijn shirt, en een soort hebzucht maakte zich van me meester. Ik besloot haar helemaal voor mezelf te houden en haar aan niemand te laten zien, zelfs niet aan mijn eigen bende.

Zorgvuldig verborg ik de ingang van de grot. Vaak liet ik me in de grot glijden om naar mijn geheim te kijken als ik door de heuvels rende. Op een dag pakte ik haar in en gaf ik haar aan een meisje. Uit liefde.

In dat jaar waren de olijven te klein om te plukken en tot olie te verwerken, dus lieten de boeren ze gewoon aan de bomen hangen. De voorraad was toch al te groot. Ik zat in een boom, loerend naar de ingang van een konijnenhol, toen ik haar aan zag komen door de velden. Haar hoofd was een schitterende wolk van honingbruine krullen. Ik had nog nooit zoiets liefs gezien, met een klein mondje in de kleur van net niet rijpe kersen.

Zich niet bewust van mijn aanwezigheid ging ze onder de boom zitten. Ze haalde een margriet uit een zak in haar rok en begon de blaadjes er één voor één af te trekken, hardop zingend: 'Hij houdt van me, hij houdt niet van me...' – het laatste blaadje – '... hij houdt van me.' Meteen sprong ze overeind en begon in het rond te wervelen, haar voetjes steeds sneller trappelend, de wolk van haar wapperend rond haar hoofd.

Na een tijdje ging ze weer zitten en pakte ze nog een margriet. Weer begon ze de blaadjes eraf te plukken, en dit keer eindigde ze verkeerd. 'Hij houdt niet van me! Néé!' riep ze. Kon haar ontzetting echt zijn?

Het lege steeltje werd weggegooid, er kwam een nieuwe bloem tevoorschijn, en de hele ceremonie herhaalde zich. Weer was de uitkomst slecht. Hij hield niet van haar. Zonder waarschuwing begroef ze haar gezicht in haar handen en barstte ze in tranen uit; ze snikte alsof haar hart was gebroken. Vanaf mijn tak keek ik gefascineerd toe.

Dat zo'n klein ding zo ontzettend hard kon huilen was nieuw voor me. Ik dacht aan de onbekende *amore*, aan al die verspilde hartstocht. Opeens stak er in mijn binnenste een raar gevoel de kop op: afgunst. De gedachte om haar liefde te winnen. Om haar te bezitten. Niet op een seksuele manier, ik was toen nog onschuldig, maar ik wilde haar gewoon hebben. Als een stuk speelgoed. Ik wilde tegen mijn vrienden kunnen zeggen: 'Kijk eens, dit beeldschone schepsel is van mij.' Maar misschien was ik wel echt verliefd op haar krullen en haar hartstocht.

Ik sprong uit de boom en ze keek geschrokken op, haar ogen zacht en bruin en vochtig. Haar mond ging open van schrik, en toen besefte ze wat ik had gezien. Ze bloosde. Wat een blos, zo charmant, zo ontroerend! Maar ik wilde niet dat ze schaamte zou voelen en ik trok haar aan haar hand overeind, alsof we goede vrienden waren.

'Kom, dan laat ik je de grotten zien' – niet mijn geheime – 'en daarna gaan we een ijsje eten.' Terwijl we ons ijsje aten, vertelde Francesca Sabella me haar verhaal.

Zoals zoveel Siciliaanse boeren die met hoge belastingen worstelden, was Francesca's vader geëmigreerd. Elke zomer kwamen ze terug om de vakantie bij hun familieleden door te brengen. Ze vertelde me over het verre land waar ze woonde, Engeland. Afgunstig luisterde ik naar haar toen ze een stad met honderden winkels, huizen, bioscopen, dansgelegenheden, restaurants en grote auto's beschreef.

Aan het eind van de vakantie namen we afscheid onder de olijfboom. Ik gaf haar mijn in krantenpapier verpakte cadeau. Ze scheurde het papier eraf, maar schrok van de inhoud alsof het een levende slang was. Vol afschuw staarde ze naar mijn prachtige godin. 'Bah, wat lelijk!' riep ze uit, en ze sloeg haar armen krampachtig rond haar borst.

Ik had me vergist, ik had mijn mooiste bezit voor niets wegge-geven. Ik had haar snoepgoed moeten geven, een of andere snuisterij, gestolen uit de dorpswinkel. Het is een enorme klap als een dierbare niet waardeert welk offer je met je cadeau brengt.

Ze zag de verwarring in mijn ogen en besloot te liegen. 'Nee, sorry, het is te mooi... heel bijzonder.' Ze beet op haar lip. 'Een kunstwerk. Ja, ik vind het echt mooi.' Maar de schade kon niet meer ongedaan worden gemaakt. Ik had haar mijn mooie bezit gegeven, en zij wilde het niet hebben.

'Ik kom naar je toe. Geef me je adres,' zei ik.

Snel schreef ze het op.

Ik kneep mijn hand dicht rond het stukje papier. '*Ti amo, Francesca.*'

Ze straalde. Een briesje speelde door haar krullen, en ik boog me naar voren om haar jonge mond te kussen. Het was vreemd, die eerste kus. Het was de eerste keer dat ik onschuld proefde, geen tanden, geen tong, geen passie en geen techniek. Toch was het prachtig. Ach, het verleden. De onvoorstelbare zachtheid van Francesca.

'Op een dag gaan we trouwen,' beloofde ik. Ja, dat soort din-gen zeg je als je dertien bent.

'Ik wacht op je,' beloofde ze ernstig.

Jaren later stond ik voor haar deur. Francesca van de lieve brieven, haar krullen precies zoals ik ze me herinnerde. De gro-te bruine ogen glanzend. Beleefd nam ik afscheid van haar ou-ders, we gingen naar de film. Keurig liepen we weg, maar zodra we de hoek om waren nam ik haar in mijn armen en kuste ik haar. Ik had veel geleerd sinds onze laatste kus. Ik kuste haar lang en hard, mijn vriendin, toekomstige vrouw en moeder van mijn kinderen. Zij had niets geleerd sinds onze laatste kus. Ze kon nog steeds niet zoenen.

Ik herinner me dat ik een keer een week heb geslapen. Mijn moeder en tante namen me mee naar Caltanissetta, waar een wrat op mijn hand weggesneden moest worden. Ik lag op een operatietafel onder een felle lamp, en toen ik bijkwam, keek mijn vader zorgelijk op me neer. Alles werd weer zwart. Ze had-den een kleine ingreep verknald. Mijn nek en borst begonnen op te zwellen. Mijn moeder vertelde me later dat mijn vader had ge-dreigd dat hij de dokter zou vermoorden als hij me niet beter kon maken. Een week later werd ik wakker in een kamer die was

73

behangen met al mijn familieleden: verre tantes, ooms die mij voor het laatst als baby hadden gezien, neven die ik niet herkende, nichten van wie ik niet eens wist dat ze bestonden.

Ze zeiden dat ze alleen in het grote ziekenhuis in Palermo de lucht uit mijn borst konden halen. Ik wist niet wat er met me aan de hand was, en toen ik in de ambulance lag, in m'n eentje, werd ik bang. Ik dacht dat ik dood zou gaan.

In Palermo kreeg ik een plaatselijke verdoving. Ik zag die arts op me af komen, een scherp mes in zijn hand, en ik begon te gillen: 'Ik ga dood, ik ga dood!' Het was een man met een sadistisch gevoel voor humor. 'Nou, ga dan dood,' zei hij. 'Toe dan. Wat? Nog steeds niet dood?'

Een maand lang kon ik me niet bewegen, want er liep een slang uit mijn borst naar een piramidevormige fles met water. Als ik ademhaalde, zag je luchtbelletjes in het water. Mijn beenspieren waren zo verslapt dat ik ondersteund moest worden toen ik voor het eerst weer mocht lopen. Toen kwam Rocco in het bed naast het mijne. We waren meteen dikke vrienden. Hij was ouder en woonde in Palermo.

's Avonds, na de laatste ronde van de nachtzuster, klommen we uit het raam, Rocco, ik en mijn fles in een plastic zak. Palermo wachtte in het donker. Meestal gingen we naar een café om koffie te drinken en sigaretten te roken. Op een dag stelde Rocco voor om naar de hoeren te gaan. We liepen naar het oude treinstation en kozen een goed plekje bij de ingang. Ik zong de oude Napolitaanse liefdesliedjes uit de jaren vijftig die ik van mijn vader had geleerd. Ze klonken lang niet slecht met die hoge jongensstem van me.

Vrouwen kregen onmiddellijk medelijden. 'Arme jongen,' zeiden ze, kijkend naar de slang die in de plastic zak verdween, en dan gooiden ze een muntje in Rocco's pet. Waarschijnlijk reageren vrouwen op kinderen zoals mannen op mooie vrouwen. Het duurde niet lang of er zat genoeg in de pet.

We vonden haar in een zijstraatje, geleund tegen een lantaarnpaal, en met een krant wapperde ze zichzelf koelte toe. Ze droeg zwarte schoenen met héél erg hoge hakken. Ik staarde er gefascineerd naar. Geen enkele vrouw in Ravanusa durfde dat soort schoenen te dragen.

Rocco onderhandelde over de prijs. Ze wilde weten hoeveel hij had, en hij probeerde te liegen, zodat we naderhand nog iets konden gaan drinken. Uiteindelijk werden ze het eens. Ze nam ons mee naar een huis met een smalle trap naar boven, en opende de deur van een groezelige kamer.

'Nee, nee, niet samen,' zei ze toen ik ook naar binnen wilde. Rocco mocht eerst. Ik stond met mijn oor tegen de deur te luisteren. Een paar minuten lang hoorde ik het kraken van een bed, en toen kreunde Rocco alsof hij verrekte van de pijn. Ik hoorde het rinkelen van een broekriem en had nog net de tijd om een stap naar achteren te doen voordat de deur opening. Ik keek langs Rocco's grijnzende smoel.

Ze zat op een smerig bed en wenkte me met een kromme vinger. Ik pakte mijn plastic tas, ging naar binnen en deed de deur achter me dicht. In het licht van een kaal peertje kon ik haar pas goed zien. Het was een echte slet. Een beha van zwarte kant, rode jarretels, een dikke laag blauwe oogschaduw en een vuurrode mond die vloekte met haar vlamrode haar. Ze droeg geen broekje. Al met al, goedkoop en ordinair.

Met de plastic tas in mijn hand liep ik naar haar toe. Ik zette de fles neer. Ze maakte mijn gulp open, en mijn broek zakte rond mijn enkels. Ik voelde haar lange, kromme nagels langs me strijken. En opeens, van zo dichtbij, waren het rode haar dat niet paste bij de bos zwart schaamhaar, de verveelde mond, de opzichtige make-up, de half ontblote slappe borsten te veel.

Ik kwam klaar.

De harde ogen keken spottend en ze haalde haar schouders op. Ze draaide zich om en begon zich aan te kleden.

'Hé!' protesteerde ik.

'*Bello*,' legde ze uit, nu openlijk lachend, 'voor die prijs mag je maar één keer klaarkomen.' Razendsnel kleedde ze zich aan, en met haar armen over elkaar geslagen keek ze grimmig naar mijn broek. Ik was niet tegen haar opgewassen. Ik hees mijn broek op en ritste de gulp dicht. Ze deed de deur open en ik volgde haar naar buiten. Rocco leunde tegen de muur. Ik durfde hem niet aan te kijken. Ze deed de deur op slot en we gingen alle drie naar beneden.

'*Ciao*, en nu meteen naar huis, hoor,' zei ze, eigenlijk heel vriendelijk. Toen liep ze naar rechts en verdween ze uit het zicht.

'Hoe was het?' vroeg Rocco.

'Helemaal te gek,' zei ik, zogenaamd geestdriftig.

We gingen pizza eten. Ik nam pizza Napolitana. Ik kreeg mijn stuk niet eens op. Soms vraag ik me af waar ze nu is, dat zielige schepsel; ze heeft ervoor gezorgd dat ik de smaak van pizza altijd met vernedering ben blijven associëren.

Kort daarna mocht ik terug naar huis, en alle mensen in Ravanusa riepen: 'Aha! Ik dacht dat je dood was.'

De zomer liep op zijn eind, maar het was nog steeds bloedheet en de wind was verschroeiend. Sicilië was in een gigantische oven veranderd. Er waren luchtspiegelingen van water op de weg. Achter de huizen slopen kinderen naar de troggen waaruit dieren dronken. Lethargisch door de hitte lag ik op de veranda in de schaduw. Ik was zelfs te slap om vliegen weg te meppen.

Het was zo stil dat ik het piepen van Tsi Stefano's schommelstoel kon horen, verderop in de straat. Ik reageerde niet toen mijn moeder me vanuit de keuken voor de vijfde keer riep. Het voelde alsof het leven door mijn poriën uit me weg stroomde.

En het drong tot mijn slome brein door dat als ik voorgoed in dat moment zou blijven, het mijn beschrijving van de hel zou zijn. Eeuwig vast te zitten in zo'n meedogenloos monotoon leven. Die dag dacht ik er voor het eerst over om weg te lopen.

Toen werd het weer herfst, en de zoele lucht geurde naar rijpe druiven. Wolken muggen daalden op ons neer terwijl we het fruit plukten. Ik zat op een kar en trok lui de bladeren van de druiven. De gistende druiven werden apart gehouden om wijn van te maken. Pas als de zaadjes niet langer bitter en groen zijn maar bruin, maakt een druif een wijn met een volle, rokerige smaak. En het gisten moet gebeuren in houten vaten. Mijn vader maakte de beste wijn van het dorp. Rood, uiteraard. Een echt Siciliaanse drank.

Ignizio, Giuseppe en ik aten de druiven en vochten ermee, we smeten hele trossen naar elkaar. We sprongen van muilezels alsof we ridders te paard waren. Ignizio had ontdekt dat zijn muilezel van pijn in de lucht sprong als hij tegen zijn bek schopte. Dat vond hij vreselijk grappig. Ik lachte ook, maar ik hoorde niet langer bij de groep. Ik ging dood te midden van die dorpse mentaliteit. Ik moest eruit, ik hongerde naar de grote wijde wereld. Dan was er natuurlijk ook nog het verkreukelde papiertje met Francesca's adres. De amandelen van mijn vader werden geplukt, en intussen maakte ik plannen om weg te komen.

Mijn vader was net begonnen met de fundering van mijn huis toen ik wat geld stal en de benen nam. Naar Florence.

In Florence werkte ik voor signor Rivoli. Hij had een marktkraam, en ik sjouwde de kisten voor hem, bouwde mooie piramides van het fruit en riep naar vrouwelijke klanten. Ik begon Engels te leren. Talen kwamen me aanwaaien, in tegenstelling tot wiskunde. Als er Amerikaanse of Engelse toeristen naar de stal kwamen, kon ik oefenen. Ik was schattig toen, en ze hadden alle tijd voor me. Datzelfde gold ook voor de priesters en monniken die in hun soutane langs de stal liepen en bleven staan om fruit te kopen. Ze waren dol op fruit en kwamen vaak, maskeerden hun verboden begeerte met gebaartjes waar signor Rivoli totaal van in de war raakte. De seksualiteit droop van hun bleke gezichten als ze steelse blikken op mijn blonde haar en blauwe ogen wierpen.

Altijd bestelden ze een zak perziken, alsof het een geheim wachtwoord was dat ik zou moeten kennen. Op een dag liet zo'n type een vingernagel over mijn onderarm gaan. 'Che biondi,' mompelde hij. Om verschillende redenen staarden we allebei naar de blonde haartjes op mijn arm, die omhoogkwamen door de aanraking. Manipulatief als ik ben, reageerde ik altijd met seksueel uitdagend gedrag in ruil voor het geld dat ze me in handen drukten. Voor een ijsje. Voor Francesca.

Ik wilde zo snel mogelijk naar Francesca, en om geld uit te sparen sliep ik in treinwagons. Dat deden veel armoedzaaiers in die tijd. We kropen erin als ze 's nachts stilstonden op het station. 's Ochtends kwamen de bewakers langs. 'Hééé, wakker worden, opstaan!' brulden ze keihard. Ik waste me in de wc's, deed mijn tasje met spullen in een kluisje op het station en dan ging ik aan het werk. 's Nachts sliep ik met het tasje onder mijn hoofd. Op een nacht kwam ik bij met een kloppende pijn in mijn hoofd en was mijn hoofdkussen met al mijn geld erin verdwenen. Ik huilde bittere tranen. In gedachten zag ik Francesca's vader honend lachen, de opluchting op mijn moeders gezicht, en mijn vader, alles is vergeven, jongen, die me de sleutels van die ellendige trekker aangaf. Onder mijn voeten brandde de geblakerde Siciliaanse grond. Vaarwel Francesca.

Helemaal in elkaar gekropen huilde ik mezelf in slaap. En ik droomde. In mijn droom drong mist het rijtuig binnen. Het staal onder me veranderde in de lichte aarde van mijn vaderland, en het werd zo koud dat ik begon te rillen. De mist nam de vorm aan van een man, groot en mooi, en ook exotisch, met het platte gezicht van een Azteekse krijger, hoge jukbeenderen en dunne, wrede lippen. Het meest opvallende was echter de enorme spin op zijn borst. In mijn droom sprak de spin met een vrouwenstem, licht ironisch. 'Genoeg gehad, Ricky?'

Ik kon geen woord uitbrengen, want ik zag dat de spin een gat had gemaakt in de borst van de man en er rode melk uit zoog.

'Genoeg gehad, Ricky?' vroeg de spin nog een keer. 'Heb je genoeg van je zielige leventje? Kom op, Ricky, bouw nog een keer een tempel voor me.'

Nog een keer? In mijn droom zei ik niets. Ik had het koud, ijskoud.

'Jammer, mijn kleine tempelwachter herkent me niet.' De spin lachte spottend. Terwijl ik toekeek, vreemd genoeg zonder angst, werd de spin groter en zwarter, en de groene ogen gloeiden in het donker. De spin veranderde van vorm en draaide een kwartslag, zodat ik haar profiel kon zien. Ik herkende haar onmiddellijk.

Mijn kapotte beeld in een lang, fladderend gewaad met goudborduursel. Ze was zo mooi dat ik gefascineerd naar haar keek.

Ze glimlachte traag. Nog nooit had een vrouw zo verleidelijk naar me gelachen. 'Ik heb eeuwen op je gewacht, Ricky. Wil je mijn tempel bouwen? De mensen die de weg kwijt zijn naar mijn altaar drijven? Breng me hun dolende zieltjes. Offer gelijke hoeveelheden lust en verval...' Ze zweeg, een sluwe blik in haar ogen. Haar mond werd langer, vormde zich tot een trompet, een giftige doornappel, en de lucht om haar heen knetterde. 'Net als vroeger... Je zult versteld staan van de beloning die je krijgt.' Haar stem daalde tot een fluistering. 'Alles wat je hart begeert: roem, fortuin, liefde...'

Intuïtief wist ik dat ik al eerder haar dienaar was geweest, en dat ík degene was die haar tempel in een vlaag van waanzin had vernield. Haar ogen glinsterden van hartstocht en bedrog, en haar doorschijnende huid kreeg een groene glans. Ze stond voor me, een monster. Ik voelde haar boosaardigheid diep in mijn ijskoude lichaam, maar toen ze haar gewaad open liet vallen, kwam er een onweerstaanbaar verlangen in me op.

'Zeg ja.'

'Ja,' zei ik.

Haar ogen glinsterden als die van een vos die net alle kippen in de ren heeft gedood. Ik voelde aan mijn buik. Hitte gloeide binnen in me, stroomde door mijn aderen. De wanhoop die ik eerder had gevoeld was weg, en de hitte leek me vleugels te geven. De toekomst lachte me tegemoet. Voor mijn ogen losten de mysterieuze mistwezens op, en alleen de lach van de spinnenvrouw bleef achter, een zacht en vals geluid.

Met een schok werd ik wakker in die koude wagon. Het was

maar een droom, en toch voelde ik me sterk. Ik schoof de deur open, en hoe onvoorstelbaar het ook klinkt, de hele wereld ging schuil onder de magische mist uit mijn droom. Ik raakte de buil op mijn hoofd aan. De buil gloeide onder mijn vingers, maar ik voelde niets. Misschien had de Corsicaanse heks toch gelijk gehad. 'Hij zal een fenomeen worden.' Ik zou een tempel bouwen, een spinnentempel gewijd aan macht, rijkdom en genot.

Van een vriend hoorde ik van een kamer die te huur was. Ik ging er wonen. Mijn hospita was zo gierig dat ze niet wilde eten uit angst dat ze moest poepen en dan pleepapier zou moeten gebruiken. Om halftien precies schakelde het karonje de elektriciteit uit. Ik kwam thuis met een kleine draagbare televisie, en die stond voor mijn kamerdeur toen ik terugkwam van mijn werk. 'Geen televisie,' waarschuwde de scheur in haar smoel.

Ik vond werk als stukadoor. Het was zwaar werk, zes lagen voordat we het *finito* konden noemen. Italiaans stucwerk is met niets te vergelijken. Het onze zag eruit als roze marmer. Het was zo mooi dat mensen het zonde vonden om het te schilderen.

Het was juni toen we het stucwerk deden in de nieuwe aanbouw van een school. In de pauzes stonden de giechelende tienermeisjes openlijk naar me te kijken, en ze maakten opmerkingen over mijn ontblote bovenlijf. Voor mij was het de eerste keer dat ik in aanraking kwam met de beschikbaarheid van de andere sekse. Elke dag werden hun opmerkingen gewaagder; het is een wonder dat ik nog door de deur van mijn kamertje paste.

Ik kocht een haardroger, een duur leren jack, een paar felgekleurde overhemden en was hip. Als ik over straat liep, werd ik door mannen en vrouwen aangegaapt. Toch was ik niet tevreden; met een loon als het mijne zou ik nooit rijk worden. Ik moest naar Engeland, waar het grote geld en Francesca op me wachtten.

Ik was zeventien toen een Franse vrouw me een lift gaf naar Parijs. Ik mocht blijven logeren. Die nacht kwam ze bij me liggen op de bank. Misschien dat ik in mijn slaap gedurende een seconde in verwarring raakte toen ik een naakt lichaam tegen het mijne voelde, maar zodra ze mijn rug begon te kussen, draaide ik me naar haar om. Daar heb ik nooit spijt van gehad. Ik heb er een zwak voor Franse vrouwen aan overgehouden.

Drie maanden bleef ik bij haar. Seks, seks en nog eens seks. Ik verraste haar minstens drie keer per nacht, en 's ochtends wekte ik haar met nieuwe begeerte. Als zij naar haar werk was, wachtte ik tot ze weer thuis zou komen, zodat ik haar opnieuw kon be-springen zodra ze binnenkwam. Ik was totaal verslaafd aan de pas ontdekte ervaring. Maar op een dag had ik genoeg van haar, en ik vertrok.

Ik ging in een restaurant werken als afwasser, voor de lunch en het diner. 's Nachts werd ik door mijn baas, eigenlijk geen slechte kerel, opgesloten in de voorraadkelder, met een matrasje in een hoek. De hele nacht luisterde ik naar Pink Floyd en Cat Stevens op mijn kleine stereo. Ik kreeg een oude gitaar van mijn baas en begon de wijsjes te spelen. De muziek zat al in mijn hoofd, het spelen ging vanzelf. Ik leerde de akkoorden, toen de woorden. Lette goed op de uitspraak, en ik kocht een Engels-Ita-liaans woordenboek.

Er zaten ratten in die kelder, maar het was er lekker koel. We vielen elkaar niet lastig. Het zijn grappige beesten, ik heb geen hekel aan ze. Ze waren net zo hongerig als ik. Ik was dol op zoe-tigheid, en er lagen cakes opgeslagen. Soms verslonden we sa-men een hele cake, de ratten en ik. Maar het was geen leven, en ik zei de ratten vaarwel. Als ik er nu aan terugdenk, besef ik dat het de meest ongecompliceerde tijd uit mijn leven was. Urenlang tokkelen op de gitaar, genietend van de naïviteit van Cat Stevens en het idealisme van Floyd.

Ik werd barkeeper. Iemand leerde me hoe je cognac op tempe-ratuur brengt, door het glas schuin op een kopje met kokend water te leggen, en iemand anders leerde me hoe barkeepers hun baas oplichten. Ze nemen hun eigen gin mee, verbergen de fles-sen en vragen de bar om een tonic als de klant een gin-tonic be-stelt. De klant betaalt de volle mep, maar de bar krijgt alleen de prijs van de tonic. Het was een geweldige truc, geen enkel voor-raadsysteem kon je betrappen. Ik mocht ook meedoen.

Na het werk ging ik stappen met de obers. In de nachtclubs pikten we toeristen op. 'Jeetje, wat een ogen!' riepen ze als ze me zagen. 'Zijn dat gekleurde contactlenzen?' Soms zei ik ja, soms nee. Wat maakte het uit. De volgende ochtend zagen ze me toch niet. Op mijn eigen manier was ik Francesca trouw. De gezich-ten en lichamen herinner ik me niet meer, maar ik weet wel dat het er veel waren. Heel veel. Ik werkte om naar Engeland te kun-nen gaan. De Fransen hebben me veel geleerd, maar het mooiste vind ik nog wel dat het ze geen enkele moeite kost om er schoon uit te zien en zelfs schoon te ruiken, en dat allemaal met maar één bad per week en de juiste mix van deodorant en parfum.

Eindelijk was ik in Engeland. Het weer was om te huilen, maar het gaf niet, ik was waar ik wilde zijn. Hier hoorde ik thuis. Ik kende een man van Sicilië die in Londen een restaurant had geopend. Don Calabreses restaurant leek wel de schatkamer van een piraat, zo vol stond het er met allerlei snuisterijen. Hij omhelsde me, was dolblij me te zien. Ik moest haast huilen toen ik iemand Siciliaans hoorde praten. Hij had mijn grootvader nog gekend. 'Je overgrootvader was een held,' zei hij. Samen aten we een bord spaghetti *vongole*.

Hij wekte graag de indruk dat hij een excentrieke, onschuldige, vriendelijke oude baas was. Hij had een Aziatische spreeuw die hij praten had geleerd. 'O nee, niet jij weer!' krijste het beest als er klanten binnenkwamen. 'En waar blijft míjn eten?' als ze hun eten voorgezet kregen, en aan klanten die weggingen vroeg hij: 'Heb je wel betaald?' De klanten vonden het prachtig, maar ze wisten dan ook niet dat het beest hen tussendoor in het Siciliaans ongenadig uitschold. 'Stelletje varkens, ze weten niet wat lekker is. Geef ze toch hondenvoer.' Van die krankzinnige vogel met zijn rokershoestje leerde ik fluiten bij elke rok die langskwam.

In Don Calabreses keuken werkte een verknipte chef die pannen met kokend water naar de Poolse afwasser gooide, begeleid door de verwensing: *'You are a shit!'* Gelukkig dook de jongen altijd behendig weg. Die kok was zo gek dat hij rauwe stukken vlees of vis streelde voordat ze de pan in gingen. 'Kijk eens hoe mooi, zo mooi als een tas van Prada…' lispelde hij dan. Maar als hij op verzoek van de klanten aan hun tafeltje kwam, was hij volkomen normaal en uiterst charmant. Ongelofelijk.

'Don Calabrese, ik heb werk nodig.'

Opeens was hij niet meer de excentrieke, onschuldige, vriendelijke oude baas, en hij keek me doordringend aan. Ja, dít was de man die de schijfjes citroen uit de gootsteen viste om ze de volgende dag nog een keer te gebruiken, die de obers alle restjes in de glazen van klanten liet verzamelen om de wijn in de keuken te kunnen gebruiken.

'Wat voor werk?'

'Werk dat goed betaalt.'

Hij dronk zijn glas grappa leeg. 'Wil je pakjes bezorgen? Het verdient goed, en het is niet gevaarlijk omdat je nog een jongen bent. Ze kunnen je niks maken.'

'*Si,*' zei ik.

'Kom vrijdag terug.'

'Kan ik voor u komen werken als inwonend ober, afwasser of keukenhulpje?' vroeg ik.

Hij grijnsde. 'Best, maar ik waarschuw je, het verdient shit.'

'Dat geeft niet.'

Ik woonde boven het restaurant, en als ik niet bediende of de Poolse jongen hielp met afwassen, werkte ik als koerier. Ik haalde pakjes op en gaf ze af, meestal in pubs. Na een tijdje vervoerde ik pakjes in sporttassen naar Frankrijk. Dat betaalde veel meer, wel 3000 pond per keer. Toen ik ongeveer 30.000 pond had gespaard, vroeg ik Don Calabrese of het genoeg was om iets te kopen. Hij knikte bewonderend. 'Bravo!' Een paar dagen later vertelde hij me van een restaurant, La Giocanda, de joker. Pacht natuurlijk, maar goedkoop gezien de locatie. 'Problemen met de BTW,' zei hij hoofdschuddend. 'De vloek van alle restaurants,' voegde hij er fel aan toe. Klaarblijkelijk was ook hij bang voor de mensen van de belastingdienst.

Het restaurant was niet meer dan een hol in Jermyn Street, maar het was mijn hol en erg leuk voor een hol. De prijs was niet 30.000 pond maar 90.000. Volgens de aloude Italiaanse traditie was 30.000 pond het bedrag voor de belastingdienst, terwijl ik de rest van de som in anderhalf jaar moest aflossen. Zwart, uiteraard.

Op een zaterdagavond kreeg ik de sleutel. De vorige eigenaar vertrok met de omzet van die avond, en ik stond in de deuropening. Ik keek naar de glazen, glimmend onder de spotjes, naar de lege bar, de tafeltjes, en voor mij was dat stille, schemerig verlichte restaurant een magische plek.

Urenlang scharrelde ik er rond, raakte hier en daar iets aan, zette sommige dingen anders neer, bekeek het een of ander. Zorgvuldig draaide ik alle flessen in de koeling om, zodat het etiket naar boven lag. Ik leegde de asbakken, en daarna maakte ik de bar schoon totdat het roestvrije staal glom als een spiegel. Het was vijf uur 's ochtends toen ik op de klok keek. Ik ging aan de overkant van de straat staan en staarde naar het verlichte interieur van mijn restaurant. Ik kon het haast niet geloven. Met mijn ogen dicht stelde ik me voor dat het vol zou zitten, vol goedgeklede mensen, ik stelde me het geroezemoes voor, alle geparkeerde auto's in de verlaten straat. Jaren later kon ik er nog van genieten om langzaam door die straat te lopen, kijkend naar de dure auto's, bumper aan bumper geparkeerd, en wetend dat ze daar stonden vanwege mijn restaurant.

Na een tijdje doofde ik mijn sigaret en sloot ik af. Ik was pas achttien jaar oud.

In het begin werkte ik keihard. Het eerste weekend haalde ik toen iedereen weg was alle vuilniszakken met afval dat mijn personeel had weggegooid van het plaatsje aan de achterkant. Ik leegde ze in de keuken, en op handen en knieën sorteerde ik het afval. Ik ben niet iemand die moeilijk doet, dat heb ik geloof ik al eerder gezegd. Het was onvoorstelbaar wat ze allemaal hadden weggegooid. Ik verzamelde alles wat nog bruikbaar was en bereidde er een prachtig maal mee. Dat gaf ik de volgende dag aan mijn personeel. Toen alles op was, vertelde ik waar het eten vandaan was gekomen. Een van de meisjes gaf over en nam ontslag, maar de rest leerde dat het afval van tijd tot tijd werd gecontroleerd.

Na een paar maanden kreeg ik een brief van de belastingdienst, waarin een controle van mijn boeken werd aangekondigd. De gevreesde inspecteur bleek een vrouw te zijn. Om tien uur 's ochtends stond ze voor de deur. Het arme mens. Ze had een te hoge prijs betaald voor de inhoud van haar hersenpan. Het ging om geld, dus deed ik met haar hetzelfde als ooit met de monniken: ik flirtte me suf.

In Parijs werd ik niet voor niets een wolf genoemd. Ik was een expert. Ik bekeek haar van hoofd tot voeten, liet mijn blik rusten op haar hangtieten en toen op haar dunne lippen. In die zestig seconden was ze de mooiste vrouw op aarde.

Ik trok een wenkbrauw op. Ze bloosde.

Ik bood cappuccino aan. Onzeker likte ze haar lippen en ze knikte.

Ik knipoogde. Ze raakte haar piekerige haar aan.

Ik pakte de suikerpot en streek langs haar arm. 'Sorry,' zei ik, mijn blik op haar mond gericht. Of ze een keer met me wilde eten? Ik zag haar aarzelen.

'Nee,' zei ze, maar we wisten allebei dat ze verloren was. Aan een tafeltje in het restaurant ging ze door de boeken. Stom wijf. Ik bood haar een taartje aan. Ik glimlachte. Ik flirtte.

'Nee,' zei ze, en liep naar de kassa. Ze toetste een aantal cijfercombinaties in, en tot mijn grote ontzetting begon het ding informatie uit te spuwen op de kassarol. Zonder me aan te kijken ging ze met de belastende informatie terug naar haar tafeltje.

Het zweet brak me uit. Ik had naar Don Calabreses accountant moeten gaan. Nu had ik de poppen aan het dansen. Hoe kon ik nou weten dat zo'n kassa geprogrammeerd was om informatie vast te houden?

Ze riep me naar het tafeltje en keek me aan. 'Uw cijfers kloppen niet,' zei ze luid en duidelijk. Het bloed steeg me naar de wangen, ik voelde ze gloeien. Shit. Dat rotwijf. Onverstoorbaar bleef ze me aankijken terwijl ze kleine slokjes nam van haar derde cappuccino. Ze liet de stilte hangen. Dat ellendige mens liet me peentjes zweten.

'Het is natuurlijk mogelijk dat iemand in het restaurant van u steelt.' Haar stem klonk al even onverstoorbaar.

Ik staarde haar aan. Ze was niet op bloed uit. Het ging om macht. Niet omdat mijn eerdere optreden zo vlekkeloos was geweest, maar omdat ze in de verleiding was gekomen terwijl ze wíst dat ik met de inspecteur flirtte en niet met haar. Het dikke wijf had een spelletje met me gespeeld.

En toen, het is werkelijk niet te geloven, legde ze me uit hoe je zo'n dief kon betrappen, op welke cijfers je moest letten. De dingen die mijn dief in de toekomst kon doen om zijn diefstal te verbergen, de methodes die andere dieven gebruikten. Toen ze klaar was pakte ze haar spullen in. 'Succes,' wenste ze me, en toen was ze weg.

Ze wist precies wat ik in mijn schild voerde, en toch had ze me net geleerd hoe ik mijn sporen kon uitwissen. Was het een valstrik? Ik liep naar de telefoon en maakte een afspraak met Don Calabreses accountant.

'Een jood, maar een ongekend genie,' had hij gezegd.

Ik reed naar Hounslow, drukte op de bel naast een groene voordeur. Zijn assistente was een lelijke vrouw met een spraakgebrek. Ik bedoel, ik ben er een groot voorstander van om mensen met een handicap aan werk te helpen, maar zij deed er wel vijf minuten over om te zeggen: 'Wilt u even wachten? Mr. Fass is aan de telefoon.'

Ze bracht me naar een wachtkamer zo groot als een bezemkast, met rafelige gordijnen en afgebladderde verf. Ik begon ernstig aan Mr. Fass te twijfelen. Aan de andere kant van de muur hoorde ik twee kinderen. De een krijste. Voetstappen, toen een harde klap. Gesnik. Zo dun waren de muren. De assistente kwam terug, dit keer om koffie aan te bieden. Ze deed er zo lang over dat ik de zin voor haar afmaakte en beantwoordde. Ik grijnsde breed. 'Trek het je niet aan. Ik ben gewoon een ongeduldig type.'

De volgende keer dat ze kwam, wees ze alleen met haar vinger naar boven. Ik rende de kale houten trap op en klopte op de enige deur.

'Binnen,' riep iemand.

Ik deed de deur open en zag een kamer die van vloer tot plafond was volgestouwd met ordners. Altijd een goed teken. Aan een met papieren bezaaid bureau zat een kleine man met een borstelige zwart met grijze snor.

'Ga zitten,' zei hij, half opstaand, en hij wees op een haveloze stoel voor het bureau. Zijn linkeroog bewoog, maar het andere bleef staren. Jezus, het was dus geen grapje geweest toen ze zeiden dat hij zijn ene oog zo vaak had toegeknepen dat het nu niet meer functioneerde.

Ik ging zitten, en nadat hij een uur tegen me aan had gepraat, wist ik waarom hij de lieveling was van alle Italiaanse en Chinese restauranthouders tot Birmingham aan toe. Hij wist gewoon alles wat er te weten viel, hij kende elke truc, elk foefje.

'De belastingdienst en de douane- en accijnsdienst weten dat je de boel flest. Je zou failliet gaan als je het niet deed, dat weten zij ook. Het zijn doorgewinterde lui en ze kennen elke vorm van fraude, maar ze knijpen een oogje dicht.' Hij wees op zijn eigen starende oog. 'Maar als je te hebzuchtig wordt, nemen ze je te grazen. Niet om je tent te sluiten, maar om je uit te persen. En ze hebben de macht om dat te doen. Ze kunnen zelfs bij je thuis komen. Speel nooit spelletjes met die lui.'

Hij leerde me alles. Koop zwart in (contant, zonder bon) om de marges constant te houden. De muren hebben oren. Vernietig onmiddellijk alles wat belastend kan zijn. Gooi het op een akkoordje met de wasserij. Linnengoed wordt geteld, net als de pizzadozen. Geef nooit aan de belastingdienst op wat je werkelijk aan salarissen betaalt, zo hou je je personeel tevreden. En héél belangrijk, zorg dat je winstmarge nooit onder de dertig procent zakt, dan slaat de computer geen alarm. Vergeet nooit dat als je in dit land een restaurant opent, je er vanzelf een hebzuchtige stille partner bij krijgt, eentje die niets doet en niets geeft maar wel bijna de helft van je winst opeist.

Maar de BTW is 17,5 procent.

Ja, 17,5 procent van de verkoop. Restaurants berekenen geen BTW over de werkelijke waarde van de rekening. Je gaat uit van een fictieve kostenpost, en als je de 17,5 procent van de verkoop in je uiteindelijke winstcijfers verwerkt, kom je op bijna de helft.

Toen haalde Mr. Fass zijn trukendoos tevoorschijn. Allerlei

listen om de rotzakken weg te houden uit mijn honingpot. Ik zou gek zijn geweest om zo'n briljante figuur niet aan te nemen.

Hij knikte goedkeurend, bescheiden.

Al voordat ik twintig werd stond het huurcontract op mijn naam. Toen ik eenentwintig was, trouwde ik met Francesca. Ik was verliefd, en de wereld was volmaakt. Twee jaar later had ik mijn tweede restaurant en mijn eerste kind. Mr. Fass, de engel, stuurde vier keer per jaar een van zijn hulpjes om de BTW te berekenen en een beetje met de cijfers te goochelen, en een keer per jaar deed hij de jaarrekening.

Dat jaar kwamen mijn ouders op bezoek voor Kerstmis. Ik haalde ze op van Heathrow. Ze zagen eruit als vluchtelingen. Mijn moeder droeg de lange bontjas die ik haar voor haar verjaardag had gestuurd; de jas stond het hangertje beter dan haar, klein en mollig als ze was. Mijn vader zag lijkwit van de zenuwen. Ze vonden vliegen allebei een beproeving, en tot overmaat van ramp hadden ze over moeten stappen in Milaan, de arme schatten.

Francesca begroette ons bij de deur. Ik stond erbij toen ze haar schoonouders kuste en omhelsde, wetend dat ze hen in haar hart diep verachtte.

Mijn moeder opende de enorme tas die ze als handbagage had meegenomen, en haalde er drie frisdrankflessen van anderhalve liter uit, tot de rand gevuld met zelfgemaakte rode wijn. En toen toverde ze er als een goochelaar die een konijn uit een hoge hoed haalt ook nog een heel speenvarken uit, dood en rauw. Ze glimlachte trots.

'Bravo!' riep ik verrukt. Het blijft een raadsel wat ze gedaan zou hebben als de douane haar de tas had laten openmaken. Ik draaide me opzij naar mijn vrouw, en zag de mengeling van ongeloof en weerzin in haar blik. Waarom was ze niet ontroerd bij het zien van een roze biggetje, klaar om gebraden te worden? Ze had die film van Bernardo Bertolucci natuurlijk niet gezien, die waarin een varken wordt geslacht, want anders had ze de betekenis van deze gift begrepen. Ze probeerde Engelser te zijn dan de Engelsen. Dat was haar probleem. Ze was niet romantisch. Ze was vergeten wat het is om een Italiaanse te zijn. Maar zonder een varken is er geen feest, Francesca.

Luca was nog heel klein, en ze vond het prachtig, zo'n heel speenvarken op tafel. Ze wilde in de bek van het beest kijken, maar Francesca's gesmoorde kreet maakte er een eind aan. 'Blijf eraf! En ga je handen wassen.'

Dat is zo jammer van Francesca. Ze is niet gehard zoals de mensen die in een dorp zijn opgegroeid. In plaats daarvan nam ze een vervelende Italiaanse neurose over, een obsessie voor hygiëne. Om de paar uur moest een kamer worden gelucht, zelfs in hartje winter, mijn dochtertje droeg peperdure merkkleding die ze niet vuil mocht maken, en er werd een dokter ontboden telkens als Luca een snotneus had.

Mijn mamma sloeg haar armen over elkaar. Ze was geschokt dat haar kleinkind spaghetti at met een vork en een lépel, en dat Francesca de deegwaar moest afmeten met een speciaal maatje met ronde gaten erin. Mijn vader tikte op een binnenmuur en verklaarde geschrokken dat de muur zo dun was als karton. Ach ja, het was een bijzondere kerst.

Het restaurant deed intussen goede zaken. Ik opende er nog een. Twee, drie, vier, vijf, en zo door totdat ik er tien had.

Om het allemaal te kunnen betalen, dealde ik in drugs. Ik kreeg onsjes binnen en versneed die tot grammetjes, en die distribueerde ik onder de managers van restaurants en nachtclubs. De Italiaanse obers verdienden goud geld. Op een gegeven moment verkocht een zo'n jongen wel bijna een ons per week. Het leek wel of iedereen aan de coke was, zelfs de managers van mijn restaurants. Na een tijdje gaf ik ze coke in plaats van salaris, veel goedkoper.

Het was briljant, het geld stroomde binnen. Ik had twee gouden Rolex-horloges, op maat gemaakte schoenen, pakken van Savile Row, en een duur adres, Chevening Road 181. Mijn held, Cat Stevens, had ooit in die straat gewoond. De spinnenvrouw had woord gehouden. Nu was het tijd om haar tempel te bouwen en er beschadigde mensen naartoe te halen. Een plek waar de zonde hoogtij vierde, een plek waar ik alles kon doen wat God verboden heeft.

Ik besloot iets te kopen. Bovendien had ik er genoeg van om het op ongemakkelijke plaatsen met serveerstertjes te doen, op de plee, boven de gootsteen, op een hakblok, in koelruimtes en zelfs in de pizzaoven! De bank in het kantoor was ook niet ideaal. Daar kwam nog bij dat er niet zoveel dronken en geile vrouwelijke klanten waren als ik wel zou willen. Ik wilde een plek met stapels porno waar ik giga-orgies kon geven, waar ik de hoeren per dozijn kon laten opdraven. Ik zou de coke leveren en zo nóg meer geld verdienen.

Intussen bleef ik van Francesca houden, mijn *mater dolorosa*.

Boven elke twijfel verheven, maagdelijk en puur. Een essentieel deel van mezelf.

Ik vond wat ik zocht, betaalde contant en registreerde het appartement op naam van mijn broer om geen last te hebben van de fiscus. Het was een simpel bovenhuis, met beneden een grote open ruimte en boven twee slaapkamers. Eronder zat een pub, en je moest een trap op waar iemand in paarse letters 'Stairway to Heaven' op de muur had gekalkt, heel toepasselijk. Zo begon ik aan de krankzinnigste periode uit mijn leven. Dag en nacht liepen er mensen in en uit, vaak mensen met problemen. Aan prostituees geen gebrek. Feesten die de hele nacht duurden.

Tot dan toe had ik nooit een korrel coke aangeraakt, en toen besloot ik het op een dag een keer te proberen, en poef, ik zag het spinnenweb. Voordat ik het wit poederde, was het onzichtbaar geweest. Maar nu was het er, een ragdunne cirkel met een doolhof van duizenden draden. Voor de een is het een gevaarlijke valstrik, voor de ander een mogelijkheid om eindeloos te zondigen.

Alles ging van een leien dakje. Ik belde mijn moeder om haar te vertellen dat Francesca weer in verwachting was. Heel even bleef het stil, toen struikelde ze over haar woorden om me te feliciteren. Toch moest ze het me op een gegeven moment vragen; ze was per slot van rekening Italiaans in hart en nieren. 'Kun je je het wel permitteren, nog een kind? Je weet dat je elk kind moet voeden en kleden, dat je de school moet betalen en dat je voor al je kinderen een huis moet bouwen. Dat weet je toch wel?'

Ik lachte, high op coke. 'Wees maar gerust, mamma. Ik kan me wel tien kinderen veroorloven.'

'Je moet het zelf weten,' zei ze weifelend.

De feesten werden gekker, de prostituees wilder. Het geld stroomde binnen.

Allemaal zwart, contant, en onder de tafel.

Francesca Sabella

Francesca

Toen Ricky zich die middag op Sicilië uit de olijfboom liet vallen, bestierf ik het zowat. Ik dacht dat mijn hart zou barsten. Daar zat ik, eenzaam en alleen te huilen om hem, en opeens stond hij naast me, zijn ogen zo blauw als de lucht boven Sicilië op een heldere zomerdag. Ik was al zo lang ik het me kon herinneren verliefd op Ricky, uit de verte natuurlijk. Hij zag eruit alsof hij zijn huid en haren met zonneschijn insmeerde. In mijn ogen was hij een soort zonnegod die op blote voeten rondrende. Met open mond staarde ik hem aan. Ik had wel door de grond willen zakken van schaamte, maar hij gaf me een hand en liet me de grotten zien.

Hij vroeg om wie ik moest huilen, maar ik herinnerde me wat ik mijn grootmoeder eens tegen mijn moeder had horen zeggen: 'Hoe meer je van ze houdt, des te minder houden ze van jou. De beste manier is doen alsof ze jacht op je moeten maken. Dat vinden mannen fijner, allemaal.' Ik keek hem aan. Laat hem maar de jager zijn. Vandaar dat ik zei dat het een Engelse jongen was. Zijn blauwe ogen werden haast paars van jaloezie. Mijn grootmoeder had gelijk, ik ben die wijze les van haar nooit vergeten.

Mijn vader zei altijd: 'Werken is mijn grootste ondeugd.' Groot was zacht uitgedrukt. Hij werkte zich te pletter, hij werkte dag en nacht om genoeg geld bij elkaar te sparen, zodat hij in Engeland zijn eigen delicatessenwinkel kon openen. De winkel bestaat nu natuurlijk niet meer. Je weet hoe het gaat, de supermarkten... Ik herinner me mijn vader als iemand die er nooit was.

Voordat we naar Engeland gingen, heeft hij een tijd in Duitsland gewerkt als bouwvakker. Hij woonde in grote kille bunkers, kookte zijn eten op open vuurtjes, en hij sliep op een stromatras op een stenen vloer. Als het lekte, groeide er mos op het stro. Iedere mark die hij verdiende stuurde hij naar huis. Ik weet nog dat ik huilde toen hij me vertelde dat hij een keer brood met schoenpoets moest eten omdat zijn geld op was. 'Fa niente, ik heb er heus niets aan overgehouden,' zei hij. 'Schoenpoets wordt gewoon van reuzel gemaakt.'

De eerste paar jaren nadat we van Sicilië weg waren gegaan, woonden mijn ouders en ik in een caravan op een afgelegen veld in Egham. Mijn vader werkte als ober en mijn moeder als kamermeisje in een luxueus hotel in de buurt. In die tijd sprak mijn vader nauwelijks een woord Engels, maar genoeg om de klanten van de tearoom waar hij werkte te brengen wat ze bestelden. We hadden zelfs geen kraan in de buurt. Elke dag liep ik naar de put van een Siciliaanse boer. Deze Mario verbouwde groente, en ik mocht plukken wat ik maar wilde. In ruil voor de gratis groente pikte mijn moeder kleine dingen zoals zeepjes, afwasmiddel en bleekwater, en die gaf ze aan Mario om onze waardering te laten blijken.

Het leven was niet bepaald leuk die eerst paar jaren, toen mijn ouders elke cent opspaarden. Ik was ontzettend eenzaam. Ik had nooit weg gewild. Op school was ik een buitenbeentje. Ik sprak Engels met een raar accent, en de andere kinderen praatten zo snel dat ik ze niet kon volgen. Wat miste ik mijn vriendinnen in Ravanusa. We waren zo vertrouwd met elkaar dat we zonder te kloppen bij elkaar naar binnen liepen.

Het leek wel of de Engelse meisjes eerder groot waren. Ze gebruikten make-up, droegen minirokken en hoge hakken, ze dronken alcohol en hadden vriendjes. Zoveel vrijheid kreeg ik niet, maar daar had ik ook helemaal geen behoefte aan. Ik huilde vaak om Ricky en Sicilië.

Op Sicilië zeiden ze dat de Engelsen kil waren, maar het rundvlees was er lekker en er liepen paarden door de straten. Ik was vijftien, en de Engelsen waren een kil, onvriendelijk volk, ik hield niet van rundvlees, en er liepen nergens paarden door de straten.

Ik besloot geld te sparen en terug te gaan naar Sicilië. Soms vraag ik me af wat er gebeurd zou zijn als ik nooit weg was gegaan, als ik daar met Ricky was getrouwd en was gaan wonen in het huis dat zijn vader voor hem heeft gebouwd. Als je me ziet, als je me hoort praten, denk je misschien dat ik net zo ben als alle andere Europese vrouwen, maar in mijn bloed en botten ben ik Siciliaanse. Sicilië is hier maar drie uur vandaan, en toch is het een andere planeet. Alles is anders, het weer, de mensen, de aarde, de lucht, de smaak van het water...

'Trouw met me,' zei Ricky toen we afscheid namen. Ik was ontroostbaar, en tegelijk in extase. Wat was ik nog jong! Zo jong dat ik wachtte. En op een dag stond hij voor de deur, met zijn goudkleurige haar en brede schouders. Ik was bang dat hij hetzelfde accent zou hebben als mijn ouders, waar ik me altijd zo voor schaamde, maar nee, zijn Engels was foutloos. Hij sprak zelfs Frans en noemde me *chérie*. Ik was zo trots op hem. Hij vroeg mijn vader om mijn hand. Mijn vader bood hem grappa aan, en mijn moeder huilde van blijdschap. *'Thatsa nice,'* snikte ze.

We gingen naar Bali op huwelijksreis. Ik was nog nooit buiten Europa geweest, laat staan in exotisch Zuidoost-Azië. De eerste paar dagen waande ik me in het paradijs. Overal stonden enorme palmbomen met wuivende bladeren, en beneden ons was de zee. Ik stond op het balkon van onze kamer en at een mango met de vrucht in mijn beide handen om de pit helemaal af te kluiven, net als de bruine kinderen op het strand.

Ricky kwam me omhelzen. 'Dit is mijn vrouw. Spijkerbroek, T-shirt en geen ondergoed.'

Ik drukte mijn rug tegen hem aan. 'Dit is je vrouw. Spijkerbroek, T-shirt en geen ondergoed.'

En de zonsondergangen. Ongelofelijk, zo adembenemend dat het wel nep leek. Elke dag stonden we er op het strand hand in hand naar te kijken. Ik kneep mezelf in mijn arm. Ben ik echt in dit paradijs? We lieten onze kleren op het strand liggen en gingen het water in, goud en koperkleurig, warm en zijdezacht, en onze jonge lichamen vonden liefde in de zee.

Ik herinner het me als de dag van gisteren. Alles hield op te bestaan, behalve de warme zee en Ricky's huid. We kwamen uit het water en liepen langs het strand, keken naar de kinderen die in het water speelden. Geleidelijk werd de zee even zwart als de lucht, met in de verte de twinkelende lichtjes van de vissersboten.

We hadden het terrein van het hotel nooit moeten verlaten.

Een klein eindje bij het toeristenparadijs vandaan kom je bij open riolen vol smerig, stinkend afval. De Balinezen snappen niet wat een vuilnisbak is, ze laten hun rotzooi gewoon vallen, zelfs al staan ze naast een vuilnisbak. Waar de toeristen komen laat de regering op elke rotonde een groot monument neerzetten, maar ga je iets verder, dan zie je een weerzinwekkend en smerig Bali.

Zelfs op plaatsen waar de toeristen bij elkaar komen, is de handel beledigend. Je kunt nergens heen, en je kunt niets zien zonder te betalen. Kuta Beach is een vervuilde oksel waar de Balinezen op toeristendollars azen. Als ik ook maar één minuut alleen was, kwam een gigolo – meestal klein en lelijk – zijn gezelschap aanbieden.

En dan die belachelijke dansvoorstellingen. Een man verkleedt zich als een wild zwijn, en zijn lange roze penis wordt afgerukt en weggedragen. Ha, ha wat grappig. Als klap op de vuurpijl is er op dat hele eiland geen enkele godvrezende persoon te vinden. Hun geloof is onbegrijpelijk, een of andere variant op het hindoeïsme, en in mijn ogen nogal heidens.

Iedereen legt van tijd tot tijd half verrot eten op kruispunten, want ze geloven dat kruispunten gevaarlijk zijn omdat ze onveilig worden gemaakt door kwade geesten. Het schijnt dat dit soort viezigheid bedoeld is als offer om het kwaad af te wenden. Alsof het zo nog niet goor genoeg is, gieten ze er alcohol over en leggen ze er stukken rauw en rottend vlees bij. Eerst komen er groene vliegen op af en dan ontelbare straathonden. Zelfs de kleine tempeltjes langs de kant van de weg zijn smerig.

Maar wat me nog het meest beangstigde, was dat Ricky gefascineerd was door hun goddeloze praktijken. Hij hunkerde ernaar om deel uit te maken van hun gevaarlijke kwaad. Op een avond liepen we over Kuta Beach en zagen we een in lompen gehulde oude man die een soort show gaf met duiven. Hij beweerde dat er elke keer dat hij tussen zijn vingers een lucifer brak een duif in de kooi dood neer zou vallen. Ricky was ervan overtuigd dat het een goocheltruc was, en hij zat zeker een uur naar de man te kijken, veranderde een paar keer van positie, maar het raadsel bleef intact.

Later ging Ricky naar de oude man toe, hij gaf hem geld en vroeg of hij ons het echte Bali wilde laten zien. Terwijl de man erover nadacht, zag ik een soort herkenning op zijn gezicht, alsof mijn man hem in geheimtaal zijn vraag had gesteld – een taal die ik nooit zou begrijpen. Hij knikte en begeleidde ons met zijn lantaarn via smalle paadjes naar de straat, waar hij een taxi aanhield. We reden ongeveer een uur over onverlichte wegen en kwamen in het hoogland. Het was er koeler.

We liepen over een houten brug, en zelfs al voordat we het bamboebos bereikten, hoorde ik het dreunen van trommels en rook ik de geur van wierook. De bamboe kraakte in het donker.

Tussen de bamboe door kon ik een open plek zien met branden-de fakkels, en nog wat verder de vage omtrek van een tempel. Aan weerszijden stonden Balinezen in de schaduwen te wachten. Nieuwsgierig staarden ze naar ons. Hier zou het werk van de duivel plaatsvinden, maar Ricky liep er zonder aarzelen op af.

Er hing een donkere en kwaadaardige aanwezigheid in de lucht. Geloof me, ik zweer dat het waar is, maar dat ding streek als een vingernagel over mijn huid. De haartjes kwamen over-eind en ik huiverde in het donker. En toen hoorde ik vlak bij mijn oren een zachte, spottende lach. De wilden toonden geen enkele angst. Logisch, want ze hadden dat ding zelf opgeroepen; ze waren speciaal gekomen om dat afschuwelijke, onnatuurlijke wezen te zien. Dit was hun theater.

In het midden van de open plek zaten ongeveer honderdvijftig mannen met ontbloot bovenlijf in kleermakerszit op de grond, elk met een hibiscusbloem achter het oor. Ze vormden concentri-sche cirkels, als een enorme, vleesetende junglebloem, en in het flakkerende licht van de fakkels hadden hun gezichten iets dui-vels. Het leek of ze in trance waren gebracht door het dreunen van de trommels. Op een bizarre manier raakte zelfs ik gehypno-tiseerd door het geroffel. De grond onder mijn voeten begon te trillen. Opeens hoorde ik het krijsen van apen in het donker.

'Ja, ja, Ketchak, de apendans,' zei Ricky opgetogen. 'Laat de strijd beginnen.'

Als demonen uitgedoste mannen stroomden toe, brullend en triomfantelijk. In de schaduw verstijfden de gehurkte mannen van angst, en in koor stootten ze een luide kreet uit. Ze wiegden heen en weer en begonnen in een krankzinnig ritme te krijsen, chak-a-chak, chak-a-chak, chak-a-chak, precies zoals apen.

'De mannen hebben de geest van de apen in het bos opgege-ten,' fluisterde de oude man.

Driehonderd volmaakt gecoördineerde handen bewogen door de lucht, en de cirkels van deinende lichamen barstten met een luide kreet open, zoals de blaadjes van een bloem. Er hing stof in de lucht en de rook van wierook. Opeens werd het stil, toen begon het krijsen opnieuw. De demonen waren in paniek.

Er klonk een bloedstollende kreet.

Vergroot door de flakkerende vlammen balanceerde een tove-naar roerloos op één teen. In mijn ergste nachtmerries zie ik hem nog voor me. Hij schudde zijn lange haar naar achteren, keek naar de lichamen op de grond en begon met zijn magie. En wat voor magie! Met een krijsende stem sprak hij bezweringen uit, en tegelijk werd het spookachtig stil in het bos om ons heen. Waar waren de geluiden van dieren en insecten? Langzaam begon hij te dansen, met houterige en toch merkwaardig gracieuze bewegingen.

De demonen probeerden tegen hem te vechten, ze kronkelden en strekten hun handen uit als klauwen, maar zijn magie was te sterk. Hij richtte zich op, grotesk en onheilspellend, zijn armen hoog boven zijn hoofd, en siste dreigend. En terwijl ik mijn adem nog inhield, was het opeens voorbij.

De fakkels werden gedoofd, en de uitgeputte mannen verdwenen in het donker. Ricky en ik konden geen woord uitbrengen. Er was iets gebeurd, iets gevaarlijks. De lucht... ik had het vibreren om me heen duidelijk gevoeld.

Ricky's gezicht was onherkenbaar. Hij staarde voor zich uit alsof hij in trance was. Ik bestond niet langer voor hem. Ik was bang en in de war. Alsof ik een tijger bij de staart had gepakt en net zijn tanden had ontdekt. Naast ons dook de duivenmoordenaar weer op. Mijn pas gevangen tijger gaf hem meer geld. De man telde het niet, en nam ons mee. Bij het strand nam hij afscheid.

Zwijgend liepen we over het strand, allebei in gedachten verzonken. Er stond een dromerige maan aan de hemel en de golven klotsten zacht. Uit een van de hotels klonk muziek, 'Killing Me Softly with His Song', en ik kreeg tranen in mijn ogen. Ik voelde me verdoofd vanbinnen. Alles was veranderd. Misschien voelde ik toen al dat ik mijn man kwijt zou raken.

Op het donkere water stak een visser zijn lamp aan, en een zachtgele gloed verlichtte het oppervlak. Diep in mijn hart voelde ik me verbonden met die eenzame visser op zee.

Die nacht werd ik met een schok wakker. De tovenaar was gekomen en had met een ijskoude hand mijn wang aangeraakt. Hij glimlachte. Hij kwam mijn man weghalen. De airconditioner gonsde gestaag en Ricky was vast in slaap. Stilletjes liet ik me uit bed glijden en ik liep naar het balkon. Op zee had mijn visser zijn lamp gedoofd, en hij was naar huis gegaan. Vreemd hoe sterk ik zijn afwezigheid voelde. Hij was weg, en toch... was hij van mij.

Ik liep weer naar binnen, ging op de rand van het bed zitten en keek naar Ricky. Hij sliep als een baby, terwijl ik rilde van angst. Het was alsof het eiland had geprobeerd me iets te vertellen, een waarschuwing. Hij zal ook verdwijnen, net als de eenzame visser.

'De visser mag je hebben, maar mijn man hou ik zelf,' zei ik hardop. Zijn gebruinde huid glansde als koper tegen de witte lakens. Ik knielde op het bed en likte het zout van zijn huid, genietend van zijn warmte, en opeens kwam er een naamloze behoefte in me op. Ik beet hem zo hard dat hij wakker schrok, en vloekend beminde hij me. Hij is van mij. Zie je wel, hij is van mij. Beschermd door zijn sterke armen viel ik weer in slaap. Ik vergat dat de tovenaar vlakbij was en afwachtte.

Dat had mijn man hem gevraagd.

Op de dag van ons vertrek dronken we koffie op een terrasje en kwam er een man naar ons tafeltje die houtsnijwerk verkocht. Hij zette de figuurtjes voor ons neer. Er was een oude visser bij, met een mand vis, en die vond ik leuk.

'Hoeveel?' vroeg ik in het Engels, maar tot mijn verbazing sprak hij Italiaans, zij het met een wonderlijk accent. Er kwamen zoveel Italianen naar Bali dat hij onze taal sprak en ons zelfs herkende.

'Italianen houden van mooie dingen,' zei hij. 'Duitsers houden alleen van bier, maar Italianen hebben stijl. Amerikanen zijn de beste klanten.' Hij wreef zijn duim en wijsvinger tegen elkaar. *Troppo denaro,* te veel geld.' Ricky wilde zijn portemonnee pakken, maar de oude man glimlachte geheimzinnig. 'Wilt u geen *penunggu,* een waker, bij uw beeldje?'

Ricky verstijfde onmiddellijk, maar in zijn ogen gebeurde van alles. 'Wat?'

'Ik roep een geest op voor in dit beeldje, en als u straks terug bent in uw eigen land kunt u hem zelf wekken met muziek die ik u zal geven. Hij zal onzichtbaar op uw schouder komen zitten, altijd waakzaam. Zijn enige doel is u beschermen, dag en nacht. Uw *penunggu* zal nooit rusten. Als uw vijanden u kwaad willen doen, zal hij ze vernietigen.'

'Hoeveel?' vroeg Ricky op kille toon.

'Néé!' riep ik, mijn hart bonkend in mijn borst. 'Nee, ga weg!' schreeuwde ik tegen de man, maar hij verroerde zich niet. Iedereen keek naar ons. De man keek naar Ricky, zijn zwarte ogen sluw en minachtend.

Ik pakte Ricky's hand en trok zijn gezicht naar me toe. Hij had de ogen van een vreemde. 'Alsjeblieft, speel niet met dingen die we niet begrijpen,' drong ik wanhopig aan, en na een hele tijd knikte hij met tegenzin en stuurde hij de man weg.

'Doe ons geen kwaad,' smeekte ik. Hij glimlachte bedroefd en streek afwezig over zijn wang. Intussen vroeg ik me af wat mijn man toch had dat de Balinezen zelfs op straat telkens hém uitkozen als ze hun magie aan wilden bieden.

Tijdens ons verblijf gebeurde er nog iets onverklaarbaars. Op een avond zagen we een voorstelling waarin de machtsstrijd werd uitgebeeld tussen een gemaskerde, kinderen verslindende heks, Rangda, en een leeuwachtig dier dat Barong heette. Tussen het publiek ontdekte ik een beeldschone tweeling, meisjes in traditionele kostuums met lange gouden nagels aan hun vingertjes. Kennelijk zaten ze op hun beurt te wachten. Ik ging naar ze toe en bood ze snoepjes aan. Ze glimlachten verlegen. Hun oudere zus, een werkelijk adembenemende schoonheid, stond achter hen.

Ik tilde mijn hoofd op om de vrouw aan te kijken, en zag ogen zo zwart als de nacht, tegelijk afstandelijk en hypnotiserend. Het effect was huiveringwekkend, maar ik kon mijn blik niet van haar losmaken. De ogen bleven me aankijken, zonder warmte of vijandigheid. Misschien was ze niet de zus maar de moeder van de kinderen. Toen kwam Ricky naar me toe.

'*Che bellina,*' zei hij, en hij stak zijn hand uit om de wang van een van de meisjes te aaien, en opeens siste die vreemde en mooie vrouw als een slang, ze dook naar voren en trok de meisjes weg, alsof ze bang was dat zijn aanraking hen kwaad zou doen.

Geschrokken keek ik haar aan, en ik las een onbeheerste woede in haar blik. Ricky verstijfde, en na een laatste blik, onverholen hatelijk, trok ze de meisjes mee en verdween ze tussen het publiek.

Jarenlang heb ik niet begrepen wat daar gebeurde. Ik dacht dat ze Ricky's bedoeling misschien verkeerd had begrepen, of misschien mochten de meisjes volgens een of ander Balinees gebruik niet door een man, een buitenlander, worden aangeraakt. Totdat ik op een nacht wakker werd uit een krankzinnige nachtmerrie, zwetend van angst, en ik het opeens wist. Ik zag het gezicht van de vrouw en wist dat ze haar ware gevoelens had verborgen achter woede. De haartjes op mijn arm stonden overeind.

Het was angst. Ze was doodsbang voor Ricky, doodsbang voor zijn hand op haar kinderen. Alsof mijn knappe blonde man een kwade geest was die hen voor altijd zou aantasten.

Ik was in verwachting. Ricky danste met mij in zijn armen de kamer rond. Het was onze eerste Kerstmis samen. Mijn schoonouders kwamen logeren. Hun cadeau voor mij was ingepakt in een oude schoenendoos, een roze negligé van eng synthetisch materiaal, met witte kant langs een diep decolleté. Mijn schoonmoeder had dat ordinaire nylon ding op de markt in Sicilië gekocht en het helemaal meegenomen naar Engeland als kerstcadeau voor haar schoondochter.

Wat wilde ze nou bereiken? Wilde ze mijn seksleven spannender maken, of zo?

'Erg mooi. Bedankt, mamma,' zei ik, maar ik moest mijn best doen om niet te laten blijken hoe gekwetst ik was. Mijn schoonmoeder zat daar met de prachtige tas van Louis Vuitton die ze van mij had gekregen, glimlachend, trots op het vod dat ze mij cadeau had gedaan.

Een andere keer haalde dat mens een speenvarken, een heel, dood speenvarken van meer dan een halve meter lang, uit haar tas. Ik kon mijn ogen niet geloven. Hoe had ze dat door de douane gesmokkeld? Toen zag ik dat Ricky naar me keek. Geamuseerd naar me keek. Ik had nooit eerder beseft hoe wreed hij kon zijn.

Wanneer ontdekte ik dat mijn man me ontrouw was? Dat hij als een bronstige hond door donkere stegen zwerft, op zoek naar geile teven?

Op de gebruikelijke manier, via een 'goede' en valse vriendin, Rosella. Ze had een chique boetiek, *Momi Intimi*. Zachtroze tapijt, een paar exclusieve avondjurken en zeer gewaagd Italiaans ondergoed. Ze was ook Italiaans, maar dan uit Napels. Ik dacht dat ze mijn beste vriendin was, we konden urenlang met elkaar praten.

Op een dag – het was eind april – maakte ze een geldkistje open waarin ze cheques bewaarde, en opeens bedacht ze dat ze dringend iets moest doen. Ze vroeg of ik op de cheques wilde letten en liep haastig naar de andere kant van haar winkel. Uiteraard viel mijn blik op het kistje, en ik herkende Ricky's grote, rommelige handschrift op de bovenste cheque. Ik haalde de cheque eruit, staarde ernaar, geschokt en ongelovig. Hij had honderdvijfennegentig pond uitgegeven aan lingerie. Niet voor mij, ik was vier maanden zwanger.

Ik pakte mijn tas en verliet de winkel.

Thuis ging ik op de onderste traptree zitten. Ik voelde geen pijn. Ik was in shock. Nog even en ik moest de kinderen van school halen.

Ik ging naar Ricky's werkkamer en bekeek mezelf in de spiegel boven de haard. De huid rondom mijn mond was wit, wit van woede. Ik was zo ontzettend kwaad dat ik ervan snotterde, en mijn handen trilden. Ik rukte laden open en ramde ze zo hard weer dicht dat de foto's op het kastje omvielen.

Hoe dúrfde hij? Hoe durfde hij, de klootzak? Koop mijn lichaam en verkoop mijn ziel. En een klein stemmetje zei: Hoe kon hij het doen? En waarom uitgerekend in Rosella's boetiek? Dat deed pijn. Nu pas begreep ik de smalende uitdrukking in haar ogen als ik over Ricky vertelde, over zijn succes, zijn liefde voor mij, zijn liefde voor zijn dochter. Ze was stinkend jaloers. Geen wonder dat ze er genoegen in schiep om hem te verraden, het secreet. Ik haatte haar en ik haatte hem.

Mijn blik viel op een konijn van agaat, prachtig bruin met rokerig grijs. Een kerstcadeau van Ricky, een blijk van zijn liefde. Of een gemene grap? Een konijn dat in en uit holletjes springt.

Ik pakte het ding op en smeet het uit alle macht in de open haard. Met een bevredigende knal en rondvliegend glas spatte het konijn uit elkaar. Toen zag ik de lelijke asbak waar hij zeer aan gehecht was omdat hij het ding van zijn moeder had gekregen. Die ging het konijn achterna.

De behoefte om dingen kapot te maken was sterker dan mijn gezonde verstand, en ik liet me gaan. Later keek ik naar de chaos, mijn woede gekoeld. Ik trok een jas aan en ging Luca halen. Toen ze 's avonds in bed lag, belde ik Ricky.

Si, amore, ik kom thuis zodra het restaurant dicht is,' beloofde hij me.

'Ik wacht op je.'

Van elf tot drie lag ik wakker. Telkens als ik mijn ogen dichtdeed, zag ik voor me dat ik hem sloeg met een lamp. Ik zag zijn geschrokken gezicht, dat hij instinctief bedekte met zijn handen, en de pijn in zijn ogen toen ik hem raakte. Terwijl ik hem sloeg, ging ik een beetje dood vanbinnen. Hij was de vader van mijn dochter en mijn ongeboren kind, en toch kon ik me niet beheersen. Ik sloeg hem, duwde hem de trap af, smeet busjes deodorant en flessen parfum achter hem aan totdat hij door de voordeur naar buiten wankelde.

Ik ging overeind zitten toen ik hem thuis hoorde komen.

Eerst probeerde hij te liegen, hij ontkende alles, de slijmerige slang, maar ik was voorbereid en vertelde ook een leugen. 'Rosella heeft me alles verteld, over al die andere keren, al die andere vrouwen.' Zijn mond viel open; dit verraad had hij niet verwacht.

Sla twee vliegen in één klap, zeggen ze altijd. Dat was dus meteen de laatste keer dat mijn man zaken had gedaan met dat valse loeder. En toen, o god, besefte ik dat het niet de eerste keer was geweest. In mijn verdriet stelde ik de verkeerde vraag.

'Hou je dan niet meer van me?' vroeg ik huilend.

'Francesca, alsjeblieft, je weet dat ik met heel mijn hart van je hou. Ze betekende niets. Het was dom van me.'

'Lieg niet tegen me, Ricky.'

Hij schakelde over op het Italiaans, wetend dat ik dan altijd smolt. '*Amore mio,* ik hou al jaren van je, al sinds ik nog maar een kind was. Tijdens al mijn reizen ben ik je nooit vergeten. Jij bent de enige van wie ik ooit heb gehouden, de enige met wie ik wilde trouwen. Je bent de moeder van mijn kinderen. We worden samen oud. We gaan terug naar Sicilië, en dan zitten we 's avonds op het balkon van het huis dat mijn vader voor ons heeft gebouwd, en we drinken rode wijn van de druiven die we samen hebben geplukt. Onze botten zijn oud en onze gezichten zijn gerimpeld als de druiven die op de grond vallen en verschrompelen, en toch zeg ik tegen je: "Laat me nog een keer naar je kijken." Dat zeg ik omdat je voor mij altijd de mooiste vrouw van de wereld zult zijn. Ik hou van je, Francesca. Die andere vrouwen betekenen niets. Begrijp je het? Niets. *Putanas* zijn het, allemaal.'

Hij wilde me een hele berg laten slikken, maar toen ik mijn mond opendeed, bleek het heel goed te gaan. Wat hij verkocht, wilde ik wel kopen. Veroordeel me niet te hard, alsjeblieft. Ik klampte me instinctief aan hem vast. Nu pas kan ik zien hoe stom ik ben geweest. Mijn hart was jong, en ik hunkerde als een onschuldig kind naar zijn woorden. Ik geloofde in mijn strijd.

'Waarom heb je ze nodig?' snikte ik.

'Omdat ik een slappeling ben. Omdat ik een man ben. Omdat ze me in verleiding brengen, die *putanas*. Maar jij bent de enige in mijn hart.'

'Wie is die vrouw?'

'Ze is niet belangrijk. Ik maak er nu meteen een eind aan,' verklaarde hij onmiddellijk, maar zelfs toen al wist ik dat hij het niet zou doen. Waarom zou hij?

Ik dacht aan die keer dat hij me het kapotte beeld had gegeven, met het weerzinwekkende halve gezicht waar ik de rillingen van kreeg. Toch had ik in zijn glinsterende ogen gelezen dat hij me zijn kostbaarste bezit gaf. Ooit had hij oprecht van me gehouden.

'Wat heeft zij wat ik niet heb?'

'Niets. Ze is alleen jong.'

Ik weet dat hij het zei om me te troosten, maar hij had niets ergers tegen me kunnen zeggen, de rotzak. Tot op dat moment had ik niet het gevoel gehad dat ik ouder werd. Als hij had gezegd dat ze goed was in bed, of lekkerder kon koken, of hem beter begreep, had ik met haar kunnen wedijveren, maar hoe kon ik wedijveren met de jeugd?

Ik had een kind gebaard en was zwanger van het tweede. Mijn lichaam was veranderd. Hij vond me niet langer aantrekkelijk. Wat wist hij van kinderen krijgen? Hij had zijn lichaam nooit hoeven delen, hij was nooit opgerekt en uitgescheurd. Natuurlijk zat ik niet meer overal strak in mijn vel, de jeugd had me voorgoed vaarwel gezegd. Zelf had ik het terloops opgemerkt, maar hij, hij had het niet alleen gezíen, hij knapte erop af.

Hij stak een hand uit alsof hij letterlijk wilde voorkomen dat ik instortte. Ik keek in zijn hemelsblauwe ogen en zag niets. Ooit had ik geweten wat hij dacht, wat hij lekker vond. Ooit had ik zelfs gedacht dat hij van mij was en van mij alleen.

Toen hij sliep, ging ik op zoek naar zijn mobiele telefoon. Het laatste telefoontje was van Gina. Ik kende haar, de piepjonge en uiterst beleefde serveerster die me weleens had bediend in het restaurant. Ze noemde me *signora*. '*Si, signora, no, signora, per favore, signora, grazia, signora,* ik ga met uw man naar bed, *signora.*' De slet. Waar deden ze het? Op de bank in het kantoor, of beneden in de toiletten? Nee, waarschijnlijk op tafel nummer negen, als iedereen naar huis is, met alle lichten uit behalve het spotje boven de bar. Daar doet hij het graag. Ik weet het uit ervaring.

Wat haatte ik haar! Toch besefte ik dat zij alleen een jong lichaam had. Ik had de kinderen, de ring, het huis, het verleden en de helft van alles. Ik zou mijn spel spelen, en zij zou doorgaan met het graven van haar eigen graf.

Doe alsof ze jacht op je moeten maken. Laat de man maar de jager zijn.

Toen Ricky de volgende ochtend beneden kwam was hij misschien een beetje behoedzaam, maar totaal niet aangeslagen. Het ontbijt stond voor hem klaar, evenals een gepakte koffer. Hij bad en smeekte, maar ik was onvermurwbaar.

'Ga maar naar haar,' zei ik. 'Als je haar zo graag wilt, neem haar dan ook. Kennelijk ontbreekt er iets in onze relatie als je haar lichaam nodig hebt.' Ik viel hem in de rede toen hij zijn smeekbede hervatte: 'Ga alsjeblieft weg.' Pas toen hij weg was kon ik huilen.

Mijn plan was heel simpel en doortrapt. Als ik eiste dat hij haar opgaf, zou ze de verboden vrucht blijven. Maar als ik haar aanreikte op een presenteerblaadje, was ze lang zo spannend niet meer en zou de lol er snel genoeg van af zijn. *Hoe meer je van ze houdt, des te minder houden ze van jou... Doe alsof ze jacht op je moeten maken.* Hij zou op zijn knieën bij me terugkomen, en dan zou hij voorgoed van mij zijn. Ik nam natuurlijk een risico, maar geen groot. Ik vertrouwde op het Siciliaanse bloed in zijn aderen.

De kinderen en ik waren familie.

Het werkte. Op zijn knieën kwam hij terug. Omdat hij haar in de schoot geworpen kreeg, verloor ze haar waarde. Seks op tafel negen begon te vervelen. Hij ging uit eigen beweging bij haar weg, maar nu Rosella me had geleerd waar ik op moest letten, kwam ik tot de ontdekking dat hij er niet één andere vrouw op nahield maar ontelbare. Ik zag ze in zijn verwarde haar, rook ze op zijn huid, herkende ze aan de afgerukte knoopjes, raakte ze aan in de krassen van hun lange nagels op zijn rug.

Maar ik was moe, mijn vechtlust was weg. Het was mijn eigen schuld. Toen ik dacht dat ik victorie kon kraaien, had ik de strijd juist verloren. Ik had hem laten zien dat hij bij me terug kon komen, dat ik niets liever wilde dan hem vergeven. Er zat niets anders op dan een beetje kouder en een beetje harder te worden. Ik werd, zoals Maya Angelou het bij *Oprah* zei: 'doodgepikt door eenden, door éénden, godsamme'.

Ik begon naar jongere vrouwen te kijken. Ik zat midden in een winkelcentrum en staarde naar tienermeisjes, woog het verschil tussen hen en mij. In het begin begreep ik het niet helemaal, ik zag wel dat er een verschil was maar ik kreeg mijn vinger er niet achter. Ik ging naar het zwembad, om in de kleedkamer heimelijk naar hun naakte lichamen te kijken. Ik stond naast ze voor de spiegel in de toiletten van nachtclubs, deed alsof ik mijn lippen bijwerkte, en vergeleek mezelf met hen.

Geleidelijk begon ik het verschil te zien. Om te beginnen de kleren. Hun kleren waren goedkoop, maar wel hip en leuk. Ik droeg alleen peperdure couture in beschaafde kleuren. In combinatie met mijn gebruinde huid en lichte lipstick zag ik eruit om door een ringetje te halen. Precies zoals de eerste vrouwen van puissant rijke mannen die je ziet winkelen in Bond Street. De jonge meisjes droegen alle kleuren van de regenboog en kralenarmbandjes. Ik droeg natuurlijk een knots van een diamant.

Dan was er het verschil waar het écht om ging: vet. Op de plaatsen waar het telde, gezicht, billen, handen. Geen flubberig vet, geen vet met lelijke putjes erin, maar weelderige jonge rondingen, strak gespannen. Ik herkende ze van achteren, aan hun uitdagende manier van lopen.

Ik was als de dood voor de spiegel en het oordeel dat erin te lezen viel.

De vrouw van een succesvolle restauranthouder is eenzaam. De weekenden waren het ergst. Ik ging winkelen om de tijd te doden. Terwijl iedereen uitging, vrolijk was, lol had, liep ik door verlaten supermarkten op zoek naar het beste van het beste, biologische producten, etenswaren zonder chemische toevoegingen. Op die manier kon ik me toch nog een beetje superieur voelen, omdat ik nergens op hoefde te beknibbelen en met een creditcard kon betalen. Totdat ik op een dag een verliefd stel zag met een paar armetierige boodschappen in hun kar, en voor de zoveelste keer besefte hoeveel ik had opgegeven om die creditcard te krijgen.

De liefde kan niet overleven in een ontrouw huis, weet je. Het draait allemaal om praktische overwegingen. Als ik naar huis ging met mijn boodschappen, was ik verdrietig. Mijn laatste uitje van de dag zat erop. In m'n eentje keek ik televisie, en dan ging ik naar bed. In bed lag ik te woelen en te draaien omdat ik me zo ellendig voelde. Ik had een man die onbewust aan zijn trouwring frunnikte, die me voortdurend ontrouw was, wiens affectie alleen nog oppervlakkig was.

Op een ochtend toen ik naar buiten liep om de post te halen, zag ik dat een of ander verliefd meisje met lipstick een hart had getekend op de voorruit van Ricky's auto. Ik ging weer naar binnen en maakte het ontbijt. Ik hield mezelf voor dat ik alleen continuïteit van hem wilde, en die had hij me beloofd. Hij wilde me oud zien worden. We zouden samen blijven, twee verschrompelde druiven. De anderen gebruikte hij alleen maar, om ze vervolgens af te danken. Vluchtige pleziertjes. Sletten.

Ricky en ik deden boodschappen in een supermarkt in St John's Wood, en toen we een hoek omgingen naar een ander pad, stonden we oog in oog met een vrouw die zo ijzig mooi was dat ze me aan een etalagepop deed denken. Ze had platinablond haar en was heel lang. In haar wijde Mexicaanse blouse en een strakke spijkerbroek was ze alles wat ik níet was. Ricky had geen keus, hij moest ons wel aan elkaar voorstellen. Hij deed zijn best om het te verbergen, maar ik hoorde het toch: respect. Respect voor háár. En in de vrieskoude grijze ogen van Elizabeth Miller las ik medelijden. Medelijden met míj.

Elizabeth Miller

Elizabeth

Ik staarde naar het stuk toast dat de man op zijn bord had laten liggen, zó dik met boter besmeerd dat de klodders niet wilden smelten. Hoe vaak ik dit ook zie, het roept altijd hetzelfde beeld bij me op – de kleine rode handen met afgebeten nagels van mijn zusje, die met een servetje zorgvuldig alle boter van een driehoekje toast veegt. De man kwam terug in de kamer en het beeld vervaagde.

'Wat vind je ervan?' vroeg hij.

Hij zag eruit zoals altijd, een dikke buldog in een pak waar hij een belachelijk bedrag voor had betaald, maar ik veinsde een stralende uitdrukking.

'Heel mooi,' antwoordde ik in het Arabisch. 'Ik zou er nog een bestellen, in dezelfde kleur blauw.'

Hij liep naar de spiegel om zichzelf te bewonderen. Hij kon het zich permitteren om me te negeren want ik was letterlijk van hem: gekocht en betaald. Op een ochtend werd hij wakker en besloot hij dat hij een Ierse heks met grijze ogen in zijn verzameling wilde, en ik voldeed aan de criteria. Hij heeft het zelfs een keer tegen me gezegd, dat ik geen ziel had, dat ik een fee was, een lichaam met alleen zoete lucht erin, en natuurlijk een paar malle geheimpjes. Ja, voor hem was ik een lichaam met niks erin. Ik was een genot, ik bevredigde een bepaald verlangen in hem. Voor een tijdje.

Hij keek op me neer en glimlachte.

Speelde ik echt zo goed toneel? Kon ik werkelijk maskeren dat ik van hem walgde? Het verbaasde me dat hij niets kwaadaardigs zag in zijn 'Ierse heks'. Kennelijk ben ik er goed in om in mijn hoofd een knopje om te zetten. Dat kan ik al heel lang, ik zet het knopje om en voel niets, geen angst, geen pijn, haat, verdriet of blijdschap. Af en toe komen de onderdrukte gevoelens boven, maar meestal werkt het knopje prima.

In het begin vond ik het schokkend dat hij me als een ding behandelde, aannam dat ik nooit wraak zou nemen. Dat kon drie oorzaken hebben: zijn cultuur, die vrouwen als dociel en machteloos afschildert, de arrogantie die voortkwam uit zijn onvoorstelbare rijkdom of, wat het waarschijnlijkst was, het cynische pact dat we hadden gesloten, het forse bedrag dat ik zou krijgen als hij genoeg van me had.

Hij keek me aan. Hij wilde dat ik verdrietig zou kijken, dat wist ik, dus daar zorgde ik voor. Ik moest verdrietig zijn omdat hij wegging.

'Klaar?' vroeg hij.

Ik knikte.

Voor de deur stonden de potige lijfwachten klaar, bij de lift nog eens twee. Omringd door gorilla's liepen we door de lobby van het hotel. De deur van een ordinaire witte limo werd opengehouden. We stapten in de auto en reden direct weg. Het was lekker warm in de auto. Hij legde zijn dikke hand op mijn dijbeen, en opeens kwam er een herinnering aan die dikke hand boven.

Ik draaide mijn hoofd weg en voelde dat het zweet me uitbrak. Niet nu. Als hij wist van die verstikkende angst... Alsjeblieft, niet nu. Hij was bijna weg. Ik haalde diep adem. Kom, stel je niet zo aan, Elizabeth.

Afwezig wond hij een lok van mijn haar om zijn wijsvinger. Hij was altijd weg geweest van mijn haar. 'Wat een prachtig haar. Ik heb nog nooit zoiets gezien,' zei hij de eerste keer dat hij me zag. Ik had het bleekmiddel er te lang in laten zitten. Dom van me, en nu eiste hij dat smakeloze platina. Heel geleidelijk werd ik weer normaal. Weer bevroren. Het knopje werkte nog. Ik keek hem aan. Ik kon zelfs emotieloos naar de dikke hand kijken. Hij bracht de vinger met mijn haar eromheen naar zijn mond. Gedwee bewoog ik mijn hoofd opzij, voordat hij kon trekken.

Bij de luchthaven stond ik glimlachend voor hem. Zijn ogen waren op mijn mond gericht. Hij heeft eens tegen me gezegd dat ik hem aan roze en wit porselein doe denken. Als hij eens wist wat die mond allemaal heeft gezien en gedaan. Zomaar uit het niets stelde hij me een schokkende vraag, een vraag die hij me nooit eerder had gesteld.

'Hou je van me?' O nee, hij wilde álles bezitten. Had ik me in hem vergist? Wilde zijn egoïstische, verschrompelde, lelijke hart nóg meer? Doordringend keek hij me aan. Misschien speelde ik toch niet zo briljant toneel. Misschien vermoedde hij dat er een ander was. Ik moest oppassen. Hij was gevaarlijk.

'Ja,' zei ik.

'Wat liegt ze makkelijk,' mompelde hij. De zwarte rattenogen glinsterden, maar hij glimlachte wel. Hij speelde een spelletje, het was een test. Een vlezige hand grabbelde in zijn zak en haalde er een doosje uit. Ik moest het openmaken. Een diamanten ring. Help, hij deed de nooduitgangen dicht. Dit was nog maar half een spel. Een ring van dit formaat wordt nooit zomaar weggegeven, je mag hem alleen lenen zolang je van de leenheer bent, als beloning voor goed gedrag. De ring was niet van mij. Het betekende alleen dat vluchten moeilijker werd. Loop weg, Elizabeth, rennen. Nu!

Hij schoof de ring aan mijn vinger. Ik staarde naar de enorme steen. Hij deed dingen nooit half, altijd het grootste, het beste, het duurste. Ik was bang voor hem. Voor de dikke hand, de kille zwarte ogen. Had ik niet al eens meegemaakt hoe meedogenloos hij kon zijn?

Ik ben een fee, daar heeft hij gelijk in, maar wat al het andere betreft heeft hij het mis. Ik ben niet zo'n schepsel uit de fantasie van Enid Blyton, met ragdunne vleugels op mijn rug en een huisje in de tuin. Ik blijf niet bij hem omdat ik aan het eind van de nachtmerrie een groot bedrag ontvang. Nee, ik woon bij hem omdat ik niets beters verdien.

Want weet je, ik ben een Ierse fee, en Ierse feeën zijn engelen die tijdens de grote opstand in de hemel besluiteloos op het hek zaten. Ze zijn dus niet goed genoeg bevonden en zijn daarom naar de aarde gestuurd, waar ze op afgelegen en donkere plaatsen moeten wonen. Dit is mijn donkere en afgelegen plaats. Ook ik heb ooit op het hek gezeten om naar de opstand te kijken. Niets heb ik eraan gedaan, helemaal niets. En daarom ben ik verbannen.

Hij trok me naar zich toe en kuste me, draaide zich om en werd opgeslokt door de lijfwachten en secretarissen.

Ook ik draaide me om. Ik haalde een zakdoek uit mijn tas en veegde mijn lippen af. Ik vind het vreselijk om gekust te worden, het is een soort lichamelijke pijn. Hij was weg. Het kostte me moeite om niet naar de limo te rennen.

'Ik ga winkelen, dus zet me maar af in Knightsbridge,' droeg ik de chauffeur op. Ik leunde achterover en staarde naar de onwerkelijke steen aan mijn vinger. Wat voelde ik? Niets. Ik liep Harrods in en ontweek handig een vrouw die klaarstond met een fles parfum. Ze kunnen me niet weerstaan, die parfumverkopers. Ik versnelde mijn pas en liep door de deuren aan de andere kant weer naar buiten, de straat op. Daar hield ik een taxi aan.

'Swiss Cottage, en snel graag.'

De taxi zette me af voor de Newt and Cabbage-pub. De barman zwaaide naar me van achter de bar. Hij heeft me een keer verteld dat hij altijd naar mijn benen kijkt als ik de trap op ren, totdat mijn naaldhakken uit het zicht verdwenen zijn. Boven aan de trap trok ik de ring van mijn vinger en liet hem in mijn tas vallen. Een waardeloos prul.

Ik hoefde niet aan te bellen, ik had een sleutel. Net als de anderen. Ricky had ons allemaal een sleutel gegeven. Hij wilde dat we ons thuis voelden. Ik deed de deur achter me dicht en bleef even staan, tegen de deur geleund. Dit was ook zo'n donkere plek waarnaar ik was verbannen. Er hingen verschillende mensen op het sjofele bankstel, en ik rook Ricky's beroemde *arrabiata*-saus. Er klonk gezang in de keuken. Hij kon elk moment de kamer binnenkomen met een enorme schaal pasta.

Ik was thuis, waar ik hoorde, in de tempel van de spin. De tweeling stond op, hand in hand en ademstokkend mooi, om me te begroeten. Je hebt ze misschien al ontmoet. Ze komen uit Bali. Ik mag ze graag. Ze zijn opgegroeid in zo'n heidense samenleving waar seks nog niet door Freud is ontrafeld, waar hartstocht geen dikke slet is, maar een mooie nimf die blootsvoets op avontuur gaat.

In Nutans uitgestoken hand lag een kort rietje.

Ik beloof je dat ik je alles zal vertellen, maar heb geduld. Ik zal je meenemen, langs het ouderwetse snoepwinkeltje waar ze anijsballetjes en ulevellen verkochten, naar het punt waar de weg zich opsplitst in twee smalle paden door een onvoorstelbaar mooi en ruig landschap. Connemara heet het. Maar eerst een lijntje. Een smal streepje wit poeder helemaal uit Colombia. Schiet eens een beetje op met dat rietje, Nutan, iedereen wacht op me.

Verleden jaar ben ik er nog terug geweest, in het land van mijn jeugd, en het was precies zoals ik het me herinnerde. In Clifden stapte ik uit de bus en nam de Lower Sky Road, een bochtig pad dat langs de kust loopt. Links van me een vrij steile helling omlaag naar de zee, kalm die dag, en rechts van me de ongetemde schoonheid van het Ierse platteland.

Het was eind augustus en de dagen waren nog lang. In de heggen bloeiden paarse kattenstaarten en spirea, en over het land lag een blauw tapijt van wilde hyacinten en wikke. Er waren kinderen op het strand. Ach ja, ooit was ook ik hier een gelukkig kind, raapte ik op blote voeten kokkels en mosselen, ving ik garnalen in kniediepe getijdepoeltjes, de zoom van mijn jurk vastgezet in mijn onderbroek.

Ik liep verder, en alles was zoals het hoorde te zijn, totdat ik afsloeg naar een wit pad. Totdat ik voor ons oude huis stond, hevig ontdaan.

Het rieten dak van onze *cottage* was nog intact, maar de halve deuren die mijn vader felrood had geschilderd waren weg, evenals de luiken voor de ramen. Wingerd verstikte de muren, en de rood met paarse fuchsia's van mijn moeder waren verwaarloosd. Binnen ging de vloer schuil onder een laag aarde en vuil, en in een van de hoeken lag een lege zak bloem. Hadden wíj die bloem opgegeten?

Toen ik omhoogkeek naar de balken, haast zwart van de rook, kreeg ik een doffe pijn in mijn borst. Heel lang stond ik met mijn rug naar de zee naar de ruïne te staren. Een paar toeristen fietsten langs. Ik draaide me om van de heuvel en liep naar de beschutte baai. Er kwam een koude windvlaag van zee. Het moest de avond daarvoor hebben gestormd, want er lag allemaal zwart en geel zeewier op het strand.

Ik begon te klimmen, ging zonder aarzelen omhoog, van jongs af aan vertrouwd met het hoge grijze klif. Hoger, hoger, hoog boven de zee. Als je in een storm aan de rand staat, voel je de druppels van de zoute zee. Ik kende het daar goed. Wat was de zee mooi, ontembaar, wild. Bijna kon ik hem horen, de bulderende, machtige en altijd begerige wind.

Toen ik klein was, waren mijn moeder en zusje bang voor onweer, en zelfs de honden kropen angstig weg onder het bed. Ik was nooit bang, ik hield zelfs van onweer. De stormlantaarn zwaaide wild heen en weer vanaf het plafond, de wind huilde, de witte bliksemschichten scheurden de hemel open en de oorverdovende donderklappen kwamen steeds dichterbij, totdat de ruiten rinkelden en je het gevoel kreeg dat ons kleine huisje verpletterd zou worden. Zittend voor het vuur trok mijn moeder mijn zusje, mijn broertje en mij dicht tegen zich aan, en dan zong ze met haar hoge, melodieuze stem de melancholieke Ierse liedjes.

Buiten cirkelde de wind om ons huis, sprekend met een menselijke stem. 'Ach, het zijn gewoon de touwen van het riet die langs de muren schuren,' zei mijn vader, maar ik was ervan overtuigd dat de wind tegen ons praatte.

Als het buiten heel erg spookte, trok ik soms de oliejas van mijn vader aan en sloop ik 's nachts als iedereen sliep het huis uit. Geleund tegen de wind, mijn tanden ontbloot, mijn ogen tot spleetjes geknepen en een lamp in mijn hand liep ik naar de kliffen. Soms sloeg de bliksem zo dicht bij me in dat mijn huid ervan tintelde en mijn hart sneller ging kloppen. Vanaf mijn hoge uitkijkpost kon ik het landschap zien, verlicht door de bliksem, het witte kronkelpad en onze kleine cottage met het rieten dak, net een betoverd toevluchtsoord tegen de heuvel.

IJskoude regen zwiepte tegen mijn blote benen als ik naar de rand van het klif kroop. Ik wilde de hongerige zee tegen de rotsen zien slaan, het zout ruiken. Voordat ik naar buiten ging, stak ik altijd een bosje wilde bloemen, een knoop, een veer of een dode vlinder in mijn zak om aan de zee te offeren. Een wit schuimende klauw kwam uit de kolkende massa omhoog om mijn offer weg te grissen. Ik stond bij de zee in het krijt. De zee wilde me, dat had ik van kleins af aan geweten. Ik voelde de roep, maar weigerde er gehoor aan te geven. Dus moest ik de zee voeden, kleine dingetjes om het water tevreden te houden, maar ik gaf niet genoeg en nu wilde de zee iets kostbaarders. Té kostbaar.

Die dag in augustus stond ik op mijn oude plekje, maar zonder bloemetjes, een mooie steen of een dood insect, dus deed ik mijn zilveren armbandje af en gooide dat in het water. Mijn offer. Neem me nog niet. Maar die dag braken de golfjes kalm en vriendelijk op het strand.

Een paar zeemeeuwen vlogen langs, luid krijsend, en opeens herinnerde ik me de dag dat mijn moeder haar gezicht naar de zee draaide, een zwarte omslagdoek rond haar middel, en huilde. Maar nee, ik moet daarvóór beginnen.

Laat ik beginnen met mijn vader. Mijn vader was de meest Ierse Engelsman die je ooit zult ontmoeten. Hij had een dikke bos bruine krullen, ogen die van een kind waren gestolen, een glimlach die aanzette tot kattenkwaad, en een grote behoefte om te lachen. Vaak rolde hij over de grond van het lachen. Hij kwam naar Connemara om te reageren op een advertentie: het Ardagh Hotel zocht een pianist. Mijn moeder, die daar werkte als chefkok, was klaar met haar werk en zat aan de bar toen hij binnen kwam kuieren, ruikend naar een brouwerij. 'Je zag meteen dat het een schelm was,' zei ze.

'De taxi moet betaald worden,' zei hij tegen de manager, terwijl hij zelf op een barkruk ging zitten. Iemand ging naar buiten om de 'taxichauffeur' te betalen, ook al wist iedereen dat er tussen Galway en Clifden helemaal geen taxi's reden. Het was weer eens zo'n schelmenstreek van mijn vader. *Zorg jij voor een borrel, dan regel ik wel iets voor je.*

Maar als mijn vader het verhaal vertelde, liet hij dat deel weg en begon hij bij de dag dat mijn moeder en hij ons huisje vonden. In de zachte maand april zagen ze het bij toeval op een rotsige helling staan. Het regende en mijn moeder barstte in tranen uit, op slag verliefd op dat huisje.

Tijdens de hongersnood was het door de bewoners verlaten, en alleen het rieten dak was nog ongeschonden. De half verrotte voordeur lag op de gebarsten tegels, en grote stukken van de grijze muren waren weggeslagen door meerdere stormen. Maar mijn moeder zag alleen het schuurtje naast het huis.

'En dat wordt je atelier,' kondigde ze stralend aan, want schilderen was mijn vaders ware passie. Hij speelde alleen piano om de rekeningen te kunnen betalen. Mijn vader knapte het huis en het schuurtje op, en hij bouwde een muurtje van zwerfkeien als beschutting voor de tuin. Op het ijzeren hek hing hij een bord: SCHILDERIJEN TE KOOP.

Op de dag dat ze er hun intrek namen, kwam de boer van de andere kant van de heuvel op bezoek, met een klont zelfgekarnde boter in een stuk kaasdoek. Mijn vader nodigde hem uit voor een glas whisky. Ze bouwden een feestje; mijn vader speelde viool en Seamus danste en zong. Toen hij wegging zei hij: 'Aye, buurman, dit land hier is van mij. Je betaalt d'r toch wel wat voor?'

Ik poseerde vaak, zittend op een kruk in het schuurtje, met een koekje of een appel in mijn hand. Als ik later het doek zag, bleek hij me te hebben veranderd in een kikker in een roze jurk of een wonderlijke hagedis met lange krullen. Succes had hij niet, mijn vader. Zijn werk was te vreemd voor de plaatselijke galerie. De toeristen wilden het niet.

Als tuinman had hij nog minder succes dan als schilder. Zijn kersen en kruisbessen wilden niet groeien in die harde grond, en zijn groente bood een treurige aanblik. Toch deed hij enorm zijn best. Als het stormde, maakte hij ons om vijf of zes uur 's ochtends wakker om zeewier te rapen op het strand, want dat gebruikte hij als mest. In de ijzige kou werden onze handen rood en stijf, en als ik gilde van pijn mocht ik mijn handen opwarmen in de oksels van mijn broer Jack. Gewapend met tinnen bekers plukten we wilde aardbeien en zwarte bessen voor mijn moeders keuken.

Als mijn moeder een Franse man was geweest, zou ze een wereldberoemde kok zijn geworden, want ze kon met de simpelste ingrediënten fantastische dingen doen. Zelfs van een aardappel maakte ze iets bijzonders door er mosterd of sinaasappelschil bij te doen. Ze maakte zoetzure appeltjes voor bij geroosterd varkensvlees, en een soort salsa van geroosterde venkel bij gekookte vis. In het hotel maakte ze verrukkelijk ijs van sinaasappel, honing en lavendel.

En haar jams, allemachtig, die waren legendarisch. Vlierbessenjam met kruidnagel, kersen in sinaasappelmarmelade, kruisbessen met gekonfijte citroen. Het was een blije dag voor ons gezin toen de dorpswinkel liet weten dat ze haar jams wilden gaan verkopen. Ik herinner me nog hoe tevreden ze was als er een grote pan stond te borrelen op het ouderwetse zwarte fornuis, en de houten tafel vol stond met weckpotten. Ze droeg altijd een koksmuts in de keuken, een erg lelijk geval, maar ze was er heel trots op.

Als baby was ze te vondeling gelegd op de trap van een katholiek weeshuis, en ze vertelde onvoorstelbare, bloedstollende verhalen over de wreedheid van de nonnen. Toch was ze niet verbitterd. Op een gegeven moment ontving ze een brief van een advocaat die namens een grote groep slachtoffers een schadevergoeding wilde eisen. 'Gedane zaken nemen geen keer,' zei ze alleen, haar mond vol met knijpers terwijl ze de was aan de lijn hing.

Mijn broer Jack was zeven en ik vijf toen mijn zusje Margaret werd geboren. Ik weet nog dat ze thuiskwam uit het ziekenhuis, een lelijk, gerimpeld en chagrijnig ding met slap haar. Ze had heel erg donkere ogen waarmee ze al je bewegingen volgde, en magere armpjes en beentjes.

De eerste jaren deed ze niet anders dan krijsen, totdat mijn moeder haar optilde. Mijn broer en ik zagen het gebeuren, verbaasd dat ze zoveel aandacht eiste. Ik begreep niets van haar woedeaanvallen, waarom ze de hele tijd aandacht van mijn ouders wilde. Op een gegeven moment zei Jack dat de baby misschien wel een wisselkind was, ondergeschoven door elfen die ons echte zusje meenamen. Hij fluisterde dat ze ongeluk zou brengen, en als ze klaar was met haar streken, zou ze gewoon verdwijnen en niemand zou weten waarheen. Als het wisselkind verdreven werd, zou ons echte zusje teruggegeven worden, ongeschonden.

'Let op wat ze eet,' zei hij. 'Wisselkinderen eten alles wat los en vast zit. Ze kunnen een hele voorraadkast leegeten.' We deden haar kleren uit om te zien of ze was bedekt met het donzige haar van wisselkinderen. Dat was niet zo. 'Dat komt later misschien nog wel,' voorspelde mijn broer somber.

Zittend op mijn kruk vertelde ik mijn vader van Jacks vermoedens, en hij keek geschrokken op van het doek. Maar toen hij me aankeek, begonnen zijn ogen te twinkelen, en hij vertelde me het sprookje van het lelijke eendje. 'Aye, je moet elfen altijd met respect behandelen, anders worden ze gemeen,' zei hij later, toen hij Margaret hoog in de lucht gooide en lachend weer opving. Jack zei niets. Ondanks alle aandacht die ze kreeg, herinner ik me haar alleen als een nukkig rond gezicht aan de eettafel.

Het was herfst, de zon was wazig en de bijen gonsden boven de heggen op de dag dat we de warme voetpaden naar de rotsen namen om kreeften te vangen. Jack zette Margaret op een ronde steen. 'Hier blijven zitten. Wees lief en kijk een beetje naar de meeuwen.' Het was een goede dag om kreeft te vangen, en Jacks tas was bijna vol toen ik omkeek en zag dat Margaret weg was. Mijn broer werd zo wit als een doek. Ik keek naar de zee en zag haar hoofdje dobberen op het water.

'Kijk!' riep ik. 'Ze doet papa's truc.' Hij had ons geleerd dat we nooit konden zinken zolang we onze oren maar in het water hielden. 'Zal ik haar gaan halen?' vroeg ik, maar Jack rende de zee al in. Hij kon heel goed zwemmen, en zijn armen doorkliefden het water in de richting van het donkere hoofdje. Steeds verder zwom hij bij het strand vandaan. Ze was veel verder weg dan ik had gedacht.

Een mengeling van schrik en afschuw greep me om het hart toen ik een vrolijk stemmetje mijn naam hoorde roepen. Ik draaide me om, en daar was ze, het wisselkind.

'Jullie konden me lekker niet vinden!' plaagde ze trots.

Lieve-Heer, ze had verstoppertje gespeeld. Ik begon te schreeuwen naar Jack, maar de sterke wind voerde mijn stem de andere kant op. Totdat ik mijn broer niet meer kon zien, alleen het zwarte hoofd, dat steeds verder afdreef. Ik had de zee niet genoeg gevoerd.

Heel lang zat ik op het strand te wachten, geschokt, verdoofd, ongelovig, de pols van het wisselkind in een ijzeren greep. Ik geloof dat ze gilde, maar ik hoorde haar niet. Het kón gewoon niet. Het kon niet dat de jongen die zijn hand in een hol kon steken om er een konijn uit te trekken niet meer bovenkwam. Boven mijn hoofd zeilden de meeuwen door de lucht, krijsend en roepend.

'O, God van alle kwaad,' riep mijn vader ontzet toen mijn zusje en ik hem vertelden wat de gulzige zee had gedaan. Mijn moeder rende naar buiten, omlaag langs het klif, schreeuwend: 'Mijn juweel, mijn juweel van een zoon, ga niet weg. Ga niet bij me weg.' Wie kan haar haar bodemloze verdriet kwalijk nemen? Wie kan het de zee kwalijk nemen dat de golven hem wilden?

Die avond was mijn vader zó dronken dat hij plat achterover viel. Verward keek hij om zich heen. Mijn moeder zat voor het raam en staarde zwijgend naar de zee. Ze kon niet praten. Ze kon niet huilen. Ze wachtte op zijn lichaam, maar hij was zo bijzonder dat de zee weigerde hem terug te geven, zelfs levenloos. Het brak mijn moeders hart dat ze haar kind niet eens kon begraven. Hoe kon ze blijven wonen op de plek waar haar zoon was gestorven? Binnen een maand verlieten we Connemara. We gingen in Engeland wonen, in Kilburn, een vreselijk gat.

Ik zal je niet vervelen met verhalen over die troosteloze stad, over ons armoedige gemeenteflatje met twee slaapkamers, of over mijn vader, die vergat dat hij een groot schilder was en een doodgewone werknemer bij een koeriersbedrijf werd. Nee, ik vertel je alleen over het wisselkind.

Ze at onophoudelijk. Ik deed een keer 's avonds laat het licht in de keuken aan, en ze zat op de grond met haar rug tegen de koelkast en propte rauwe braadworst in haar grote witte gezicht. Vol afschuw staarde ik haar aan. Ze was net een dwerg met een pot goud. 'Wat ben je in godsnaam aan het doen, Margaret?'

Ons wisselkind. *Ze kunnen een hele voorraadkast leegeten.*

'Ga weg. Hou op me te bespioneren,' snauwde ze, en ze ontblootte haar tanden door haar bovenlip op te trekken, als een valse hond.

'Ik kwam alleen maar een glas melk halen,' verdedigde ik mezelf verbijsterd.

Met haat in haar ogen keek ze me aan en stormde de keuken uit, de sliert roze worstjes in haar hand geklemd.

In de puberteit werd ze van de ene dag op de andere een

118

vreemde. Ze verborg zich in volumineuze truien, dikke lagen kleren en achter een gordijn van haar. Op een ochtend kondigde ze aan dat ze vegetariër was geworden. Het was de verraderlijkste vorm van opstandigheid. Ze weigerde geen vlees, ze weigerde onze manier van leven, de gezelligheid die ons tot een gezin smeedde. Terwijl mijn ouders en ik smulden van geroosterde eend en sperziebonen met lekker veel jus, kauwde zij met lange tanden op vijf boontjes, twee gekookte bloemkoolroosjes en een aardappel. Toch zag ik dat ze vanuit haar ooghoeken naar onze borden loerde, gefascineerd en tegelijk met walging. Ze was vegetariër geworden omdat ze tegen calorieën vocht, maar ik kon de aanblik van haar gulzigheid niet vergeten. Zoals ze rauwe braadworst in haar mond propte.

Op een gegeven moment besefte mijn moeder dat haar jukbeenderen door haar huid staken. Uiteindelijk belandde ze in het ziekenhuis, waar ze dwangvoeding kreeg omdat haar kalium in de gevarenzone was gekomen. 'Heer, verlos haar ziel,' verzuchtte mijn moeder. 'Ze is in oorlog met zichzelf.'

'Ach, anorexia,' zei mijn vader opgelucht. Zo'n nieuwerwetse ziekte, niks ernstigs. Aandachttrekkerij.

Vijfendertig kilo woog ze nog maar. Door haar werden maaltijden een bijeenkomst van gebogen, sombere vreemden die elkaar angstvallig in de gaten hielden. In stilte zaten we voor onze lege borden, terwijl zij haar eten in minuscuul kleine stukjes sneed en op elk brokje langzaam, heel langzaam kauwde.

Om de indruk te wekken dat ze had gegeten, schudde ze de kruimels uit de broodrooster op een schoon bord. Ze kneedde brood tot balletjes die ze in haar mouwen verstopte. Ze kauwde op proppen tissuepapier om het hongergevoel te bestrijden. Maar er werd van twee kanten oorlog gevoerd. Terwijl zij haar eten in de zakken van haar wijde broek verstopte, deden mijn ouders heimelijk room en boter door haar aardappelpuree. Terwijl zij met een servetje obsessief de boter van haar toast veegde, strooiden mijn ouders stiekem suiker in haar vla. Ik keek van een afstand naar dit spel van kat en muis.

Hoeveel liefde en aandacht ze haar ook gaven, het was nooit genoeg. Als we bij haar op bezoek kwamen in het ziekenhuis, draaide ze heel vaak haar hoofd weg, negeerde ze ons, staarde ze boos naar de slangen die voedsel in haar uitgemergelde lichaam pompten.

Ik weet nog dat ze een keer voor de spiegel stond. Ze tilde

haar bloes op en klaagde: 'Kijk eens hoe dik ik ben,' maar toen ik haar aankeek in de spiegel, zag ik een trotse leugenaar. Ze was echt niet blind, ze zag best dat ze meelijwekkend mager was, maar ze wilde het gewoon niet toegeven. Door het toe te geven, zou ze alles verpesten, zou ze van een hulpeloos slachtoffer in een sluwe egoïst veranderen.

Ik wist dat ze niet dood wilde. Wat wilde ze dan wel? Ze ging héél ver, maar als de rand in zicht kwam, deed ze alsof ze zich gewonnen gaf en liet ze zich een stapje terug dragen door mijn ouders, twee stapjes als ze geluk hadden.

En dan zat ze weer aan tafel en weigerde ze te eten. Mijn ouders zaten geduldig te wachten totdat ze de volgende hap zou nemen, en ik voelde woede opkomen. Waarom kun je verdomme niet gewoon eten? Waarom eis je zoveel aandacht? En als ik later in bed lag, hoorde ik haar overgeven op de wc. Ze kwam terug met tranende maar uitdagende ogen. Ik begon haar te haten. Ik herkende de geslepenheid waarmee ze mijn ouders aan het lijntje hield. Dag en nacht. Zij dachten dat ze ziek was, ik wist beter. Ik had de echte Margaret in de spiegel gezien, weet je, toen ze stond te draaien en zichzelf dik noemde. Ze manipuleerde iedereen en verscheurde ons gezin. Het was haar schuld dat mijn broer dood was. Ik haatte haar.

Ze veranderde mijn moeder in een oude vrouw. Ik kon haar door de muren heen horen huilen. Als we in onze donkere slaapkamer lagen, wachtte ik tot ze sliep, en als ik haar regelmatige ademhaling hoorde, fluisterde ik mijn beschamende geheim zo hard als ik durfde: 'Ik haat je. Ik haat je, Margaret. Ik wilde dat je dood was. Hoor je me? Dóód!'

Op een dag kwam ik onze kamer binnen, en mijn zus lag languit op haar bed, haar ogen starend naar het plafond, een bosje bloemen tegen haar borst gedrukt. 'Wat doe je?' riep ik geschrokken.

Geamuseerd keek ze me aan. 'Ik doe alsof,' legde ze sereen uit. 'Dood, steel mijn adem. Dood, neem mijn hand. Dood, wacht niet te lang...' Ze deed haar ogen dicht en speelde dat ze dood was. Had ze me horen fluisteren in het donker? Nee, concludeerde ik. Het lelijke eendje deed zich voor als stervende zwaan.

Op een dag fladderde een raaf die in onze schoorsteen nestelde de huiskamer binnen, zijn veren helemaal verschroeid. Het arme beest scheet de hele kamer onder voordat hij neerstreek op het buffet. Margaret kon het niet aanzien dat mijn vader hem doodmaakte, maar ik wel. Het ging heel snel. Zo erg was de dood nou ook weer niet, het was zelfs een welkome verlossing van de pijn. We begroeven hem naast het spoor. Op een dag ligt Margaret ook in de aarde, dacht ik.

Ze stierf, vredig als een engel, in haar slaap.

Ik weet nog dat ik die avond onze kamer binnenkwam. Ze was nog niet dood, maar er wel zó dichtbij dat ik mijn ouders had moeten waarschuwen voor haar rochelende ademhaling, maar in plaats daarvan stapte ik in mijn eigen bed. Dat was mijn moment op het hek, toen ik niets deed. Daarom ben ik naar donkere en afgelegen plaatsen verbannen.

Voor mijn gevoel lag ik in het donker urenlang naar haar moeizame ademhaling te luisteren, totdat het ten slotte helemaal stil werd in de kamer. Toen draaide ik mijn hoofd opzij naar het raam en keek ik naar het aanbreken van de dageraad. Wat een mooie zonsopkomst, de lucht was wit met goud. Het zou een mooie dag worden. De stilte was een weldaad.

Toen kwam mijn moeder de kamer binnen, en ik deed mijn brandende ogen dicht. Ik voelde dat ze naar Margarets bed liep, ik hoorde haar adem stokken. 'Margaret, Margaret!' riep ze in paniek, maar Margaret was er allang niet meer.

'Steven, Steven!' riep mijn moeder, en mij riep ze ook: 'Elizabeth, Elizabeth!'

Ik deed mijn ogen open, en zag haar geschrokken gezicht. We keken elkaar aan, en op dat moment wist ze het.

Sabotage.

Lijkbleek deinsde ze achteruit, terwijl ze wild haar hoofd schudde. Ze keerde me de rug toe en omhelsde haar dode kind. Maar voordat ze zich van me afkeerde, haar rug als een veroordeling, had ik de glinstering van dankbaarheid in haar ogen gezien. Ik had haar van haar grootste kwelling verlost, ik had gedaan waartoe zij de moed niet had gehad. Ik had mijn zus weggestuurd in de nacht. Toen was het moment weg en vroeg mijn moeder me om hulp, hoewel ze wist dat er niets meer aan te doen was. Ik stond op en keek naar het lijk van mijn zus. Haar gezicht was in mijn richting gedraaid en haar ogen waren open. Ach, die harde, beschuldigende ogen hadden me de hele nacht aangekeken.

Wie weet wat de doden zien?

Heb je me niet horen roepen? Ik wilde niet dood. Hoorde je dan niet dat ik doodging, dat ik wanhopig je naam fluisterde? Dát stond er in haar dode ogen te lezen.

Goed, nu weet je het. Ik loog toen ik zei dat haar ademhaling ophield en dat het toen stil werd. Ja, ik heb haar gehoord. Vreselijk was het, een foltering. Op een gegeven moment probeerde de raspende stem me zelfs om de tuin te leiden: 'Snel, ga mama roepen,' smeekte de stem zwak. 'Ik ben al dood en moet afscheid nemen.' Zoals ik altijd had vermoed, was mijn zus niet moedig genoeg om de dood onder ogen te zien. Toen het zover was, wilde ze niet sterven, maar ze had zijn naam zo vaak als grapje geroepen, *Bean úi,* dat de boodschapper van de dood naar haar toe kwam. Hij slokte haar op met zijn enorme mond, zoog haar ziel schoon en spuugde haar levenloze lichaam uit.

Mijn moeder sloot haar ogen. De eerste keer sprongen ze tartend weer open, pas de tweede keer bleven ze dicht. Toen wikkelde ze haar koude lichaam in dekens en legde ze het hoofd van mijn zus in haar schoot. De deken viel weg, en toen zagen we het, de fijne haartjes op haar buik, als goudkleurig fluweel. 'Ze had het koud,' zei mijn moeder. 'Ze had het zó koud dat haar lichaam een deken van bont liet groeien.' Maar ik dacht bij mezelf: dus Jack had tóch gelijk, ze was echt een wisselkind.

Het duurde heel lang voordat mijn moeder het goed vond dat mijn vader een ambulance belde. Ze wiegde heen en weer en zong het lied van de stervende zwaan. Ik begreep dat ze haar dochter tot rust wilde brengen, maar het was niet de mooie, melodieuze stem van vroeger, toen ze ons dicht naar zich toe trok en voor ons zong omdat we bang waren voor het onweer. Nee, het was een rauw en toonloos raspen dat haar wiegende lichaam begeleidde.

Ik keek naar mijn zus en zag dat er toch nog schoonheid was in de dood nu de beschuldigende ogen gesloten waren. Goeie ouwe Margaret, ze was geen onaardig lijk.

Die avond kwam de kat terug met een dode merel, en hij legde het vogellijkje eerbiedig aan mijn moeders voeten. Het was een gift om haar te troosten. Mijn vader maakte een stenen engel voor Margarets graf, een engel met stenen kleding die met neergeslagen ogen treurde. Soms ging ik op het gras liggen, op de stille aarde waarin ze lag. Ik meende het niet. Ik heb het niet expres gedaan.

Ik was het slangenkind. Ik las het in mijn moeders ogen.

De lijm die mijn ouders verbond was weg, en ze groeiden uit elkaar. Op St Patrick's Day ging mijn vader ervandoor met een secretaresse van zijn werk. Ik dacht aan hem zoals hij vroeger was in Connemara, zoals hij op de punten van zijn tenen door de kamer danste, een arm om het middel van mijn lachende moeder sloeg en haar *ma chroidhe* noemde, mijn liefste.

Mijn moeder en ik gingen terug naar Ierland. We woonden in Dublin, in bittere armoede.

Mijn moeder stond in haar ochtendjas in de keuken, een leeg pak melk in haar hand. 'De melk is op,' zei ze verbaasd.

'Klopt,' beaamde ik. 'Alles is op, moeder.'

Ik wilde dat ze me zou vragen waarom ik haar had laten gaan, maar dat deed ze niet.

Mijn moeders schuldgevoel was als een groot keukenmes dat in haar was gestoken toen ze even niet oplette. Ik zag dat ze het eruit probeerde te trekken, maar ze ging steeds erger bloeden. Ze vroeg me geduld met haar te hebben, beloofde dat ze beter zou worden. Ik had geduld en wachtte, maar ze veranderde in een vreemde. Ze kon me niet aankijken. De nonnen had ze vergeven, maar het lukte haar niet om mij te vergeven. Ik kende haar geheime schaamte, dus móesten we wel vreemden worden voor elkaar. We konden elkaar niet troosten. We waren moordenaars. Allebei. Verdriet was geen troost maar een leugen.

Ik ging op bezoek bij mijn vader, en zijn vriendin zat bij hem op schoot en fluisterde dingen in zijn oor. Geheimpjes, om mij te laten weten dat ik de buitenstaander was. Ze wilde de man, voor zijn kind had ze geen plaats.

Ik heb nooit een plek gevonden waar ik Margaret achter kon laten, dus ben ik gedwongen om haar in mijn binnenste te houden. Soms glipt ze mijn dromen binnen en vraagt ze met haar ogen: waarom? Waarom heb je me niet geholpen? Ik zou er nog moeten zijn, maar ik ben er niet, en dat is jouw schuld. Ze komt 's nachts ook wel eens in een hoekje van mijn slaapkamer zitten, en dan staart ze me dreigend aan. Ze maakt een halssnoer van rattentanden, en als het klaar is, zit mijn tijd erop. 'Zeg mijn naam en ik zal leven,' zegt ze.

Dat heb ik natuurlijk altijd geweigerd. Ik verdiende het niet dat mijn wond heelde, want in de spiegel begon ik te zien wat mijn moeder al wist: er ging een moordenaar in me schuil. Net als zo'n vis die doet alsof hij koraal is, zodat hij kan leven van wat er nietsvermoedend langs hem zwemt.

Ik was zestien, en ik haatte het monster in mijn binnenste. In de spiegel zag ik niet langer het mooie meisje om wie jongens vochten, maar het koude monster dat de smeekbede van een stervend meisje had genegeerd.

Ik liep weg van huis.

In Londen stapte ik uit de trein, geheel confuus te midden van drommen haastige mensen. De wereld lag aan mijn voeten, groot en vol spannende avonturen. Een zo'n avontuur kwam naar me toe in de vorm van een man. Hij was heel erg knap, op een gelikte, gladde manier, en hij droeg een duur blauw pak. 'Zou jij geen fotomodel willen worden?' Ik wist intuïtief dat hij niet te vertrouwen was, en toch zei mijn mond ja.

Hij gaf me een kaartje, noemde zichzelf talentenjager voor een modellenbureau. Niet Elite maar Elites. Bijna hetzelfde. Ik tuinde erin. Het was wat ik wilde.

De gevaarlijke man nam me mee naar een flat. Er waren daar andere meisjes, allemaal even mooi. Een meisje was zó mooi dat ik mijn ogen niet van haar los kon maken. Ze droeg balletschoenen en ze had krullend bruin haar en blauwe ogen. Ze was Iers en zo vertrouwd als *soda bread*. Toen ze naar me glimlachte, was ik in de wolken omdat we vriendinnen zouden worden.

'Kom,' zei Maggie, 'we kunnen samen een kamer delen.'

In minder dan geen tijd was ik een prostituee geworden. Het is te vergelijken met het inschenken van Guinness. Je schenkt, je wacht, en dan schenk je er nog wat bij. Je kunt het alleen begrijpen als je het zelf hebt meegemaakt. Je bent net een vlinder die van de ene bloem naar de andere fladdert, totdat een vogel of een kat je te grazen neemt. Je ziel gaat naar de duivel.

Mannen zijn allemaal even verachtelijk, geloof me. O, je gelooft me niet? Je denkt dat die man van jou beter is dan de mannen die ik heb gekend. Arm ding, je laat je misleiden.

Die man van jou is van mij op de donkere nachten dat hij het wild wil, of snel, of anders. Uiteindelijk willen ze allemaal hetzelfde. Ze willen alles uitproberen, zonder de vrees dat ze veroordeeld worden. Je gelooft me nog steeds niet. Misschien is het beter zo. Wat niet weet, wat niet deert. Onschuld die eens wordt gestolen, krijg je nooit meer terug.

Was jij het niet, die laatst de man die je helemaal als de jouwe beschouwde beetpakte en meetrok, met een woedende blik op mij, toen ik samen met een ander meisje in de deuropening van een peeskamertje stond? Achter je rug hebben we je uitgelachen. Hevig verontwaardigd was je over onze brutaliteit, maar heb je dan niet gezien hoe die man van jou naar mij keek? Hoe nieuwsgierig hij was? Maar omdat jij jezelf het etiket 'fatsoenlijk' hebt opgeplakt, kun je je eigen seksualiteit niet verkennen en moet je doen alsof je mij en alle dingen die ik voor geld wil doen veracht en veroordeelt.

En toen besloot een jonge man, een klant, een kleinschalige dealer, me te redden. We gingen samenwonen, en hij noemde me trots zijn vriendin. Hij nam me mee uit aan zijn arm, als een soort versiering die zijn vrienden en collega's konden bewonderen. Op een dag legde hij een blik die zijn vriend en ik uitwisselden verkeerd uit, en hij werd onzeker. Hij begon te piekeren en zocht ontspanning in een fles gin. Op een gegeven moment – waarom hij dat nooit eerder had bedacht was een raadsel – haalde hij een tegel uit het plafond en pakte hij zijn voorraad, een wit brok rock. Met verrassend gemak veranderde het in wit poeder.

'Probeer het maar,' zei hij tegen me. Tot op dat moment had hij het zelf nooit geprobeerd.

We probeerden het. Het was briljant. We bleven het proberen, elke avond weer. Ik begon ernaar te verlangen. Vanaf het moment dat ik wakker werd, wilde ik een lijntje. Als hij er overdag niet was, jatte ik van zijn voorraad. Niet te veel, want hij mocht het niet merken. Geleidelijk veranderden we. Voor elkaars ogen veranderden we in monsters. Opvliegend, hebzuchtig, meedogenloos. Ik was niet langer dankbaar, ik was wanhopig. Eerst had hij het niet in de gaten, maar de voorraad in het plafond werd kleiner. Hij werd woedend. Hij ging tegen me tekeer, schold me uit voor hoer. Toch bleef ik, zoals hij had geweten. Hij had macht over me. Hij had het witte spul.

Op een avond kwam hij thuis nadat ik de hele dag had gesnoven, spul dat ik van hem had gejat. Hij was in een gemene bui en besloot dat hij een feestje wilde bouwen bij een vriend. Zonder mij. Er was natuurlijk een andere vrouw in het spel. Het kon me allemaal niet schelen, totdat ik zag dat hij zijn voorraad uit het plafond haalde en zorgvuldig inpakte. Hij nam het spul mee.

Ik had wat geld. Ik nam me voor om te wachten tot hij weg was en dan zelf ook de deur uit te gaan en wat te kopen van een van zijn andere vriendjes. Maar toen hij wegging, hoorde ik dat hij de deur in het nachtslot draaide. De zak sloot me op. Ik ramde op de deur en schreeuwde naar hem, maar ik hoorde alleen zijn voetstappen op de trap. Ik was verblind van woede en handelde instinctief, als een dier. Ik maakte het raam open en sprong.

Het was heerlijk fris en koel buiten, en vliegen, kan ik je wel vertellen, is geweldig. Ik was niet bang, zelfs niet toen ik landde op het gras, plat op mijn rug, en mijn hele lichaam in één klap gevoelloos werd. Ik hoorde hem de trap af komen. Ik was eerder beneden dan hij.

Ik kon me niet bewegen, dus riep ik hem. Hij aarzelde even bij de laatste treden, in verwarring gebracht door mijn stem. Hij kwam naar me toe en boog zich over me heen, heel langzaam. We staarden elkaar een hele tijd aan.

'Stom wijf!' vloekte hij, en hij sloeg me heel hard. Het deed geen pijn. Toen liep hij weg. De lucht was niet zwart maar diep donkerblauw, zo mooi dat ik ervan moest huilen. Hij ging doodleuk naar zijn feestje, maar kennelijk had hij wel een ambulance gebeld, want ze kwamen met gillende sirenes naar me toe.

Ze pakten me in een korset dat onder mijn borsten eindigde. Ik had geluk gehad, zeiden ze. Ik had mijn nek kunnen breken, dood kunnen zijn. Ze dachten dat ik was geduwd, ze konden gewoon niet geloven dat iemand die zo jong en zo mooi was als ik uit eigen beweging uit een raam sprong. Ze zochten naar blauwe plekken maar vonden niets, haastten zich terug naar hun eengezinswoningen, blij dat ze geen rol speelden in die onbegrijpelijke wereld van mij.

Hij kwam me opzoeken in het ziekenhuis, verscholen achter een werkelijk enorme bos bloemen, een hartvormige doos met chocola en een berouwvol gezicht. Ik draaide mijn hoofd weg toen hij zacht zijn hand in de mijne legde. En even later voelde ik een keurig opgevouwen pakketje in mijn hand. Ik draaide mijn hoofd weer terug, en hij keek me heel strak aan. Het was een test. Hoever zou ik hem laten gaan?

Terwijl ik hem bleef aankijken, vouwde ik mijn vingers over het pakje. Zijn ogen glinsterden triomfantelijk. Hij had gewonnen. Nu was het voor ons allebei zonneklaar dat ik niet alleen een hoer was, maar altijd een hoer zou blijven. Wat een prijs. Ik kon gekocht en verkocht worden. Ik zal dat moment van schaamte nooit vergeten, want dat was het moment dat ik de hele wereld uitnodigde om me te gebruiken.

In feite ben ik een veelvraat die zonden eet. De zonden van mijn zus zitten in mijn buik. Daar wacht mijn zus met haar boze ogen, daar maakt ze het snoer van rattentanden. Ik moet eerst mijn vorm verliezen voordat zij terug kan eisen wat ik heb opgegeten en weer compleet kan worden. Ze wil dat ik mijn vorm verlies, dat ik doodga.

De enige keer dat ik de dood vergat, was toen ik door een

klant die niet van bruine meisjes hield werd uitgenodigd om mee te gaan naar Jamaica. Een of ander golftoernooi. Drie dagen lang verdween hij om zeven uur 's ochtends en kwam hij 's avonds laat dronken weer terug, maar overdag kon ik doen waar ik zin in had. Vlak bij het hotel was een strandtentje van een vrouw met een kind, het schattigste jongetje dat je ooit hebt gezien. Bruin en mollig.

Urenlang lag ik op het strand en speelde ik met de baby. Hij had haar als een zwarte wolk, onvoorstelbaar zacht. 's Middags sliep hij in een mandje onder de bar, en dan ging ik zwemmen in het warme water. Als de baby wakker werd, haalde ik hem weer op. O, het was hemels. Toen kon ik mijn doodvonnis vergeten. En als ik 's avonds in mijn eentje over het strand wandelde, scheen de maan zelfs op een hoer.

Het lag op mijn pad, op mijn laatste dag: een dood jong vogeltje. Ik had de bruine baby in mijn armen. Ik bleef even staan om naar het dode vogeltje te kijken, niet groter dan mijn pink, naakt en paars. 'Arm ding,' zei ik, en het jongetje en ik keken allebei nieuwsgierig naar het levenloze diertje. Op dat moment was ik zoals alle andere mensen, die overal om zich heen de dood zien en niet kunnen geloven dat het hen ook zal overkomen. Met dat kind in mijn armen was ik onoverwinnelijk. Ik besloot opnieuw te beginnen. Ik zou teruggaan naar Engeland en een kleine bruine baby adopteren. Helemaal voor mij alleen.

Ik was veranderd toen ik terugkwam. Mijn zonde woog niet meer zo zwaar. Ik wist wat me te doen stond. Geen drugs meer. Ik wilde bij iemand horen, zijn ring dragen, zijn naam krijgen. En bij hem blijven totdat hij tandeloos was, en dan zou zijn hart breken als ik stierf. Ik wilde een kind, een gezin, mijn eigen keuken, waar het rook naar vers brood. Helemaal voor mij alleen. Ik schreef me in voor een gemeentewoning en vond een baantje als receptioniste in een nachtclub. Een week later riep een meisje dat in de rij stond verrukt mijn naam. Elizabeth! Maggie!

We werden weer vriendinnen, en ze vertelde me dat zij ook uit de prostitutie weg wilde. Ze nodigde me uit om bij haar te komen wonen in Maida Vale totdat ik zelf een woning had gevonden. Het leek een goed idee.

Ze woonde op de bovenste verdieping van een flatgebouw in een armoedig klein flatje waar grote dikke katten onverwacht bij je op schoot sprongen. Waar je ook keek, overal stonden tientallen tweedehands boeken over filosofie, geschiedenis en kunst. Ze vormden torenhoge stapels, stonden in boekenkasten, lagen op tafels, onder tafels, echt overal. Spinnenwebben hingen aan de plafonds, en alle kussens waren gescheurd en opengekrabd door de katten. In de keuken stonk het naar oud kattenvoer, en in de koelkast stonden alleen melk en bier. Miljoenen mieren wandelden ongehinderd over de vensterbank in de keuken.

'Heb je nooit van gif gehoord?' vroeg ik, kijkend naar die zwarte zwermen.

'Ze hebben gewoon honger. Als ik een lepeltje jam op de vensterbank leg, blijven ze tenminste weg in de rest van het huis.'

Ze nam me mee naar haar slaapkamer, en ik wist niet wat ik zag. Het was alsof je in een andere wereld kwam. Het rook er niet naar katten en er was geen kattenhaar te bekennen. De kamer was fris en smetteloos schoon, maar het verbijsterendste waren de muren. Elke muur hing van onder tot boven vol met olieverfschilderijen.

'Van jou?' vroeg ik.

Ze knikte en glimlachte.

O, dus eigenlijk ben je een kunstenaar, dacht ik. Dat ze zoiets waardevols had opgegeven voor een gemakkelijker leven. De schilderijen deden me denken aan het werk van mijn vader, maar ze waren véél beter en hadden een soort geladenheid, een haast tastbaar gevoel van verdriet en verlies.

'Ze zijn prachtig, Maggie. Waarom verkoop je ze niet?'

'Niemand wil ze.' Ik dacht aan mijn vader, die altijd vergeefs had geprobeerd zijn werk te verkopen. Arme Maggie.

Voor mijn gevoel was ze alles wat een prostituee niet hoort te zijn. Als ik 's nachts naar de wc moest, zag ik Maggie soms in een gekreukelde nachtjapon voor de nephaard zitten, haar voeten op een gammel voetenbankje, terwijl ze met haar ene hand een kat op haar schoot aaide en in de andere een boek vasthield. Van haar leerde ik hoe fijn lezen kan zijn, dat een boek me mee kon voeren naar een wereld die de mijne niet was en nooit zou zijn.

Ze begon als serveerster in de nachtclub waar ik werkte. Wat hadden we een lol samen. We werden uitgenodigd voor de hipste feesten en waren dan de mooiste meisjes van het bal. Geld hadden we niet, maar we kochten wel altijd de nieuwste mode bij een postorderbedrijf, en die kleren maakten we dan lekker hip met knopen, zakken, stukjes kant of fluwelen randjes van jurken die we voor een prikkie in tweedehands winkels kochten. Ik had de tijd van mijn leven.

Soms was er na een hele nacht feesten geen druppel drank meer in huis, en dan renden Maggie en ik om zes uur 's ochtends langs de melkboer naar de buurtsuper op de hoek en gooiden we steentjes tegen het raam erboven. Na een tijdje bewogen de gordijnen en keek er een bruin gezicht omlaag. We zwaaiden vrolijk. Alles verliep volgens een vast ritueel. Het gezicht verdween en even later bewogen de gordijnen opnieuw, maar dan gluurde iemand door een kier van de gordijnen en konden we nauwelijks een gezicht zien. Dat was de vrouw van Mr. Dulip Singh. Even later hoorden we het slot van de winkeldeur, die dan zo ver openging dat we naar binnen konden glippen. Op dat uur van de ochtend droeg Mr. D geen tulband en piekte zijn grijze haar alle kanten op.

'Wodka!' riepen we dan quasi-wanhopig.

'Wat zijn jullie toch een ondeugende meisjes,' zei hij met zijn zware accent, zogenaamd streng. Terwijl hij de fles in dun papier rolde, waarschuwde hij ons met vaderlijke bezorgdheid voor de kou en de gevaarlijke mannen op straat. Dan deed hij de deur weer op een kier, gluurde naar rechts en naar links en liet hij ons heel snel naar buiten. 'Denk erom, als de politie iets vraagt, dan lenen jullie een fles die jullie later weer terugbrengen.'

'Natuurlijk, Mr. D. Bedankt Mr. D.'

'Kom toch een keer langs,' nodigde Maggie hem uit, en dan glinsterden zijn ogen. Volgens mij vermoedde hij dat ze een nachtvlinder was, maar je merkte aan hem dat hij oprecht op lieve kleine Maggie gesteld was.

Op een dag was Maggie in de keuken haar verfkwasten aan het schoonmaken. 'Het is tijd voor een nieuw begin,' kondigde ze aan. 'Eerst ons haar. Laten we het bleken.' We lieten het spul te lang in mijn haar zitten. 'Oeps,' zei ze lachend, maar toen ze beter keek, bedacht ze zich. 'Nee, het is eigenlijk heel mooi. Heel hip.'

We gingen die avond uit, en onderweg stopte er een witte limo naast ons. De chauffeur, een donkere man, stapte uit. 'Hebben jullie zin om naar een feest te gaan?' vroeg hij met een sterk accent.

Ik schudde mijn hoofd, maar Maggie kraaide 'Leuk!' en stapte in.

Ik bleef staan. 'Ben je nou gek geworden,' siste ik. 'Zo komen ze aan de actrices voor *snuff movies*.'

Ze weigerde uit te stappen, en ik kon haar niet in haar eentje laten gaan. 'Mooie vriendin ben jij,' snoof ik, en stapte ook in.

Op dat feest gebeurden er twee dingen. Ik ontmoette een lange blonde man die Ricky heette; hij behoorde niet tot de genodigden en had alleen de drugs bezorgd. Hij slenterde naar me toe en stopte een sleutel in mijn hand. 'Als je het hier niet leuk meer vindt, kom dan naar de leukste tent van de stad,' zei hij, en liep weg. Het adres stond op de sleutelring. Is jou dat weleens overkomen? Heeft een vreemde jou weleens de sleutel van een verboden deur in handen gedrukt? Ik voelde me net de vrouw van Blauwbaard.

Ik deed de sleutel in mijn tas, en toen ik weer opkeek, staarde ik in de ogen van een gezette man die niet dronk en niet snoof. In zijn eigen land was hij een religieus leider, een mollah. Ook was hij de puissant rijke gastheer. Hij stak zijn hand uit om mijn gebleekte haar aan te raken en zei in vloeiend Engels: 'Wat een prachtig haar. Ik heb nog nooit zoiets gezien.' Hij glimlachte. 'En ik ben blij dat je geen drugs gebruikt. Het is een walgelijke gewoonte.'

Het was een lichamelijk onaantrekkelijke man, maar hij had op de beste Engelse scholen gezeten en ik vond het fascinerend dat hij zo anders was. Aan het eind van een spelletje schaak zei hij niet 'schaakmat' maar *'shah mat'*. De koning is dood. En hij wist hoe je een vrouw het hof maakt. Hij overlaadde me met cadeautjes, opende rekeningen voor me bij winkels van dure modeontwerpers, nam me mee naar de beste restaurants en behandelde me als een koningin. Al mijn wensen werden door hem vervuld. Waar ik ook was, ik hoefde alleen maar zijn naam te zeggen en bij toverslag waren alle dingen van mij. Hij installeerde me in een belachelijk luxueus appartement in Mayfair zodat hij naar me toe kon komen als hij in de stad was, en hij verwachtte dat ik de winter in Saoedi-Arabië doorbracht.

Weet je wel hoe onweerstaanbaar verleiding is? Het klonk als zo weinig voor zoveel. Uiteindelijk werd ik zijn maîtresse, ook al hield ik niet van hem. De maanden gingen in decadente luxe voorbij. In de winter vloog ik naar Saoedi-Arabië, waar ik met een helikopter naar een schitterend paleis in de woestijn werd gebracht, omringd door een tuin zo groot als een park. Maar in mijn hart bleef ik me een prostituee voelen, zelfs toen ik kon baden in water dat uit massief gouden kranen stroomde. Het was niet wat ik wilde, en toen ik bericht kreeg van de gemeente dat ik aan de beurt was voor een sociale huurwoning wist ik dat het tijd was om er een punt achter te zetten. Ik zei tegen hem dat ik wegging, voorzichtig en vriendelijk, want hij was altijd goed voor me geweest.

Eerst lachte hij, maar toen leerde ik zonder waarschuwing vooraf – ik had nooit gevaar vermoed – en zo snel dat hij op mijn verzoek om vrijheid voorbereid moet zijn geweest, waar het knopje in mijn hoofd goed voor was. Ik kwam ergens waar het koud en donker was en waar ik niets voelde. Geen angst, geen pijn, geen haat, geen verdriet, geen vreugde. Geen hoop.

Later drukte hij een kus op mijn voorhoofd en streelde hij mijn haar. 'Waarom speel je spelletjes met me, *habibi?*' zei hij. 'Ik ben nu eenmaal opvliegend. Misschien dat je de beslissing over ons de volgende keer maar aan mij moet overlaten, hmmm?'

Dagenlang liep ik rusteloos heen en weer. Woedend. Ongelovig. Wraakzuchtig. Ik maakte plannen. Ik dacht aan messen, vergif en huurmoordenaars. Ik weigerde een gevangene te zijn. Maggie kon alleen maar ongelovig toekijken.

Op een nacht droomde ik dat mijn zus klaar was met het halssnoer van rattentanden. Ze opende haar mond en er kwamen vreselijke dingen uit het zwarte gat. Ik werd huilend wakker. Ik had geen enkele hoop meer. Niemand kon me helpen. Uiteindelijk was ik niet meer dan een prostituee. Ik haatte de wereld. De enige manier om te overleven, was zorgen dat niets me meer kon raken.

Op die manier hoefde ik de man die me gevangen hield niet te straffen. Ik zorgde dat ik vanbinnen verstarde. Ondanks mijn afkeer bleef ik doen wat hij van me wilde, alleen om hem te gebruiken.

Ik wist maar één manier om mijn zus stil te houden. Ik kroop uit bed en zocht in mijn kasten, laden en tassen totdat ik in een jampot met rommeltjes vond wat ik zocht. De sleutel van de blonde man. Het was niet de man die ik wilde, maar wat hij beloofde. In mijn hand begon de sleutel van Blauwbaard al te bloeden. Was ik niet al eens eerder in die geheime kamer geweest, had ik de lijken van zijn vrouwen niet al eens eerder gezien? Maar er was niets anders. Alle hoop was de grond in geboord. Ik was gekwetst. De sleutel huilde bloed in mijn hand toen ik mijn appartement in Mayfair verliet om naar de spinnentempel te gaan...

Maar daar komt Anis. Hij wil zich aan je voorstellen. Ik weet nooit of ik hem moet bewonderen of beklagen.

Anis Ramji

Anis

Ik denk dat je kunt zeggen dat ik van mijn vader heb gehouden totdat ik een document op zijn computer opende dat pas 'na mijn dood' gelezen mocht worden. Het viel niet mee om zijn wachtwoord te kraken, en het was een spannend moment toen het eindelijk lukte en ik zijn geheime wereld binnen kon gaan. Wat was ik toen nog jong. En wat was het een afschuwelijke ontdekking.

Ik weet nog dat ik elk woord las met een mengeling van ongeloof en walging. Mijn fantastische vader was een homoseksuele smeerlap. Elke anonieme ontmoeting was tot in de kleinste en weerzinwekkendste details beschreven. Als hij zich in zijn kamer terugtrok en de deur op slot deed, werkte hij aan het dagboek waarin hij zijn seksuele uitspattingen beschreef. Zijn beschrijvingen waren zo beeldend dat ik een toeschouwer werd bij alle smeerlapperij.

Toen hij thuiskwam, keek ik naar hem en zag ik hem op zijn knieën in een smerige plee voor de grote zwarte man die hij 'de donkere engel' noemde. Ik zag mijn vader ongeduldig de gulp van de engel openmaken en hem gretig afzuigen. Bah, bah, bah!

'Wat is er, Anis?' vroeg mijn vader. Hij had zich omgekleed in traditionele kleren. Ik was vlees van zijn vlees. De gedachte maakte me misselijk.

'Niks,' zei ik.

'Aan tafel!' riep mijn moeder. 'Het eten is klaar.'

Zwijgend gingen we aan tafel. Mijn moeder schepte mijn vader op: rijst, dahl en zijn favoriete curry met garnalen. In het voorbijgaan streek ze liefhebbend een lok haar van zijn voorhoofd. Ik wilde haar wel slaan. Hoe kón ze? Hoe was het mogelijk dat ze het niet wist? Hoe kon ze zo blind zijn? Hoe kon ze zo'n smeerlap zo teder aanraken? Ik was woedend op haar. Abrupt stond ik op van tafel.

'Wat is er, Anis?' riep mijn moeder verbaasd en gekwetst. Ze was zo lief en zo goed. Ze mocht het niet weten.

'Niets!' riep ik en rende de deur uit. Ik haatte hen allebei. Ik rende naar het huis van mijn grootvader.

Toen mijn vader me kwam halen, moest hij onverrichter zake terug naar huis, want mijn grootvader, een grote, indrukwekkende figuur, zei tegen hem: 'Laat die jongen maar een paar dagen hier.' Door een raam zag ik mijn vader weglopen, onderdanig en verslagen. Zelfs als kleine jongen begreep ik dat hij alleen op de liefde van zijn vader kon rekenen door zijn homoseksualiteit geheim te houden. Dat soort onnatuurlijke perversiteiten zou nooit worden geaccepteerd.

Sindsdien woonde ik bij mijn grootvader.

Mijn grootvader was vanuit India naar Kenia gekomen om goud te zoeken, maar omdat hij aan het meer woonde, zag hij hoe snel de vangst van de vissers begon te rotten. Hij haalde er zout naartoe en maakte fortuin met zoute vis. Hij kocht land en de familie verhuisde naar de heuvels, waar het heerlijk koel was. Hij bouwde een enorme bungalow met aan alle kanten brede houten veranda's. Het huis was zo uitnodigend en koel dat wildvreemde mensen soms een middagdutje deden op de veranda. Het was een fantastisch huis.

Een witte stenen trap voerde naar een kelder waar mijn grootvader met een dikke Cubaanse sigaar tussen zijn tanden naar bluesmuziek luisterde. Voor een gehaaide en harde zakenman als hij was het een vreemde keus, die treurige liedjes over mensen zonder geld, in de steek gelaten door hun vrouw, en dan gaat ook die ellendige hond nog dood.

Op een dag, nadat hij wild zwijn had gegeten en te veel whisky had gedronken, vertelde hij me iets waar ik nogal verbaasd over was. Hij had, vertelde hij, nooit meer naar een andere vrouw gekeken sinds hij met mijn grootmoeder was getrouwd. Daar zorgde ze voor doordat ze zich nooit helemaal uitkleedde, en een deel van haar altijd een spannend mysterie bleef. Op die manier kreeg hij nooit genoeg van haar en dreef zijn verlangen hem soms tot waanzin.

Deze verklaring voor zijn diepe liefde deed mijn grootmoeder groot onrecht. Ze was veel meer dan een gedeeltelijk ontkleed lichaam. Ze was een enigma. Als het regende, ging ze zonder paraplu wandelen. Ze praatte zelden en had nauwelijks vrienden. Als iemand met haar naar het ziekenhuis was gegaan, zouden ze haar misschien zelfs krankzinnig hebben verklaard, maar ik wist dat er achter haar serene gezicht een andere wereld at, sliep en praatte. Daar trok ze zich terug als het donker werd.

's Avonds werd ze anders, bijzonder. Nat van de dauw liep ze door het hoge gras langs de vijver, volkomen geruisloos, en de kikkers sprongen voor haar opzij. Alleen zij wist waar ze heen ging, naar een bemoste tuin vol magie die geheim moest blijven, anders zou de betovering verbroken worden. Alleen kleine jongetjes mochten ervan weten. Soms kwam ik naast haar zitten in het donker en fluisterde ze me geheimen in.

'Hoorde je dat, Anis?' vroeg ze me, haar gezicht zacht verlicht door het schijnsel van een bleke maan.

'Wat? De kikker die daarnet kwaakte in de vijver?'

Haar ogen staarden in de verte. 'Hoe groot zijn verlangen is om die slijmerige jas af te schudden, vleugels te krijgen en naar het bos te vliegen. In zijn droom is hij niet langer de prooi van een slang die hij door het gras aan hoort komen. Maar luister... luister, hij durft niet. Hij is bang dat hij de moed verliest en dood zal vallen, hij is bang voor zijn nieuwe vijand, de snavel en de klauwen van de adelaar.'

Soms vroeg ze: 'Zag je dat?'

Het vuurvliegje dat licht gaf zodat we het vallen van een blad konden zien. In het zilverige licht van de nacht begon ik zelfs de stemmen van de grote oude bomen te horen, die zich beklaagden over het verraad van de mens.

Wat zag en hoorde ik werkelijk, en wat was haar fantasie? Ze nam me mee naar een betoverde droomwereld.

Op een dag gaf ze me een fluwelen buidel. 'Het zou goed zijn als je de inhoud op een dag kunt gebruiken.' Ik herinner me dat ze elke ochtend om tien uur en elke middag om vier uur een kop thee dronk op de veranda, in haar eentje, zwijgend, en er precies de helft van een chocoladekoekje bij at.

Mijn grootvader wist dat hij niet in de moestuin van mijn grootmoeder kon komen. Buiten de stenen poort hield hij de wacht, en daar was hij tevreden mee. Niemand anders mocht naar binnen. En als hij niet naar bluesmuziek luisterde, haalde hij herinneringen op aan zijn andere grote passie: jagen. Hij vertelde spannende verhalen over leeuwen die grommend rond het kamp van de jagers slopen, hun ogen lichtgevend in de gloed van het vuur. En dat de grote katten een keer een man wegsleurden in hun sterke kaken. De hele kelder hing vol foto's van hem met wild dat hij had gedood, meestal met zijn ene voet boven op de trofee.

Hij was dol op vlees, kon geen dag zonder, zelfs niet op heilige dagen. Dan wachtte hij totdat mijn grootmoeder naar de keuken ging om iets te halen, viste een stuk vlees of vis uit het Tupperware-bakje dat hij tussen zijn kleren had verstopt en schoof dat dan onder de berg rijst op zijn bord. Zo at hij heimelijk zijn vlees, samen met rijst en yoghurt en de enige groente die hij lustte, aubergine.

Totdat hij op een of ander deftig feest in Canada was, waar hij een boeddhistische lama in een natte pij naar buiten zag gaan om te mediteren op een besneeuwde binnenplaats. Zittend in de ijzige kou straalde zijn lichaam zoveel warmte uit dat zijn kleren opdroogden.

Mijn grootvader was zó onder de indruk dat hij vegetariër werd. Urenlang kon hij bewegingloos zitten en liet hij zijn stem zangerig gonzen: 'Ohm Mani Padme Hum.' Ohm Juweel in de Lotus.

'Wie ben je? Ga heel stil zitten en kijk dan plotseling op jezelf neer. Als je het echt heel snel doet, betrap je jezelf, dan zie je wat een ander ziet.'

Maanden later kreeg hij een gloeiend gevoel in zijn onderbuik en kruis. Dagenlang hield het vreselijke branden aan, maar toen het weg was, kon mijn grootvader mensen op een heel bijzondere manier zien, met kleuren om zich heen.

'Satchitananda, God bestaat,' zei hij tegen me. 'Hij lost zichzelf op in elke soep die jij wilt drinken.'

Nu zijn ogen opeens geopend waren, zag hij mij met mijn problemen, met de foute kleuren om me heen. Tot dan toe had hij me vaak meegenomen naar zijn kamer en moedigde hij me aan om samen te mediteren, maar nu zei hij: 'Wat binnenin je zit, kan terugslaan als je het wakker maakt. Eerst moet die jongen zijn woede kwijt.' Hij wilde weten waarom ik zo kwaad was op mijn vader, maar ik kon het hem niet vertellen.

Toen begonnen de politieke problemen in Kenia en vluchtte onze hele familie naar Londen. Land en veel waardevolle spullen moesten achterblijven, maar mijn vader investeerde alles wat hij mee had genomen in hotels. Hij had een scherp zakelijk inzicht en de zaken gingen goed. Al snel bezat hij drie hotels.

Voor mij werd het een uitdaging om te rebelleren. De vakken die mijn ouders belangrijk vonden – wiskunde, biologie, natuurkunde en scheikunde – liet ik vallen, en ik toonde belangstelling voor kunst en poëzie. Mijn vader was hevig teleurgesteld toen ik mijn beste vakken opgaf, maar dat schonk me juist voldoening. Ik begon met beeldhouwen, maar stapte al snel over op schilderen. Hierin vond ik een uitlaatklep voor mijn woede.

Ik schilderde mijn vader. Soms vermomde ik hem met een masker, soms gebruikte ik slechts een aspect van zijn gezicht. Ik schilderde hem in allerlei vernederende houdingen. Nog steeds was ik niet tevreden, en ik begon lichamen boven op hem te stapelen. Mijn schilderijen waren watervallen van naakten met gepijnigde gezichten. Soms was mijn werk regelrecht obsceen, dus verguisden de kunstkenners het, maar ik kreeg hulp uit onverwachte hoek. De gepijnigde uitdrukking op de gezichten werd voor genot aangezien.

Ik klopte op dezelfde deur als mijn vader had gedaan. In de *gay scene* werden mijn schilderijen als warme broodjes verkocht. Wat lachwekkend! Op feestjes werd ik door homo's benaderd, soms met openlijke voorstellen, soms alleen met smeulende blikken. Het viel me op dat homo's, letterlijk álle homo's, mooie ogen hebben, met lange volle wimpers. 'Probeer het eens met mij,' zeiden de mooie ogen. 'Hé, het is donker in de kast. Kom eruit, je weet dat je bij ons hoort.'

Ik glimlachte mysterieus naar ze. Ik zei geen ja, maar ook geen nee. Ik ging zelfs af en toe naar die feesten. Smerige zwijnen. Dachten ze soms dat ik niet wist wat ze in die kamertjes deden? Een paar keer kwam ik in de verleiding om iemand mijn vaders nummer te geven, maar dat deed ik natuurlijk niet. Ik was heel voorzichtig en liet ze nooit merken hoe diep ik hun soort verachtte.

Met het geld dat ik van mijn grootvader erfde, kocht ik een huis in South Kensington. De woonkamer met een erker en prachtige hoge ramen werd mijn atelier. Ik groeide uit tot een soort cultfiguur. Ik kon niet snel genoeg schilderen, maar in mijn hart wist ik dat ik een bedrieger was. Ik was helemaal geen schilder, ik was alleen een kind dat zijn ouders wilde straffen. In feite was ik het met de critici eens. Mijn werk was niet goed.

Op een dag kwam mijn vader naar mijn atelier. Hij had een nerveuze tic ontwikkeld, beet voortdurend op de binnenkant van zijn linkerwang. Het was een lichamelijke uiting van zijn schuldgevoel. Voor elk doek bleef hij staan, somber en stil en boos, kauwend op zijn wang, en toen hij klaar was, draaide hij zich naar me om, niet beschaamd en verontschuldigend zoals ik had gehoopt, maar hevig gekweld.

'Sommige kinderen worden ons gegeven vanwege onze goede daden, en sommige vanwege onze zonden,' fluisterde hij hees.

Toen liep hij mijn huis uit, sloffend over de houten vloer, zijn hoofd gebogen, een vieze oude man met een kapotgebeten wang. Hij had zichzelf herkend in mijn werk, maar alleen gezien wat hij wilde zien, het geweld en de spot, maar niet de onvoorstelbare pijn in mijn ziel. Misschien had ik hem het verschil kunnen laten zien, hem de onuitgesproken taal van de kunst kunnen leren. Maar dat deed ik niet. Ik liet hem weggaan zonder hem terug te roepen.

Ook daarna bleef ik mijn tijd verdoen met het schilderen van die vulgaire dingen, zonder dat mijn wanhoop er minder door werd.

Toen leerde ik Swathi kennen.

'Swathi betekent ster,' vertelde ze me lachend, maar dat wist ik al. Net als ik was ze van Indiase origine, maar zij was HIV-positief en ik niet. Ik ontmoette haar in Tramp, een trendy club, net toen ik weg wilde gaan. Ze droeg een minuscuul zwart jurkje en kousen die net niet tot de zoom van het jurkje kwamen. Ze zat met gekruiste benen op een tafel, beschenen door rood lamplicht, en vertelde de groep mensen om haar heen een of andere anekdote.

Gefascineerd kwam ik dichterbij.

Ik zag het groepje lachen, zag dat ze het hoofd van een man beetpakte en champagne in zijn keel goot, zo uit de fles. Er werd luid gelachen. Ik staarde naar haar totdat ze haar hoofd omdraaide en me aankeek. Ze glimlachte naar me, triester dan ik ooit iemand had zien glimlachen. Ik liep naar haar toe, hielp haar omlaag van de tafel, trok haar tegen me aan en nam een besluit. Ze was heel lang en mager, te mager. Haar botten staken door haar huid, ik kon ze voelen. Ik nam haar mee naar huis en we zaten in de keuken koffie te drinken en te praten. In haar persoonlijkheid verenigde ze het leven en de dood. 'Ik ben getrouwd geweest met een Amerikaan, een stiekeme nicht,' zei ze.

Ach ja, verraad.

De volgende dag zette ik haar in de erker. Ze deed me denken aan prachtige herfstkleuren, van haar karamelkleurige ogen en roodbruine huid tot aan de lichtere strepen in haar haar, het werk van een geniale kapper. Voor het eerst van mijn leven schilderde ik een vrouw, een beeldschone vrouw.

Ik schilderde zoals ik nog nooit had geschilderd. Toen ik een paar stappen naar achteren deed om mijn werk te bekijken, kon ik het niet herkennen. Er sliep iets wat bruin en prachtig was op mijn doek. Ik had mijn muze gevonden, Melpomene, de muze van het treurspel.

De kans om een middelmatig schilder te blijven was verkeken. Mijn roze periode was voorbij.

Langzaam, een voor een, trok ik haar kleren uit. Ze was het niet gewend dat er zo aandachtig naar haar naakte lichaam werd gekeken en bedekte haar borsten met haar handen. Maar ik kuste haar gesloten oogleden en fluisterde dat ik alles aan haar even mooi vond. 'Kijk naar me,' smeekte ik. Ze deed haar ogen open, en ze waren groot en intrigerend. Ik kuste haar schouder en deed haar rok uit. Ze verzette zich niet. Naakt lag ze op de houten vloer, en ik streek met mijn lippen over de ronding van haar heup. 'O, Swathi,' verzuchtte ik. De ziekte zit in je. Ik moet opschieten.

Swathi de ster. In een la vond ik de oude fluwelen buidel van mijn grootmoeder. Had ze al die jaren geleden werkelijk geweten dat ik op een dag zilveren sterren nodig zou hebben? Ik leegde het zakje met kleine zilveren sterretjes naast haar naakte lichaam. Verwonderd keek ze me aan.

'Ze hebben zo lang moeten wachten voordat ze een echte ster aan konden raken,' zei ik. Een voor een deed ik de sterren in haar haren. Keer op keer kuste ik haar zacht. 'Zo mooi,' mompelde ik afwezig. Toch deed haar naaktheid me denken aan de dag dat ik me in een kast had verstopt en door een kier naar de vrouwen had gekeken die het lijk van mijn grootmoeder wasten. Zwijgend wreven ze haar in met gehalveerde limoenen, zo hard dat ik bang was dat haar huid los zou komen. Wat was dat lang geleden. Wie weet waarom ik zo'n nare herinnering bewaar. Ga weg.

'Mijn eigen mooie Swathi.' Nu is het jouw beurt.

Ik schilderde haar met de sterren in haar haren, haar ene hand nog over haar borst.

Op een ochtend vertelde ik haar tijdens het schilderen van mijn vader. Het was de eerste keer dat ik mijn geheim prijsgaf.

'Ben je niet blij dat hij je moeder heeft ontzien?' vroeg ze. 'Het is de schuld van deze samenleving dat jij en ik het moeilijk hebben gehad. Als we hun geaardheid niet zouden veroordelen en we hen niet discrimineerden, terwijl die mensen er helemaal niets aan kunnen doen, zouden zij niet hoeven te liegen en bedriegen, of wel soms? Jouw vader zou jou geen pijn hebben gedaan, en mijn man zou niet met me zijn getrouwd. Dan zouden ze hun hart achterna zijn gegaan. Stel nou dat het andersom was, dat jóúw seksuele voorkeur als pervers werd beschouwd? Stel nou dat de samenleving jou zou dwingen om seks te hebben met een man?'

Midden in een penseelstreek bleef mijn hand steken. Ik voelde me bedrogen. Ze had zijn kant gekozen. Snel pakte ik een ander doek, en ik schilderde haar als een adder verstopt in het zand met alleen haar ogen zichtbaar, loerend in afwachting van een prooi. Toch glimlachte ze alleen maar. In mijn boosheid schilderde ik haar met een begerige rode mond, copulerend met een enorme python. Nog steeds glimlachte ze. Ik kon haar niet meer schilderen en borg mijn kwasten weg.

Totdat ik op een dag zag dat ze doodging. De herfstbladeren vielen af. Ze stierf aan een ziekte die alleen bij duiven fataal is. Haar immuunsysteem was naar de knoppen. Het ging angstaanjagend snel. Binnen een maand was ze zo verzwakt dat ze niet meer in de erker kon zitten. Ik haalde mijn doeken naar de slaapkamer en schilderde haar, stervend in mijn bed. Ik legde mijn kwast alleen neer om eten te halen en Swathi haar medicijnen te geven.

Op een dag begon ze te praten, eerst over haar grootmoeder, toen over haar moeder en haar beklagenswaardige vader. Stukje voor stukje gaf ze zich prijs. Ik hoorde over een rijke en wilskrachtige vrouw die haar lelijke, onderdanige zoon uithuwelijkte aan het mooiste meisje van het dorp. Over de plichtsgetrouwe schoondochter die haar ogen altijd neergeslagen moest houden. Totdat haar dominante schoonmoeder op een dag overleed, en de mooie vrouw haar hoofd optilde en haar felle en vreselijke ogen toonde. Nu is zij de baas. De man wordt weggestuurd om kokosnoten te plukken, als een bediende. Hij mag het huis waar ze wonen niet langer door de voordeur binnengaan. En hun dochtertje wordt een keer zo hard geslagen dat ze door de hele kamer vliegt.

De dochter liep weg en trouwde met een danser uit een Amerikaans gezelschap. Ze was nooit meer terug geweest. Nu blonk er verlangen in haar diepliggende ogen. Nog één keer wilde ze haar vader zien, met zijn gebogen rug, nog één keer haar moeder, met de felle en vreselijke ogen. Ze zei het niet, maar ik las het in haar blik. Ik kon haar niet laten gaan. Niet toen ik barstte van de inspiratie. Ik was bezeten van het verlangen om een ster te zien sterven. Elke dag kwam de dood dichterbij.

Soms keek ik naar haar als ze sliep, een slapend skelet, roerloos, en was ik verbaasd als ze haar ogen opendeed. Een keer schoof ik haar kleren opzij en staarde naar haar borsten, verschrompeld, stervend. Plotseling opende ze haar ogen, en ik sloeg de mijne neer. Beschaamd liep ik bij haar weg.

Op een ochtend trof ik haar aan voor mijn laatste schilderij. 'Vind je het mooi?' vroeg ik.

Ze legde haar hand plat op het geschilderde gezicht en smeerde heel bedaard de natte verf uit.

'Waarom?' vroeg ik geschokt, want ik vond het zelf juist erg goed.

'Zo zie ik er niet uit. Ik ben nog niet dood, Anis.' Ze draaide zich om en keek me verwijtend aan.

Op dat moment besefte ik dat ze van me hield. En dat ze er precies zo uitzag. Hoe zou deze kamer zijn zonder haar? Ik deed mijn ogen dicht. Ik zag de zon die door het raam naar binnen scheen, de stofdeeltjes in de baan van licht. De lakens, verkreukeld op het lege bed, en mijn ogen vlogen open.

'Wat is er?' vroeg ze.

'Niets,' zei ik boos. Ik wilde niets missen. De dood was zo dichtbij.

'Laat me niet hier sterven,' smeekte ze me toen ze zich realiseerde dat ik haar nooit gewillig zou laten gaan. 'Je hebt me toch nooit gewild. Breng me terug naar het bed van mijn moeder.'

Ik bracht haar terug naar het houten hutje in Kerala. Haar vader haastte zich tussen de kokospalmen vandaan om ons te begroeten. Het was een kleine, lelijke man met kromme benen en een smerige lendendoek. Ooit de slappe zoon van een rijke vrouw, nu een kokosnotenplukker. Somber stond hij voor zijn stervende dochter. Zijn bevende handen kwamen op haar af, maar hij durfde haar niet aan te raken.

Toen kwam de moeder naar buiten, gekleed in een prachtige blauwe sari. Zwijgend hielpen haar met henna geverfde handen haar dochter naar binnen. De vader bleef buiten staan en keek verlangend naar het huis, alsof hij een paria was die buiten moest blijven.

Een dorpeling kwam aanrennen met een fles water uit de Ganges, hoog in de Himalaya opgevangen. 'Het heilige water zal het kind beter maken,' zei hij eerbiedig.

Binnen lag ze op het bed van haar moeder, en ik hoorde haar zeggen: 'Ach, mijn lieve Anis, weet je dan niet dat elke scheiding een nieuwe kans is?' Ik kon er niet tegen en strompelde naar buiten, waar ik bijna tegen haar moeder opbotste.

De vrouw keek me beschuldigend aan. 'Heb je te veel van mijn dochter genomen?' vroeg ze zacht.

Ik staarde haar aan.

'Toen mijn dochter klein was, ging ze een keer naar de snoepwinkel en wilde ze haar gouden armband ruilen tegen snoepgoed. Waarschijnlijk was dat de enige keer dat een man haar vrijgevigheid heeft geweigerd.'

Het bloed steeg naar mijn wangen. De schaamte...

Ik verzon een smoes en ging terug naar Engeland, waar ik haar dag en nacht schilderde zoals ik me haar herinnerde. Grote doeken waar ik koortsachtig aan werkte, boos op haar, boos op alles en iedereen. Hoe durfde ze me van egoïsme te beschuldigen? Hoe durfde ze mij de schuld te geven van haar ziekte? 'Je hebt me toch nooit gewild.' 'Elke scheiding is een nieuwe kans.'

Totdat er op een dag een telefoontje kwam uit India, *collect*. Het was een van haar tantes. Haar nichtje was gestorven met mijn naam op haar lippen; ze had naar me gevraagd. Ik had haar nooit gebeld of geschreven. Niet één keer. Zwaar lag ze in mijn armen. Ze was zo zwaar dat ik haar graag neer wilde leggen, maar er was nergens plaats voor haar. Ik maakte mijn kwasten schoon. Ik kon niet verder.

Een week later kwam er een brief van haar. Maar ze was dood! Ik scheurde de envelop open. De brief was drie weken eerder geschreven. Ze schreef dat ze zich heel goed voelde. Misschien kom ik je wel opzoeken, had ze geschreven. Ik heb helemaal niet het gevoel dat ik het virus heb, behalve dat ik moe ben. Misschien niet. Lieve God. Misschien niet. Schrijf me alsjeblieft snel, smeekte ze. Mijn hele leven bestaat uit wachten op de post.

De brief werd verfrommeld in mijn vuist.

Ik had een tentoonstelling in de Serpentine. Met de schilderijen van Swathi was mijn naam gevestigd. Ik was de lieveling van de kenners. Verzamelaars uit New York bejubelden mijn werk.

Zelf zag ik alleen de meedogenloze wreedheid. Ik had steeds gedacht dat ik boos op haar was, maar in feite was ik mezelf gaan haten. Voor het eerst zag ik zelf wat zij had gezien toen ze de verf uitsmeerde en zei: 'Ik ben nog niet dood.' Ik had haar misbruikt. Ik was een bruut.

Ik raakte aan de drank.

Ik stuurde de vader geld, een groot bedrag, en ondanks zijn

meelijwekkend dankbare brief hing ik het schilderij van zijn dochter, copulerend met een python, in de galerie. Ze vroegen er een bespottelijk bedrag voor, maar het werd als eerste verkocht.

Terwijl ik champagne dronk, voelde ik me meer en meer een bedrieger. Ik glimlachte naar mijn bewonderaars, en mijn schuldgevoel bleef onopgemerkt. Op mijn veertiende had ik niet laten blijken hoe geschokt ik was, en nu was het niet *cool* om mijn verdriet te laten blijken. Het zat gevangen in mijn binnenste en het begon aan me te vreten.

Schilderen ging niet meer. Ik besloot te gaan dichten. Ik dronk een hele fles wijn en hield een pen in de aanslag boven een vel papier. Niets. Ik hing mijn lier aan de wilgen. Het voelde vreemd dat ik geen behoefte had om een kwast op te pakken, maar het deed geen pijn. Niemand wist dat er niets meer uit mijn handen kwam. Ik was een coryfee en parfumeerde mezelf met mijn eigen succes. Overdag sliep ik, 's nachts feestte ik. Er was altijd wel ergens wat te doen, een nieuw restaurant, een nieuwe club, een tentoonstelling, een boekpresentatie.

Tijdens een van de hippe feesten vertelde een man me over een heel bijzondere courtisane. 'Er is niets wat ze niet wil doen om genot te schenken. Haar naam is Chandni en ze is een volgeling van Vatsyayana's *Kamasutra*. Bij wijze van begroeting buigt ze zo ver door dat ze met haar vingers haar billen van elkaar kan houden, om dan eerbiedig haar eigen anus te kussen. Alles mag...'

Hij stak een zilverkleurig kaartje in mijn borstzakje. 'Maar ik waarschuw je. Ze is gevaarlijk. Ze voert een dans op die ze de verleiding van de lotus noemt. Alleen al daardoor raak je hopeloos verslaafd. En pas op, ze kost haar gewicht in goud.'

Chandni, maanlicht.

Van mijn grootmoeder had ik geleerd hoe betoverend maanlicht kan zijn. 'Luister, luister naar het maanlicht. Het licht van de maan maakt je armen en benen vloeibaar, en je hele lichaam zal dansen bij het geluid van haar stem.' Ik dacht aan gladde wangen, haar zo zwart als de nacht. Neergeslagen ogen die, als ze me aankeek, vol van belofte bleken te zijn. Ja, ik besloot mezelf op maanlicht te trakteren. Ik maakte een afspraak met mijn Indiase visioen.

Ze opende de deur, en ik staarde diep teleurgesteld naar een bijna lelijke blonde vrouw met blauwe ogen. Hoe durfde ze zichzelf maanlicht te noemen? Ze had niets mysterieus of betoverends. Toen ze me uitnodigde om binnen te komen, besefte ik dat ze ook nog eens Amerikaans was. Ze had te veel zwarte eyeliner gebruikt, zodat haar ogen net zo vloekten met haar mooie mystieke naam als haar accent. Met een kleine beweging van haar vingers gaf ze te kennen dat ik haar moest volgen. Toen ik achter haar door een smalle gang liep, ving ik door het lange, doorschijnende blauwe gewaad dat ze droeg een glimp van haar naakte lichaam op.

Ze draaide haar hoofd half naar me om. 'In het streven naar winst kan het gebeuren dat men verlies proeft.' Ondanks haar nasale accent herkende ik Vatsyayana's woorden, en dat gaf me een ongemakkelijk gevoel. Ze wees op een dienblad met betelblaadjes, en ik legde het afgesproken bedrag erop. Ze deed de deur van een kamer open en ik ging naar binnen. 'Ik ben zo terug,' beloofde ze.

Op de achtergrond hoorde ik de klanken van een sitar. Ik keek om me heen. Dit was een volkomen andere wereld, geschilderd in allerlei schakeringen donkergroen, verlicht door ontelbare kleilampjes en geurend naar sandelhout. Naast een hemelbed met fraai houtsnijwerk stond een levensgroot beeld van een Indiase danseres in ragdunne kleren in roze en wit, die zachtjes wapperden in een traag draaiende ventilator. In het midden van de kamer lag een donkergroen kleed. Er zaten luiken voor alle ramen, maar aan de andere kant moest een tuin zijn, want ik hoorde het klingelen van een windgong.

Er was nog iemand anders in huis. Ik rook gebakken kokos.

De deur ging open en ze kwam binnen. In de magische kamer onderging ook zij een metamorfose. We gingen terug in de tijd en waren in de geheime slaapkamer van de dochter van een raja. In het flakkerende schijnsel van de vele olielampjes glansde haar gezicht als goud. Ze kwam voor me staan op het groene kleed. Een ouderwetse, haast vertrouwde geur hing om haar heen.

Ze droeg een *chudamani,* een hoofdtooi van fijn filigrein in de vorm van blaadjes en vlinders. Enorme rode bloemen staken in haar haren. Om haar nek hing een *harsaka,* een choker in de vorm van een slang. Twee snoeren van de grootste *rudraksh*-kralen die ik ooit had gezien hielden een gouden borstplaat op. Armbanden rinkelden aan haar armen, en ze droeg ringen aan bijna al haar vingers en tenen. Vanaf een brede riem van dof goud, gegraveerd met parende stellen, hing een schitterend gordijn van zilveren kralen tot aan de grond. *'Takht ya takhta?'* fluisterde ze. Troon of doodskist.

'*Takhta,*' antwoordde ik. Doodskist. Verbaasd door haar merkwaardige vraag had ik zonder na te denken antwoord gegeven. Ik had troon moeten zeggen – voor oneindig genot.

Haar ene wenkbrauw ging omhoog, maar ze glimlachte alleen. Alles is interessant, alles mag.

'Mmm… misschien is het wat je verdient, maar niet hier, niet nu. Niet als er voor de troon is betaald,' zei ze, en ze opende haar vuisten. Bloemblaadjes regenden op de grond. Ze had gelijk. Er was voor de troon betaald, hoewel ik die niet verdiende. Ik had een prachtige ster wreed gemarteld en gedood.

Chandni ging op het kleed liggen. Honderden zilveren kraaltjes gingen uiteen en vormden glanzende poelen rond haar naakte benen. Wat een prachtig gezicht. Gracieus bracht ze haar middel en benen omhoog, totdat ze loodrecht op haar lichaam stonden. Toen pas viel het me op dat haar handen en voeten donkerrood waren geverfd. Ze legde haar rode voetzolen tegen elkaar.

Toen liet ze haar torso omhoogkomen en raakte ze met haar hoofd haar dijen aan. Ze spreidde haar benen en boog haar hoofd tussen haar dijen naar haar billen. Langzaam en genietend kuste ze haar eigen anus. Haar hoofd werd weer opgetild, en lokken blond haar omlijstten haar verhitte gezicht. Ze keek me aan. En ik had gedacht dat ze niet mooi was!

Opeens was ik opgewonden op een manier die ik nooit eerder had gevoeld. Een grote, mooie hond kwam de kamer binnen. Ze ging voor de snuit van de hond op haar knieën zitten en keek me aandachtig aan. Alles mag. Ik zei niets. Het was niet waarvoor ik was gekomen.

'Ga,' zei ze tegen de hond, die geruisloos wegliep. Met haar rug naar me toe vulde ze een antiek koperen instrument met warm water. Ze droogde het met een doek, met langzame bewegingen, totdat het gloeide in haar hand. Daarna legde ze het gladde voorwerp op de grond. Je hebt er pas iets aan als het vijf graden warmer is dan de lichaamstemperatuur. Ze draaide zich naar me om en staarde me aan. Ik staarde terug. Haar plannen waren geheim.

Ze was de meesteres van de vierenzestig standjes.

Ze trok een knoopje los in de ketting van *rudraksh*-kralen, en de borstplaat kwam los in haar hand. Met een geurige crème uit een klein potje begon ze haar borsten te masseren. Ze waren klein en volmaakt. Opeens begreep ik het. Ze was een spiegel. Ze weerspiegelde alles wat ze zag.

Haar nagels waren gevaarlijk lang, goud gelakt, met scherpe punten, soms wel twee of drie aan elke nagel. Als gehypnotiseerd keek ik naar de vlijmscherpe punten die over de roze en witte huid krasten. Ik zag dat ze haar kin optilde en haar ogen dichtdeed, en toen ze haar ogen weer opende, dreef ik op het glinsterende water van een kanaal. Door een raam in de verte zag ik twee brandende kroonluchters. Wat was het mooi in het ballingsoord dat ze me bood!

Met haar linkerhand trok ze de nagel van haar rechtermiddelvinger. Het waren nepnagels. Ze was een lichaam dat elke man binnen kon gaan, en tegelijk had ze iets compleet ontoegankelijks. Zwijgend stak ze de stompe vinger in een glazen potje met kokosolie. Terwijl de olie van haar vinger op de grond drupte, gleed ze naar me toe, een zekere gewelddadigheid in haar blik. Ik verstijfde. Binnen in me streden diepe schaamte en onbedwingbare opwinding.

O, ze kende me. Wat kende ze me goed, ze wist precies waarvoor ik was gekomen. In haar glinsterende ogen las ik dat ik geen haar beter was dan mijn vader.

Het ergste noodweer trok me aan. Als de wind huilde en een ijzige regen tegen de ruiten sloeg, ging ik naar buiten om te lopen. Alsof de woestheid van het weer de verdoving in mijn binnenste kon verdrijven. Ik wist dat ik gekwetst was.

Op een avond toen ik me in Tramp doelbewust en langzaam een stuk in mijn kraag dronk, was er een man die op zijn rug op de dansvloer lag en een stervende kever nadeed. Hij was blond en knap, gekleed in de kleuren van de jaren tachtig, een zwart T-shirt, een felgroen jasje, een spijkerbroek en zwart met witte schoenen. Ik wist meteen dat het alleen een Italiaan kon zijn. De andere dansers waren aan de kant gegaan om naar hem te kijken. Aan een tafeltje in een hoek zat een groep mooie mensen. Ze klapten en moedigden hem aan. 'Toe dan, Ricky, kom op.'

Op hun tafeltje stond een woud van champagneflessen, cocktailshakers en glazen. Het was duidelijk een exclusieve club mensen. Gefascineerd bestudeerde ik de groep met mijn kunstenaarsoog. Wat ging er schuil achter dat zorgeloze gelach?

De mooiste van de hele groep was een koele vrouw met platinablond haar. Aan haar ogen zag je meteen dat ze geen dom blondje was. Ik kende haar type, koud tot op het bot en zeer veeleisend, het soort vrouw dat kleren, juwelen, auto's en huizen eist – en krijgt.

Naast haar zat nog een heel mooi meisje, met een heel lichte huid en een waterval van bruine krullen. Ze gooide haar hoofd in haar nek en lachte, maar in werkelijkheid was ze ergens anders, in werkelijkheid had ze verdriet. Ik voelde het direct: ze verkocht haar lichaam.

Daarnaast zat een harde, duidelijk succesvolle zakenman. Hij wilde de blondine, maar ze peinsde er niet over.

Op twee van de drie overgebleven stoelen zat een vlees geworden fantasie, een exotische tweeling, allebei met het ronde gezicht van Indiase beelden. Ze waren allebei in het zwart en in alle opzichten identiek. Maar de een straalde en de ander was transparant, alsof ze de schaduw van haar tweeling was.

De amandelvormige ogen van de schaduw keken me aan en werden snel weer afgewend. Spannend. In die fractie van een seconde hadden de donkere ogen me verteld dat ze volmaakt onschuldig was. Hoe hield onschuld het vol te midden van zoveel verderf? Ik vond het fascinerend. Na bijna een jaar lang geen penseel te hebben aangeraakt, popelde ik opeens om haar te schilderen. Nee, het was meer dan dat. Ik wilde haar voor mezelf. Swathi had ik nooit gewild, haar had ik alleen willen schilderen. Maar deze schaduw wilde ik helemaal voor mezelf alleen.

Mijn roofzuchtige kant kwam boven. Ik volgde het konijn en viel in het hol, zonder me af te vragen hoe ik er ooit weer uit moest komen. Ik ging mezelf voorstellen. De platinablonde schoonheid was Elizabeth, het meisje met de verdrietige ogen heette Maggie, de stralende, lachende helft van een tweeling was Nutan en de stille schaduw heette Zeenat. Kleine Zeenat, je wordt de mijne.

De zwart met witte schoenen kwamen op me af. Hij had de gevaarlijke ogen van een wolf. Al zijn gelaatstrekken afzonderlijk waren ronduit lelijk, maar gecombineerd zorgde een krankzinnige synergie voor een onweerstaanbaar sensueel gezicht. Het was lang geleden dat ik een hetero man had gezien die zoveel onverholen seksualiteit uitstraalde. Hij grijnsde en zei iets over de tempel van een spin.

Eerst dacht ik dat ik hem verkeerd had verstaan, maar de harde, duidelijk succesvolle zakenman deed met uitgestoken hand een stap naar voren. 'Bruce Arnold. Ja, kom gezellig met ons mee naar de Tempel van de Spin. Je weet het nooit, misschien bevalt het je er wel.'

Bruce Arnold

Bruce

Vroegste herinnering?

Dat wordt kiezen: een natte droom van de drie Supremes in hun hoogtijdagen of mezelf staand op een kruk met een fles afwasmiddel om obsessief keer op keer mijn bord, mes en vork af te wassen, nog vóórdat ik die spullen had gebruikt. Mijn moeder vond het een reden om me naar de psychiater te sturen. Nou, daar heb ik veel aan gehad! Hij liet weten welke antwoorden hij wilde horen en nu, op mijn eenendertigste, is er niets veranderd. Ik geil nog steeds op trio's en ik gruw nog steeds van het kleinste beetje vuil.

We woonden in een burgerlijk rijtjeshuis in East End. Mijn moeder, oorspronkelijk afkomstig uit het groene Surrey, verachtte haar nieuwe adres en werd door de roddelaarsters in de wasserette regelmatig belachelijk gemaakt. Eigenlijk kon je het ze niet kwalijk nemen; mijn moeder vroeg erom doordat ze zich zo ver boven hen verheven voelde. Niet helemaal ten onrechte, trouwens, want ze wás anders. Ze praatte anders, ze behield een goed figuur, 's zomers droeg ze luchtige jurken met korte mouwtjes en ze had een echt porseleinen theeservies.

Ze hunkerde naar vriendschap met de rijke oude weduwen uit de herenhuizen in de deftige straten met bomen niet ver van ons huis, maar ontdekte al snel dat haar provinciaalse snobisme niets was vergeleken bij dat van hen. De achterbakse ouwe tangen hoorden mijn zusje uit en ontmaskerden mijn moeder als een bedriegster. Haar bekakte accent was slechts geleend van de meesters waar mijn grootmoeder schoonmaakte of het huishouden deed.

Wat waren die wijven erop gebrand om hun stupide kliek zuiver te houden, onvoorstelbaar. Áls er al een buitenstaander op hun theekransjes mocht komen – driehoekjes witbrood op zilveren schalen en gebakjes met wit papieren onderleggertjes – was het alleen om haar te vernederen en haar als een bediende te behandelen. O, wat haatte ik die verwaande krengen.

Ik weet nog dat ik een keer op Guy Fawkes Day met de lappenpop van mijn zusje in een kruiwagen aan het eind van hun straat ging staan omdat ik dacht dat ik daar meer zou vangen. De vormeloze Prunella Woolridge sjokte naar me toe en bleef voor me staan. Haar gezicht was net een bakstenen muur. *'A penny for the Guy?'* vroeg ik met een lief glimlachje. De meeste mensen zouden me schattig hebben gevonden, maar zij niet. Ze keek van grote hoogte dreigend op me neer en zei met een hete aardappel in haar keel: 'Geen sprake van! Weet je moeder wel dat je hier staat te bedelen?'

'Ja,' loog ik onverstoorbaar.

Ze snoof minachtend en beende weg. Hoewel ik 'Stomme ouwe taart' mompelde tegen haar rug en gewoon weer verderging met bedelen, zal ik nooit vergeten hoe ik me voelde toen ze met zoveel dédain op me neerkeek. Alsof ze tegen mijn moeder praatte. Waarschijnlijk begon daarmee de mengeling van schaamte en medelijden die ik voor mijn moeder voelde. Ik voelde eerder nieuwsgierigheid dan genegenheid voor haar. Waarom was ze zo? Waarom liet ze zichzelf keer op keer vernederen? Waarom bleef ze bij mijn humeurige vader? Niet dat hij haar sloeg.

Als ik aan mijn vader denk, herinner ik me alleen zijn ogen. Zwart, iets vernauwd, soms glazig, altijd hard. Het was een grote, stevig gebouwde man die snel naar de riem greep. Nu zou je het kindermishandeling noemen, maar toen was hij gewoon 'heel streng'. Vooral voor mijn zus. Toch had hij de beste bedoelingen. Hij wilde niet dat ze zwanger zou raken, zoals alle andere tienermeisjes in onze buurt. 'Een baby met een baby,' bromde hij altijd als hij zo'n meisje achter een wandelwagen zag lopen.

Ik zou hem kunnen afschilderen als een bruut, maar ik moet wel zeggen dat ik zonder hem nooit een diploma zou hebben gehaald. Ik zou op mijn vijftiende van school zijn gegaan, net als de andere kinderen in onze straat, al bij voorbaat gedoemd te mislukken. Toen hij ziek werd, en half blind was door diabetes, sloten we een stilzwijgend pact om het verleden te 'vergeten'. 's Avonds kwam ik bij hem zitten voor de open haard, stopte de deken rond zijn knieën in en las hem voor. Grappig, vind je niet? Ik beweerde dat ik van hem hield, maar hij was me het dierbaarst toen hij hulpeloos was, een beest zonder tanden.

Als klein jochie logeerde ik wel eens bij mijn oma, als ze geen herenhuizen van aristocraten sopte. Mijn grootouders woonden in een klein rijtjeshuis in Staines. Van mijn opa herinner ik me niet veel, alleen dat hij een vrek was. Hij zat op de beste stoel in de voorkamer en had het alleenrecht op het vuur en de televisie. En omdat hij weigerde naar iets anders dan het nieuws en sport te kijken, spaarde mijn oma jarenlang voor een draagbare televisie, die ze in de keuken op het aanrecht zette. Als hij hoorde dat ik naar de wc ging, riep hij: 'Niet meer dan twee velletjes, jongen!' Twee velletjes wc-papier. Als hij in een royale bui was gaf hij geen hele rol pepermuntjes, maar één pepermuntje.

Mijn oma heeft mijn moeder ooit verteld dat ze de eerste keer dat ze met hem uitging haar eigen buskaartje moest betalen. Ik heb nooit begrepen waarom ze hem toen niet onmiddellijk de bons heeft gegeven, want mijn oma was de beste. Ze ruimde bij andere mensen de rotzooi op, schrobde hun keukenvloeren en leegde hun vuilnisbakken, maar vanbinnen was ze heel bijzonder. Als ze in mijn tijd was geboren, zou ze het tot zakenvrouw van het jaar hebben geschopt. Mijn moeder vertelde dat mijn oma een keer de deur opendeed en oog in oog stond met twee junks die haar met messen bedreigden en haar geld eisten. Zonder erbij na te denken liet ze zich op de grond vallen, en riep: 'Herbert, snel, laat de herdershonden los!' De twee nerveuze rovers raakten in paniek en renden voor hun leven, maar er was helemaal geen Herbert en er waren geen herdershonden, ze was alleen thuis met mijn moeder.

Uit een grote zak schonk ze voor mijn zus en mij een waterglas vol smarties in. Zachtjes neuriënd deed ze haar eigen dingen, terwijl wij aan de keukentafel zaten en naar tekenfilms keken op haar televisie en onze glazen leeg snoepten. Ja, haar herinner ik me nog heel goed.

Mijn eerste schooldag weet ik ook nog als de dag van gisteren. Ik huilde tranen met tuiten, samen met de andere kinderen, maar mijn moeder pakte het slim aan. 'Ik zorg dat het eten klaar is als je thuiskomt,' beloofde ze, en toen was het oké.

Maar wat de wasserette was voor mijn moeder, was voor mij het schoolplein. Door het keurige accent waar zíj zo trots op was, viel ik buiten de boot. Ik werd genadeloos gepest. De andere kinderen aapten alles na wat ik zei, sterk overdreven. De t's mochten niet. *B-er* in plaats van *butter*. Er vloeide heel wat bloed in de oorlog om de t's voordat de erfelijkheidsleer zich manifesteerde en ik de brede bouw van mijn vader ontwikkelde. Opeens was ik groter dan alle andere jongens. Ik kon iedereen verslaan. *Butter* bleef *butter*, East End of geen East End.

Met mijn felle zwarte ogen en een neus die op meerdere plaatsen gebroken was geweest zag ik eruit als een bajesklant en dwong ik respect af. Opeens was het *cool* om bekakt te praten, en ik had een hele groep volgelingen: Paddy, Bonehead, George, Dwayne en Jelly. Jelly was niet zijn echte naam, maar het Chinese meisje in de plaatselijke snackbar kon de r niet uitspreken. We waren enorm stoer. En als je jong en stoer bent, kun je elk meisje versieren. En dat deden we. Zo vaak we maar wilden.

Het voelt als eeuwen geleden. Ik denk er met een gevoel van melancholie aan terug. Mijn vrienden zijn tegenwoordig allemaal losers. Er zit altijd wel iemand in de bak, of ze verkijken zich op een of andere deal en worden genaaid. Maar in die tijd waren we onafscheidelijk; ruw en loyaal. En dan de knokpartijen! Ik zie Paddy nog voor me zoals hij met ontbloot bovenlijf voor de pub stond, knieën licht gebogen, de spieren in zijn nek als koorden, en bloed dat uit zijn voorhoofd stroomde. 'Kom op dan, stelletje schijterds!' hoonde hij tegen twee bomen van kerels die hem uitscholden en met gebroken flessen zwaaiden. Zo was Paddy. Zo gek als een deur.

Een voor een gingen mijn vrienden van school af, en uit solidariteit liet ik het bij een weinig voorstellend diploma. Mijn vader kon niets zeggen of doen, hij was toen al ziek. Bovendien had ik slechte cijfers. Vechten en neuken gaan niet samen met goede cijfers. Een baan van negen tot vijf was een nachtmerrie voor me. Een tijdlang probeerde ik allerlei zwendelpraktijken met mijn vrienden, maar goeie deals waren dun gezaaid. Uiteindelijk draaide het uit op smokkel; we reden auto's vanuit Europa naar Engeland, de banden vol met van alles en nog wat. Het was gevaarlijk en ik vond de risico's erg groot, maar ik deed er toch een tijd aan mee. Het verdiende goed.

Op een dag reed ik door Earls Court met Paddy. 'Shit, politie,' mompelde hij binnensmonds. De politie had de straat afgezet. De kofferbak zat vol illegale chemicaliën. Nee, we werden niet gepakt, maar voor mij was het genoeg. Ik hield ermee op.

Op een ochtend werd ik grijs wakker, met de ergste kater *ever,* en wist ik honderd procent zeker wat ik echt wilde. Ik wilde kapper worden. De jongens keken me ongelovig aan. Was ik gek geworden? Of erger nog, was ik een poot geworden? Ik kreeg er behoorlijk van langs, maar het kon me niet schelen. Het was het enige dat me ooit werkelijk had gefascineerd. Al sinds ik klein was, toen mijn oma me meenam als ze naar de kapper ging. Het was een geheime wereld waar mannen niets van wisten, en ik vond het prachtig.

Ze duwde de glazen deur open, en dan waren we opeens in een heerlijk geurende tuin vol vrouwen. Er was geen man te bekennen. Met grote ogen zat ik te kijken, altijd naar de mooiste vrouw, totdat ze na een laatste verrukte blik in de spiegel de zaak verliet, en dan koos ik een nieuwe. Het was alsof ik in een snoepwinkel was. Als ik zag hoe trots mijn oma over haar onberispelijk witte helm streek, benijdde ik de kapper die haar had geknipt.

Ik had ook het gevoel dat ik er aanleg voor had. Als ik op straat een vrouw zag lopen, wist ik intuïtief of haar kapsel bij haar paste.

Het diploma was een fluitje van een cent. Ik ging aan de slag in een buurtzaak, bij Mr. Wong, een dikke Chinees met zwart stekeltjeshaar. Negentien was ik toen ik mijn eerste klanten knipte, en aanpapte met: 'Ga je iets leuks doen vanavond?' Het was een openbaring dat ik kon proeven van het snoep in de snoepwinkel. Het was echt dé plek om meisjes op te pikken. Ik flirtte met de knapsten en probeerde een afspraakje voor mijn vrienden te regelen met de meiden die ik zelf niet zag zitten. Het liep als een trein.

Ik leerde heel snel wat werkte en wat niet. De meeste meisjes verlangden romantiek en tederheid voordat ze mijn bed wilden delen, maar ik vond steeds vaker dames die beter wisten en saaie leugentjes onzin vonden. Ik had een zwak voor lang haar. Telkens als er een meisje met lang haar binnenkwam, steeg mijn temperatuur.

Zo werkte ik in een flink tempo al Mr. Wongs klanten af, totdat hij op een dag ontplofte. 'Waar ben jij mee bezig? Van dattem met al mijn klanten? Wie denk je dat je bent? Bruce Lee? Geen vrouwen meer. Begrepen? Stommeling. Schijt waar je eet.'

Ik stond achter de zaak een sigaret te roken en hoefde niet eens over een reactie na te denken. Na een laatste haal trapte ik de peuk uit onder mijn schoen, trok mijn jas aan en vertrok. Arme Mr. Wong, zijn mond viel open, maar ik was negentien en te cool om naar zijn pijpen te dansen. Ik hing rond met mijn vrienden, en raakte om dezelfde reden bij meer kappers baantjes kwijt, totdat ik vierentwintig was.

Toen hadden mijn vrienden geluk met iets waar voor de verandering écht muziek in zat. Ze deden mee aan een grote klus, zeer professioneel aangestuurd door naamloze drugsbaronnen in Amsterdam en verbonden met de Russische maffia. Ze hadden stromannen nodig om de klap op te vangen als het mis zou gaan. Het had te maken met een niet-bestaande scheepslading gordijnstoffen uit Rusland en een ongelofelijke hoop geld. Wij zouden twee procent vangen. Alleen de verzekeringsmaatschappij zou worden getild. Ik deed mee.

Zes maanden later was het zaakje rond en hadden wij meer geld dan we ooit van ons leven bij elkaar hadden gezien, honderdduizend pond voor ons vijven. De jongens blowden zich suf, en ik vond een haveloos leeg winkelpandje dat ik in een kapsalon veranderde. Ik had een kleine, ouderwetse zaak in mijn hoofd, met posters van filmsterren uit de jaren vijftig aan de muur en een glazen pot met snoepjes naast de kassa, zoals bij de kapper van mijn oma, maar een slim meisje met een neus voor stijl overtuigde me ervan dat het anders moest. Het werd pseudo-Italiaans, met een stenen buste van een fronsende Caesar in de etalage.

Op de avond van de opening kwamen de jongens aanzetten met zo'n houten vat Guinness. Tegen de tijd dat het vat leeg was, hingen we over de balustrade van de Bermondsey-brug en vroegen we ons af waarom de buste van Caesar niet wilde drijven, net als het houten vat. Twee dagen later stopten de jongens voor de deur in een witte bestelbus en zeulden ze een bijna twee meter hoog beeld van de hertog van Wellington uit de laadbak. Het kreeg een plek naast de kassa. Ik heb het ze nooit gevraagd, maar ze zullen het wel hebben gejat uit iemands deftige tuin. Als je ooit in een kapsalon in Bermondsey bent geweest waar een beeld stond van een kerel met een pet en een lange jas, dan ben je in mijn zaak geweest.

Mijn zaak was een geweldig succes, en ik verfijnde mijn techniek tot een ware kunst. Ik wilde geen verhoudingen met klanten meer, en kreeg toen pas begrip voor de arme Mr. Wong. De meisjes waren mijn brood. Als iemand die voor me werkte mijn zaak als een vleesmarkt had gebruikt, zou ik hem ook op straat hebben gezet. Soms zag ik een leuk smoeltje in de spiegel, maar dan glimlachte ik gewoon terug en hield ik mezelf in stilte voor: je schijt niet waar je eet en je bent niet Bruce Lee.

En het geld, *wauw*! Van elke knipbeurt was vijf pond voor de kosten en de rest winst. Een klant die ook een kleurtje wilde, leverde vijftig pond winst op. Het was onvoorstelbaar. Ik begreep niet waarom niet iedereen een kapperszaak begon. Elke avond haalde ik minstens de helft van het geld uit de kassa. Zakgeld. Wat de belastingdienst niet wist, kon ze ook geen pijn doen.

Ik opende een tweede zaak dichter bij Londen en deed in 1999 mee aan een wedstrijd. Daarna mocht ik mezelf 'Kapper van het Jaar' noemen. Toen werd ik benaderd door iemand met de vraag of ik mijn naam wilde geven aan een assortiment haarverzorgingsproducten. Ik bekeek de cijfers en kreeg een idee. Ik vond iemand die dat soort producten voor me kon maken, en verkocht die in mijn eigen zaak. Elk product kostte me een pond, en ik verkocht ze voor minstens zes.

In dat stadium opende ik een zaak in hartje Londen. Peperduur natuurlijk, maar ik speelde dan ook meteen in de eredivisie. De huur was hoger en ik moest mijn personeel wat meer betalen, maar de andere kosten bleven gelijk, en dan had je mijn prijzen moeten zien. Verrukkelijk nuffige jonge meisjes telden achtennegentig pond neer voor een knipbeurt, uit de zak van pa, uiteraard. Arme pa, er moest elke zes weken nog eens vijftig pond bij voor een kleurtje. Het was krankzinnig, het was briljant.

Gelukkig hebben de meeste Engelse meisjes haar in de kleur van afwaswater, dus nam ik een expert in dienst voor de kleurtjes, een echte specialist. Heupwiegend in zijn leren broek liep hij naar ze toe; officieel een nicht, maar wat kon die jongen flirten! Ze vonden hem geweldig. Ik denk dat ik hem te veel betaalde. Hij was de hele tijd high.

Er wordt in de kapperswereld gesnoven bij het leven, vooral aan de top, waar het geld zit. Tijdens wedstrijden zie je de beroemde namen voorovergebogen om te snuiven. Geloof me, ik weet waar ik het over heb. Het gebeurt op zo'n grote schaal dat je nog zou gaan denken dat het allemaal legaal is.

Het is nooit echt mijn ding geweest. Ik ging liever naar de pub met de jongens. Toch had ik vaak spul bij me omdat steeds meer meisjes erom vroegen. Cocaïne werkte als een magneet op de meiden, het was een soort 'sesam-open-u'. Ik heb meisjes op hun knieën in herentoiletten zien zitten om gejaagd een gulp open te maken, hunkerend naar het beloofde lijntje. Walgelijk natuurlijk, maar ik klaag niet want het was vaak mijn eigen gulp.

Na verloop van tijd besefte ik dat ik zelf ook steeds vaker ging gebruiken, maar vreemd genoeg zonder de krankzinnige opgewondenheid van de mensen om me heen. Voor mij was het eerder onvermijdelijk: o, is het wéér zo laat. Ik deed het haast uit verveling, omdat er niks beters te doen was.

Niet zo lang na de opening van mijn zaak in het centrum kwam er een vrouw in een witte broek binnen, te bruin en te mager. St Tropez-tjes noemde ik ze. Ze deed haar dure zonnebril af, en haar ogen hadden de kleur van wegtrekkende blauwe plekken. Ik voelde haar verdriet, ook al was ze een vreemde, heel raar eigenlijk. Haar glimlach was zelfverzekerd, en mijn eerste indruk verdampte.

'Francesca Delgado. Ik heb om halftwaalf een afspraak,' zei ze.

'Bruce Arnold,' zei ik, en stak mijn hand uit. De hare was klein en zacht. Al een tijdje wilde ik een nieuwe manier van kleuren uitproberen, en ik zag dat haar hartvormige gezicht en steile haar er perfect voor waren. Ik vertelde haar mijn plan, en ze knikte. Maak me alsjeblieft mooi, zeiden de verdrietige ogen. Pas toen haar haar gewassen was besefte ik dat het krulde. 'Jezus,' zei ik met haar dikke bos krullen in mijn hand, 'hoelang duurt het om dit steil te föhnen?'

'Om de dag een uur.' Een St Tropez-tje met veel te veel vrije tijd.

Ik ging aan het werk, kleurde het haar in vier tinten goud. Tijdens het drogen vormden de krullen een schitterende gouden waterval. Toen ik klaar was, zag ik haar in de spiegel met haar ogen knipperen. Ze draaide haar hoofd niet koket opzij zoals de andere vrouwen, maar staarde alleen naar zichzelf. Opeens zag ze er niet meer uit als een verwaarloosde echtgenote, maar adembenemend jong en onschuldig. In de spiegel keken we elkaar aan. 'Ik vind het niet mooi,' zei ze. 'Maak het maar weer steil.'

'Je vindt het níet mooi?' riep ik ongelovig uit. Ik kon haar niet overtuigen. Uiteindelijk deed een van de meisjes het over, totdat het weer steil was. Toen het klaar was, draaide ze haar hoofd koket opzij, precies zoals de andere vrouwen, en bedankte ze me met een beleefd glimlachje.

'Ga een keer langs bij mijn man. Hij is de eigenaar van het Italiaanse restaurant hier in de straat, Villa Ricci.'

Ik stond perplex. Daar kwam ik al jaren.

De volgende keer dat ik er ging eten, vroeg ik naar de eigenaar, en een enorme leeuw van een man kwam met grote, veerkrachtige stappen uit het kantoor aan de achterkant. Hij was ladderzat. Met een schaapachtige grijns vertelde hij dat hij niet meer was gestopt met drinken sinds de kleine uurtjes van de vorige nacht. Hij schoof een stoel naar achteren en bestelde aspirine en grappa's, en vertelde dat hij naar een of ander feest moest in een hotel buiten Londen. Het probleem was dat hij een maand daarvoor zijn rijbewijs was kwijtgeraakt toen hij dronken achter het stuur had gezeten. 'Het is zo'n jacuzzifeest, allemaal lekkere meiden in bikini, allemaal high. Kun jij rijden?'

'Ja hoor,' zei ik, en hij (vergeet niet dat ik die vent nooit eerder had gezien) legde zijn handen tegen mijn wangen, trok me naar zich toe en drukte een klapzoen midden op mijn voorhoofd. 'Heb ík even mazzel!' brulde hij.

Ik had geen enkele verdediging tegen zoveel on-Engelse uitbundigheid en warmte. Ik was ter plekke verkocht. Er zijn gewoon niet zoveel mensen zoals hij.

'Zin om mee te gaan?' vroeg hij.

Maakte hij soms een geintje? 'Ja, leuk,' zei ik, en sindsdien zien we elkaar vaak.

Ik weet dat hij egoïstisch, onhebbelijk en ordinair is, en dat hij geen moer om andere mensen geeft, en toch ben ik op hem gesteld, ik kan het niet helpen. Hij is een menselijke dynamo. Iemand die met geld smijt, een rusteloos feestbeest, een man die altijd en overal in is voor een wip. Een Duracel-konijn is er niks bij. Op een dag lag hij bewusteloos op de grond, en we brachten hem met gierende banden naar het ziekenhuis. De dokter maakte een hersenscan en verklaarde dat er niets mis was; zijn hersenen waren gewoon in staking gegaan om even rust te hebben. Hij had al vier dagen niet geslapen.

'Ga naar huis en dan naar bed,' luidde het advies.

'Niet nodig, ik heb in die scanner van u al geslapen,' zei hij. Ik dacht dat hij een grapje maakte, totdat ik hem een handvol uppers – hij was dodelijk gulzig – zag nemen, waarna hij aankondigde dat er in Southampton een feest was waar hij naartoe wilde.

Je ziet hem dansen onder een flakkerende neonlamp in een club, hij slooft zich uit boven op een kolossale speaker, en dan vind je hem een aansteller, maar dan pakte hij zijn gitaar en zingt hij Pink Floyds 'Hello, Is There Anybody Out There' en krijg je over je hele lijf kippenvel. Dan durf je te zweren dat er in dat nauwelijks geciviliseerde lichaam van hem een prachtige gekwelde ziel rondwaart.

En dan zijn gevoel voor humor. De moppen die hij vertelt.

Soms heb ik buikpijn van het lachen en sla ik met mijn vuisten op tafel. Het is allemaal even grof, maar wel heel erg grappig.

Verder heeft hij natuurlijk ook die fenomenale aantrekkingskracht. Ik bedoel, ik zit nooit verlegen om een mooie meid aan mijn arm, maar die kerel scoort ze met busladingen tegelijk. Maar eerlijk is eerlijk, ik was dan ook een stuk kieskeuriger dan hij. Hij wilde het met alles een keer proberen. Hij heeft zelfs eens tegen me gezegd: 'De lelijke dikkerds zijn de besten.' Die doen meer hun best, schijnt het. Ik kon het niet. Hij deed het met vrouwen die ik met een tang nog niet aan wilde raken.

Daarmee zijn we terug bij dat obsessieve gedoe met afwasmiddel. Zelfs bij het idéé van vuil zette ik het al op een lopen. Er zijn nou eenmaal een hoop dingen waar ik niet tegen kan. Roos ging nog net, maar littekens, lichamelijke gebreken, een handicap, niet-geheelde wonden en lichaamssappen die de mijne niet zijn? *No way.*

Gek genoeg is bloed nooit een probleem geweest. Mijn moeder vertelde vaak van die keer dat ik een of ander spel had gespeeld in haar keuken, en dat was misgegaan. Ik liep de keuken uit met een vork in mijn voet, en kondigde aan: 'Mam, ik heb een vork in mijn voet.' Terwijl mijn maag zich echt omkeert als ik iemand zijn tanden zie poetsen. Bij tandpastareclames op de televisie moet ik mijn hoofd wegdraaien.

De Tempel van de Spin? Dus jij ziet iets heel bijzonders voor je? Vergeet het maar. Het is gewoon een deprimerend smerig bovenhuis in hartje Londen waar verdrietige mensen bij elkaar komen om drugs te gebruiken. Soms bekruipt me het akelige gevoel dat ik wegteer in een rattenhol, en dan kan ik de kakkerlakken in dat huis ruiken, en toch ga ik. Ik ga omdat alle leuke feesten uiteindelijk daar eindigen. Veel gezichten komen en gaan, maar er zijn een paar stamgasten.

Een van hen is de beeldschone Haylee – weelderig blond haar, niet uit een flesje, droomborsten en billen waar je van gaat kwijlen. De sensualiteit druipt van haar af; ze kan iets oprapen van de grond alsof ze een stripshow geeft. Helaas heeft ze het nogal hoog in d'r bol en wil ze per se een beroemdheid. Ricky heeft haar wel een keer gehad, lang geleden, toen ze dronken was.

Dan is er kleine Maggie, een Iers hoertje dat altijd balletschoenen draagt. Ooit moet ze een adembenemende schoonheid zijn geweest, maar te veel wijn en feesten hebben haar gezicht getekend, en in haar ogen is een lelijk soort wanhoop te lezen.

Als Harold Robbins schrijft over meiden die met legers mannen naar bed gaan, die het klokje rond drank en drugs gebruiken en er nog steeds goed uitzien, is dat pure fictie. Toch ben ik op haar gesteld. Ze is geestig en lief.

Een keer toen we high waren, eindigden we in bed. Ze kleedde me uit en verpestte het toen door te gaan huilen. 'Hou een beetje van me, Bruce,' smeekte ze, en toen was het mis. Ik kon niet de zoveelste zijn die haar gebruikte. Ik begreep dat seks een soort wisselgeld voor haar was, en elke keer dat ze het weggaf, was ze weer een beetje armer. Ze droogde haar tranen en we zopen tot we lam waren. Ik vroeg waarom ze altijd balletschoenen droeg, en ze vertelde me zoiets verdrietigs. Toen ze vijf was, had haar grootvader tegen haar gezegd dat alleen prinsessen balletschoenen droegen.

Nou, en toen leerde Ricky de Balinese tweeling kennen. Schoonheden, allebei. Hij begon een verhouding met de brutaalste van de twee, en ik had haar zus wel willen hebben, maar die maakte duidelijk dat ze niet meedeed.

De andere werkelijk interessante persoon is Anis, de kunstschilder. Een slanke man met een bruine huid en bruine ogen. Als hij een hele nacht niet had geslapen, had hij pikzwarte kringen onder zijn ogen. Op de een of andere rare manier ben ik bijna afgunstig. Hij heeft zijn tijd op de middelbare school niet verdaan in de fietsenhokken, met een gestolen fles sterkedrank. Hij heeft een echte opleiding gehad, dus als hij zijn mond opendoet om iets te zeggen, slaat hij geen wartaal uit.

Ik hoorde dat er nog een Iers meisje was, Elizabeth, de hoer van een Arabische multimiljonair, maar haar leerde ik later pas kennen. Ze zat in Saoedi-Arabië. Typisch iets voor Ricky dat hij haar melodramatisch 'té mooi' noemde. Te mooi is niks voor mij. Het lijkt wel of dat soort meiden uit de *Vogue* komen wandelen om mij een paar honderd pond lichter te maken. Ik kan ze niet uitstaan, die opportunistische krengen. Deze spande zo te horen de kroon, maar ik was wel nieuwsgierig naar haar, gewoon om te weten wat voor soort meisje een stinkend rijke Arabier aan de haak kan slaan. Eindelijk zei Ricky op een dag voordat we naar een feest gingen: 'Trouwens, Elizabeth is terug.'

Ik ging op zoek naar een lekker jong ding in een minuscuul te strak truitje, dus was ik totaal onvoorbereid op wat me overkwam.

Jezus, ze was gevaarlijk in haar volmaaktheid: een porselei-

163

nen huid, het gezicht van een fotomodel, de heupen van een slang en eindeloos lange benen. Alleen haar haren, natuurlijk. Een of andere idioot had het platina gebleekt, doodzonde. Verder had ik zelden iemand ontmoet die zo kil en afstandelijk was als zij, van het steile haar tot de niet-glimlachende bleekroze lippen was ze de ijzigheid zelve.

De schrik was zo groot dat ik alleen iets heel stompzinnigs kon mompelen: 'Ricky had gelijk. Je bent echt té mooi.' Ik had mezelf wel kunnen schoppen. Dat had ze natuurlijk al een miljoen keer eerder gehoord.

'Dank je,' zei ze beleefd, en draaide zich om.

Het platina gordijn viel open, en ik zag haar nek, ontroerend naakt en kwetsbaar.

'Wat voor type is het?' vroeg ik.

'Pardon?' vroeg ze ijzig.

'De Arabier. Wat is hij voor type?'

Haar ogen fonkelden, grijs en boosaardig. Mooi, dit keer gebeurde er tenminste iets. Maar nee, ze nam alleen een slokje champagne. Ze droeg een armband zoals de prinsessen uit de verhalen van King Arthur, met alchemistische symbolen voor het maken van goud, kwik, koper, vuur, aarde, zout...

En opeens glimlachte ze. Een bedrieglijk glimlachje was het.

Ze zei iets, ik weet niet meer wat. Dat glimlachje van haar deed iets met me. Geen vallende sterren of vioolmuziek in mijn hoofd, maar een blind en naakt verlangen. Ik wilde die ijsprinses zó graag dat het jeukte in mijn binnenste.

DE TEMPEL VAN DE SPIN

De spelletjes die ze speelden

Vergeef ze hun zonden

April 2000

Nutan

Het begon te schemeren en alle andere zwervers waren weg. Alleen Martin zat nog aan een tafeltje met een kop koffie en een verzameling peuken uit de asbakken, waarvan hij de laatste trekjes naar binnen zoog. Ik staarde naar de bushalte aan de overkant, naar de mensen die instapten en haastig een plekje zochten, sjorrend aan hun spullen, wegkeken als ze zagen dat een serveerster naar ze keek. Drie maanden geleden benijdde ik hen, maar op die avond in de lente was het allemaal anders. Inmiddels wist ik dat de bus niet naar een bijzondere plek ging, en dat de passagiers vervelde mensen waren die genoeg hadden van hun saaie leven. Ze waren mijn afgunst helemaal niet waard. Zij wisten niet hoe het is om in een Rolls-Royce te rijden.

Ik wel.

Een voorbijganger lachte. Het was lente en zacht buiten. Ik had nooit gedacht dat Londen zo mooi kon zijn. Mensen haastten zich niet langer over straat, diep weggedoken in hun jas. De pub aan de overkant had tafeltjes op de stoep gezet, en mensen zaten buiten met een drankje, genietend van de mooie avond.

Achter me hoorde ik Martin overeind komen, een smerige, in lompen geklede man die naar pis stonk. Ik deed een stap opzij om hem door te laten. 'Tot morgen, Martin,' zei ik.

Hij maakte een achteloos gebaar en verdween. Ooit was hij stinkend rijk geweest, en uit medelijden voor iemand die zo diep was gezonken, heb ik hem een keer gevraagd: 'Als je je leven nou over kon doen, wat zou je dan veranderen?' Hij keek me aan met die zwarte ogen van hem, zijn blik zó fel dat ik ervan schrok. 'Niets. Helemaal geen ene moer,' siste hij.

En ik wist dat het waar was. Hij was me niet dankbaar voor wat ik deed. Geven of niet geven, het kon hem niet schelen. Kreeg hij niets, dan at hij uit vuilnisbakken. Liefdadigheid was een eufemisme voor medelijden. Hij had nergens spijt van, verontschuldigde niets, en zo hoort het ook. Drie maanden geleden zou ik niets van zijn houding hebben begrepen, ik zou me zelfs boven hem verheven hebben gevoeld en voor hem hebben gebeden.

Maar dat was vroeger, voordat de zonnegod in ons nederige eethuis kwam schuilen voor de regen. Totdat hij me aanraakte was ik onaf, weet je. Ik wist niet beter. Nog maar een paar dagen daarvoor had ik voor het eerst van mijn leven een roltrap gezien. Ricky was de veerman. Het kost je niets, stap gewoon in, schatje. Hij zorgde ervoor dat ik niet zonk. Hij liet me zien dat zondigen niet meer is dan een druif. Verlang je naar een roes, dan hoef je er alleen het sap maar uit te persen. En dat deed ik.

Opeens was ik iemand anders.

Vreemd genoeg deed de zwerver me aan Ricky denken. Niet omdat ik dacht dat hij op straat zou eindigen, verre van dat, maar omdat ik in zijn ogen dezelfde roekeloze bravoure las, dezelfde gulzigheid waarmee ze het leven verslonden, hetzelfde gemak waarmee ze taboes aan hun laars lapten. En allebei waren ze blind voor de consequenties van het snelle leven.

Ik was klaar voor de ondeugd, dus ik voelde geen angst toen Ricky me meenam naar een woning boven een pub, de tempel van de spin. Op Bali leren we van kleins af aan om niet bang te zijn voor spinnen. De wolfsspin houdt zich schuil tussen de rijstplanten en voedt zich met alle ongedierte dat het gewas bedreigt. Zonder spinnen zou er weinig te oogsten zijn. Vandaar dat ik geen moment angst voelde.

Integendeel, ik vond het een fascinerende plek, net als alle nachtmensen die er kwamen. Stuk voor stuk intrigerende mensen, met allemaal was iets raars aan de hand. Voor hen was de nacht overdag en andersom. Ze hadden allemaal dezelfde opgewonden uitdrukking op hun gezicht: ik wil meer. Er werd geen rekening gehouden met de volgende dag, en de vieze woorden 'voor de toekomst' namen ze geen van allen ooit in de mond. Alles draaide om plezier en genot.

De wolfsspin likte aan mijn oksels, greep mijn heupen beet en draaide me om. Hij was niet alleen blond en knap, hij was ook zo sterk als een waterbuffel. Ik mocht van hem niets anders dragen dan lycra, zodat hij overal en altijd bij elk plekje van mijn lichaam kon. Soms trok hij me mee in een verlaten portiek. De seks was snel en wild.

Als ik erna naar de wc ging, zag ik mijn eigen ogen in de vele spiegels, glinsterend en triomfantelijk. Langgeleden rende ik samen met andere kinderen over stoffige paden achter touringcars aan, staarden we met ons allen naar de buitenlanders met hun blauwe ogen, hun roze huid en uitpuilende zakken. Ze waren altijd verrukt van ons, en wij zwaaiden verlangend naar ze. Als het waar is dat alles wat we krijgen de vervulling is van onze eigen geheime wensen, dan moet ik als kind hebben gedroomd van de dag dat ik buitenlandse gezichten zag in dezelfde spiegel waarin ik mezelf bekeek.

Ricky liet me een fantastische wereld zien, een wereld die alleen kon bestaan als alle keurige mensen uit de rode bussen waren gestapt en in bed gekropen. En alleen als je bereid was om met enorme hoeveelheden geld te smijten. Dat was Ricky. We doften ons op en begaven ons door onooglijke ingangen, bewaakt door klerenkasten in zwarte pakken, naar geheime plaatsen. Het waren tenten met namen die tot de verbeelding spraken: Tramp, The Fridge, China White, Cloud Nine... Een smalle trap voerde naar beneden, de aarde in. In die bloedhete en schaars verlichte ruimtes droegen mensen niet zoals gewoonlijk zwart of donkerblauw. Nee, nee, daar regeerden glimmende stoffen en champagne. Daar vond ik wat de gevleugelde vos had beloofd. Goudstof in het haar van gebruinde vreemden. Mensen die het verbodene proefden.

Zeenat en ik deden er allebei aan mee. Kleurloze vloeistoffen voor in je frisdrank. Maar alleen in clubs waar de beat dreunt, want anders werkt het spul niet. O, het was geweldig. Dan was er ook nog het witte poeder, zo astronomisch duur dat ik zelfs geen gram in Indonesische roepia's durfde om te rekenen. Het had een leuke naam: cocaïne. Een meisjesnaam. Ricky noemde haar Coca. Heb je haar wel eens ontmoet? Ze doet spannende dingen in je hoofd. Mijn klasgenoten sneden gras voor de koeien. Denk je eens in, niemand in mijn dorp had ervaren wat ik meemaakte.

'Coca!' brulde Ricky, en hij leegde een hele zak boven op de televisie. Als gehypnotiseerd staarde ik naar het witte bergje. Soms maakte hij een lijntje van de ene kant van de bar naar de andere, en kroop hij er op handen en knieën overheen om de witte rivier op te snuiven. Ik was niet verliefd op hem, maar hij was de veerman. En hij was onweerstaanbaar. In zijn rechterhand hield hij een ketting, en daaraan hing de sleutel naar de meest exorbitante genoegens. 'Het is maar een deur, en ik heb de sleutel.' De veerman knipoogde.

In restaurants pakte hij mijn enkel beet en trok hij mijn voet op tafel, terwijl ik gierde van het lachen. Met zijn mes sneed hij mijn panty open, en die gooide hij dan achteloos over zijn schouder – soms in de soep op een ander tafeltje. Vervolgens bracht hij mijn voet naar zijn mond en sabbelde hij op mijn tenen. Ik keek om me heen naar het onvoorbereide publiek – geamuseerde kelners, geschokte managers en gechoqueerde gasten – wriemelde met mijn tenen en schaterde van het lachen. Als de witte berg hoog was, was alles grappig.

Zeenat was het er niet mee eens, maar ik wist dat ze gewoon jaloers was; ik zou ook jaloers zijn geweest als zíj Ricky had gevonden en niet ik. Ik probeerde haar gerust te stellen. 'Jij bent van mij en ik ben van jou. Niemand komt tussen ons in.' Maar ze wilde me niet geloven. Ze mokte en pruilde, klaagde dat hij een beest was, ordinair en luidruchtig. Lelijk, zelfs. Ze vond hem onbetrouwbaar.

'Je bent een bananenblad voor hem. Als hij genoeg van je heeft, gooit hij je weg,' waarschuwde ze. Maar dat vond ik niet erg. Ik wílde gebruikt worden. Ik wilde alles meemaken. Ik wilde kunnen sterven met de woorden van de zwerver op mijn lippen: 'Niets. Helemaal geen ene moer.' Vandaar dat ik Ricky alles vergaf. En waarom ook niet? Die man grossierde in spanning en sensatie.

Als ik samen met hem ergens kwam, werd ik aangegaapt door afgunstige vrouwen. Hij was zó knap. Hij praatte met zijn handen, zijn ogen twinkelden. Ik keek naar hem, blond en mooi, en dan ging er een golf van trots door me heen omdat de veerman mij wilde.

'Amore mio.' Maar ik wist dat we geen van beiden liefde voelden. We persten de druif uit, meer niet. Ik voelde me schuldig omdat ik Zeenat achterliet, maar ze ergerde zich alleen maar aan hem. Ze kwam helpen met het opsnuiven van Ricky's cocaheuvel, maar intussen bleef ze ons de hele tijd verwijtend aankijken.

'Jij bent van mij en ik ben van jou. En vergeet niet dat Ricky getrouwd is,' troostte ik haar. 'We maken gewoon lol. Hij is zo'n blonde god, dansend op de golven, die ik vroeger zo graag wilde. Weet je het dan niet meer? Binnenkort gaan we terug naar ons paradijsje, maar we kunnen het nu toch gewoon leuk hebben?'

De stank van de zwervers was weg tegen de tijd dat ik de peper-en-zoutvaatjes wegzette. Uit de koffiemachine siste stoom, en Zeenat maakte de gootsteen schoon. Toen ze klaar was deed ze de lichten uit, en met haar kraag opgezet stond ze naast me te wachten terwijl ik de deur afsloot. Zwijgend liepen we naar huis. De nachten waren nog koud.

In onze kamer ging ze op het bed zitten en deed ze haar schoenen uit. Ik deed de deur van de kast open.

'Dus je gaat weer uit,' zei ze beschuldigend.

'Je mag mee als je wilt. Ga toch mee! Het is morgen zondag, we hoeven niet te werken.' Maar ze wilde niet. Ik begon me een beetje aan haar te ergeren omdat ze zo aan me hing. Ze was een blok aan mijn been en nooit eens in voor een avontuurtje. Ik wilde dat ze iemand vond, dat ze leuke dingen zou doen. Dat ze voor de verandering eens níet zorgelijk zou kijken. We konden altijd nog saai zijn als we terug waren in ons dorp. Ze staarde naar me terwijl ik mijn lippen felrood kleurde.

'Vind je Bruce niet sexy?' probeerde ik. 'Als ik Ricky niet had, zou ik iets met hem beginnen. Hij is hartstikke leuk! Pikzwarte ogen, een sexy kuiltje in zijn kin, en dan die schouders!'

In de spiegel keek ze me ijzig aan. 'Neem jij hem dan,' zei ze.

Ik draaide me naar haar om. 'Oké, maar vind je Anis dan niet leuk? Hij is bijzonder, dat moet je toegeven. Hij is aardig, hij is lief, hij heeft gestudeerd en hij is helemaal weg van je.'

Eerst keek ze een beetje verbaasd – het was namelijk allemaal waar – maar toen schudde ze haar hoofd. 'Hou op. Ik wil niemand. Ik wil gewoon naar huis. Ik vind het hier vreselijk.' Haar toon veranderde. 'We moeten trouwens binnenkort naar huis, of je het leuk vindt of niet. We hebben maar voor zes maanden een visum.'

'Dat maakt niks uit,' zei ik achteloos. 'Ricky zegt dat bijna al zijn personeel niet de juiste papieren heeft. Ze hollen door de achterdeur naar buiten als er controle komt. Zolang we niets doen wat niet mag, is er niets aan de hand.'

'Heb je er nog steeds niet genoeg van? Wanneer wil jij dan naar huis?'

Ik beet op mijn tong. Wat hadden Zeenat en ik elkaar beloofd? Dat we samen oud zouden worden. In mijn ogen werden onze kinderlijke beloften steeds bespottelijker. Ik overwoog helemaal nooit meer terug te gaan.

'Mocht je je bedenken, ik ben in Ricky's restaurant.' Ik pakte mijn tas en verliet onze kamer.

Op de trap riep Zeenat me na: 'Mis je Nenek dan helemaal niet?' Halverwege brak haar stem.

Ricky

Het was zaterdagavond in Villa Ricci. Vanaf mijn plaats aan de bar kon ik telkens als er iemand door de klapdeuren kwam in de keuken kijken. En wat ik zag gaf me een geweldig gevoel van trots: een verzameling dronkelappen, dieven, leugenaars, hoerenlopers en verslaafden die de meest fantastische gerechten maakten. Ik beschouwde het als een eer dat dit zootje ongeregeld voor míjn keuken koos.

Een vrouw aan tafel zeven klaagde dat er vlees in haar eten zat. God beware me. Nog niet zo lang geleden kon ik de vegetariërs niet van de lesbo's onderscheiden. Niet te geloven, deze was bijna aantrekkelijk. De ober gaf het door aan de keuken, als de dood voor Franco, want hij wist wat er komen ging.

Franco verachtte vegetariërs. Ze beledigden zijn kunst. Hij vond dat vegetariërs thuis moesten blijven met een zak wortelen. 'Waarom gaan die lui in godsnaam naar een restaurant? Alleen maar om ons te pesten? Stelletje idioten,' snoof hij verontwaardigd.

Ik had er geen problemen mee. Voor een kwakje bonen in de vorm van een burger rekende ik de prijs van een goed stuk vlees, terwijl het niet meer dan een paar rotcenten had gekost. In de keuken zette Franco een smetteloos witte en gesteven koksmuts op zijn hoofd en stevende naar de deur. Glimlachend kwam hij tevoorschijn. Het was een acteerprestatie die zelfs mij bijna overtuigde.

'Allora, a tavola,' riep hij dramatisch, en hij onderzocht het gerecht op haar bord zo nauwkeurig dat ik bang was dat hij heimelijk in het eten spuugde. 'Aahh...' begon hij zijn diagnose. 'Signora, u vergist zich. Dit – ' hij bracht zijn hand met de vingertoppen tegen elkaar naar zijn mond voor een theatrale kus ' – is scamorzza, gerookte kaas. Delicioso, vindt u niet?'

Beschaamd moest de vrouw haar vergissing toegeven. Dom van haar. Het speet haar. Tevreden over zijn eigen optreden maakte Franco een overdreven hoffelijke buiging. 'Buon appetito, signora.' De deuren zwiepten dicht achter zijn kaarsrechte rug, en ik wist precies wat hij nu deed. Hij rukte de koksmuts van zijn hoofd en tierde: 'Stomme wortelvreters! Waarom blijft zo'n kútwijf niet gewoon thuis?'

Een zwarte man die er griezelig dreigend uitzag kwam binnen. Hij moest bukken om zijn hoofd niet te stoten aan de deur, maar geloof me, Cosmos was een schat. Hij kon nog geen vlieg kwaad doen. Die man was zo relaxed dat hij er een uur over deed om van mijn huis naar de kiosk te lopen, terwijl ieder ander er tien minuten over deed.

Aan zijn arm hing een chocoladebruin grietje van wie zelfs de paus geil zou worden. Cosmos was mijn cocaleverancier, maar hij leverde ook partygirls. Misschien kon hij deze achterlaten. Ik vermoedde dat ze authentieke kattengeluiden kon maken, altijd leuk. We moesten door de keuken om in het kantoor te komen en werden door al het personeel angstvallig in de gaten gehouden. Even later zouden ze op de deur kloppen, dus die deed ik op slot. Cosmos haalde een blok van vijf kilo uit de handtas van het meisje en strekte zich als een sultan uit op de bank. Zelf raakte hij het spul nooit aan. 'Neem die rotzooi, en je bent dood,' zei hij altijd.

Nadat ik spijtig afscheid had genomen van Bonbonnetje – ze was niet beschikbaar, beloofd aan een stel Amerikaanse jongens – ging ik aan de slag met de cocaïne. Ik sneed er een kilo af voor eigen gebruik, versneed de rest met pijnstillers en deed de hele handel in een pers. Na zesendertig uur was de boel weer hard.

Ik trakteerde mezelf op een lekker dik lijntje. Zo dik dat mijn mond al gevoelloos was toen ik uit de keuken kwam. Nutan zat aan de bar met acht borrelglaasjes tequila op een rijtje.

Ze haalde diep adem en pakte het eerste glaasje. Tequila, zout, citroen. Tequila, zout, citroen. De barman klapte in zijn handen en moedigde haar aan, terwijl de obers op de bar roffelden. Vier glaasjes waren leeg. *'Brava*, Nutan, *brava!'* riep iemand. Vijf, zes, zeven. Tequila, zout, citroen. Ze gooide haar hoofd naar achteren en goot het laatste glaasje naar binnen. Er steeg gejuich op uit het restaurant. Zonder blikken of blozen had ze de tequila's gedronken; zelfs aan haar lippenstift was niets te zien. Glimlachend keek ze me aan. *Brava*, Nutan, *brava*. Laten we het de volgende keer met tien proberen, oké?

Anis

Waarom begeren we altijd datgene wat niet van ons wil zijn? Ik voelde dat ik verliefd begon te worden op Zeenat. Wat kon ik eraan doen? Zelfs haar majestueuze manier van lopen was een verrukking. Schouders recht, hoofd hoog. Alsof ze een grote bronzen kruik op haar hoofd droeg. Het kwam doordat ze als kind altijd dingen op haar hoofd had gedragen; daardoor was ze zich anders gaan bewegen.

En haar huid was zo geurig! Elk plekje van haar lichaam rook even lekker. In het begin dacht ik dat ze zichzelf van top tot teen insmeerde met een of andere bodylotion, maar ze bloosde en zei: 'Het komt door mijn grootmoeder. Ze heeft mijn zus en mij van kleins af aan speciale kruiden gegeven.' Verbijsterd staarde ik haar aan.

'Vind je het niet lekker?' vroeg ze verlegen. Ik bracht haar hand naar mijn lippen. Ze liet me de zwarte pareltjes zien. De magie van een oude vrouw. Ooit had ik ook een magische grootmoeder.

Zeenat vertelde over haar vaderland, waar de vrouwen op sommige plaatsen nog niet te maken hadden gekregen met de begerige blikken van blanke mannen en hun borsten dus niet hoefden te bedekken. En zij vertelden verhalen over een tijd dat alleen prostituees hun borsten bedekten, om aan te geven dat ze onrein werk deden. Op die afgelegen plek was magie de gewoonste zaak van de wereld.

Omdat het zo ver weg was, de magie waarover ze vertelde, of misschien omdat ik zo graag wilde dat het waar was, geloofde ik haar. Als die wonderlijke en geweldige vrouw die ze Nenek noemde voor me had gestaan, zou ik misschien zijn gaan twijfelen, maar ze was heel ver weg. Als er magie bestond, leek zo'n paradijselijk eiland me er de aangewezen plek voor. Maar laat ik je eerst vertellen hoe ik dit intrigerende schepsel heb leren kennen.

In het begin zag ik haar alleen in Ricky's tempel. Ik weet niet precies hoe ik die plek moet beschrijven. Op het eerste oog leek het een sjofele maar wel onschuldige woning: een vrij grote kamer met een versleten bankstel aan de ene kant en een eettafel met glazen blad aan de andere. Boven waren twee kamers, een vrij grote slaapkamer en een donker berghok. Als je op het juiste moment kwam, kon je Ricky aantreffen in de keuken, bezig om razendsnel knoflook te hakken met een enorm koksmes, of roerend in enorme pannen pasta. In de stoomwolken gaf hij met zijn bariton aria's uit *De barbier van Sevilla* ten beste.

En als je dan wat langer bleef, zag je hem dampende schalen op tafel zetten. Nog steeds zingend maakte hij flessen rode wijn open, en haalde hij mandjes met knapperig brood. Lachend en pratend kwamen er dan mensen omhoog uit de stoelen en banken om te eten en te drinken. Bij de koffie na het eten ging er altijd een fles rond met spul dat in je keel brandde. Dan kwam er iemand met een paar grammetjes coke en begon het hele feest weer van voren af aan.

De hele nacht lang waren er mensen die beneden feestvierden en boven de liefde bedreven. Toch was het allemaal even walgelijk. Als Zeenat er niet was geweest, zou ik na de eerste keer nooit meer terug zijn gekomen. Ik ben er ooit een keer alleen naartoe gegaan. Er was niemand, en ik zweer het je, ik kwam niet voorbij de kapstok. Al mijn haren kwamen overeind.

Zonder mensen was het daar gewoon sinister. Instinctief voelde ik dat het iets te maken had met het fresco op een muur van de grote kamer. Ook dat was op het eerste gezicht onschuldig, hooguit slecht geschilderd. Het fresco stelde een vervallen Griekse tempel voor, met gebarsten zuilen, overwoekerd met klimplanten, de vloer bezaaid met kapotte voorwerpen: rode en zwarte amfora's, borden, kookgerei, de hoorn van een geit.

In het midden van deze ruïne brandde een vuur, en een vrouw in een lang wit gewaad keek in de vlammen, met haar rug naar je toe. Ze had pikzwart haar en hield een huilend masker in haar hand. Aan het eind van de muur, waar de muurschildering ophield, zag je het been van een man die wegrent. Ver kwam hij niet, want er zat een ketting rond zijn enkel.

Dit was geweld in een vorm zoals ik het nooit eerder had gezien. Een of andere dreigende geest had het penseel van de schilder aangetast. Alles was even luguber, de groenige tint van de vrouwenhanden en haar blote voeten, het gezicht dat je niet kon zien, het getergde masker, het been van die wanhopige man.

Maar er was meer dan alleen die schildering. Het was er niet alleen smerig, er gebeurden daar vreselijke dingen. Er werd wel gelachen en gekreund bij het klaarkomen, maar de mensen gingen beschadigd naar binnen en werden er compleet kapotgemaakt.

De heer en meester van deze tempel was uiteraard Ricky. Een unieke figuur, intelligent, geestig, energiek en verpletterend charismatisch. Ik ken niemand die met meer vrouwen naar bed is geweest, meer drugs heeft gebruikt, meer champagne heeft gedronken, meer schuine moppen heeft verteld of meer vrienden heeft gehad dan hij, en toch... en toch... Een man die doelbewust beschadigde mensen verzamelt kán alleen maar slecht zijn.

Hij lokte de gewonden naar zijn groezelige tempel, gebruikte ze, en liet zijn slachtoffers daarna exploiteren door de discipelen die hij had ingewijd. Zijn gezicht toonde geen verdriet of spijt, alleen een misselijkmakende vrolijkheid over de ondeugden waartoe hij anderen had aangezet. Slechtheid maakte hem blij. Zelfs de manier waarop hij beminde was een belediging; zo koud, met in zijn blauwe ogen altijd verachting voor de gemakkelijke verovering. Hij had geen greintje respect voor vrouwen.

De enige vrouw die hij volgens mij niet compleet verachtte, was Elizabeth. Hij was nooit met haar naar bed geweest. Hij keek naar het platinablonde haar, de kille ogen, de wreed glimlachende mond, en stelde zich voor dat ze precies hetzelfde waren. Zij wist hoe het werkte. Zij verachtte mannen, wist wat ze wilden, wist wat ze dachten. En zij speelde haar eigen spelletjes.

Glimlachend strikte ze mannen met haar schoonheid, en dan stelde ze haar eisen. Als slaafse bedienden deden ze wat er van hen werd gevraagd. Ze vertelde nooit iets over zichzelf en nodigde anderen niet uit om ontboezemingen te doen. Het was zelfs een raadsel waar ze woonde. Dat sprak Ricky aan, de gretigheid waarmee ze anderen gebruikte, en haar onverschilligheid als ze iemand pijn deed. Ik moet wel toegeven dat haar kilheid volgens mij alleen een verdedigingsmechanisme was, terwijl dat voor Ricky niet gold.

Het was echt weerzinwekkend hoe Ricky de volmaakt onschuldige tweeling bezoedelde. Op een dag kwam hij beneden nadat hij boven seks had gehad met Nutan, en hij bleef naast een van de banken staan om naar de slapende Zeenat te kijken. O nee, hij wilde haar ook! De volgende dag bood ik haar vijfhonderd pond om voor me te komen poseren. Veel te veel natuurlijk, maar ik vond het een onverdraaglijke gedachte dat hij het lieve kind net zo zou gebruiken als haar zus. Kennelijk rekende ze het bedrag om in de Indonesische munteenheid, want het duurde een hele tijd voordat haar mond openviel. Ze knikte enthousiast. Zo begon ons contact.

Ik zette haar neer in de houding die ik wilde. In het daglicht was haar huid onweerstaanbaar, volmaakt vlekkeloos. Het leek wel of ze niet van vlees en bloed en botten was gemaakt, want ze gloeide van binnen uit.

'Het komt door de kruiden,' zei ze verlegen.

'Misschien moet ik ze dan ook maar eens proberen,' plaagde ik.

'O nee,' waarschuwde ze in alle ernst. 'Deze zijn voor vrouwen. Er zijn andere dingen voor mannen.'

178

'Werkelijk? Wat dan?'

'Je weet wel, voor als je niet...' Ze sloeg een hand voor haar mond en giechelde.

'O, in dat geval kan ik beter wachten tot ik wat ouder ben.'

Lang geleden had Swathi in dezelfde erker gezeten, met de zon schuin op haar gezicht. Maar zij was weg. 'Elke scheiding is een nieuwe kans,' had ze tegen me gezegd. Mijn nieuwe kans glimlachte onzeker naar me. 'Denk aan iemand van wie je houdt,' droeg ik haar op.

Ik keek op van mijn schetsboek, en ze staarde door het raam naar buiten, mijmerend, genietend van een herinnering, een tedere schittering in haar ogen. Ik dacht aan een vogeltje. Klein, grauw van kleur, en zo teer dat het nerveus werd van starende ogen, maar veilig in de lucht werd het diertje een exquise schoonheid. Wat waren die mysterieuze, verlangende ogen van haar mooi.

'Aan wie denk je?'

'Mijn moeder.'

Ik vroeg of ze iets over haar wilde vertellen.

'Ze is gestorven omdat ze nieuwe voeten wilde,' zei ze.

Glimlachend begon ik haar te schilderen. Ze kon verdwijnen of wegvliegen. Ik moest haar schilderen, snel, snel, voordat het licht veranderde.

De bel ging.

'Mag ik binnenkomen, Anis?' vroeg Zeenat.

Geleund tegen de muur stond ik te kijken terwijl ze haar schoenen uittrok. Haar voeten waren breed, met tenen die ver uit elkaar stonden, doordat ze veel op blote voeten had gelopen. Ze vertelde me een keer dat ze tot haar zevende altijd op blote voeten liep, en daarna droeg ze alleen schoenen naar school.

'Ik heb trek,' zei ik. 'Jij?'

'Ik ook. Ik wil wel koken,' bood ze aan.

Ze had de hele dag keihard gewerkt om klanten te bedienen in het eethuis, daarna was ze om geld te sparen van Victoria naar South Kensington komen lopen, en toen bood ze ook nog aan om te koken. 'Nee, laten we iets halen en een video huren,' stelde ik voor.

Ze knikte stralend.

'Indonesisch?'

'Ja, lekker!' riep ze nog gretiger.

'Welke film wil je zien?'

'*Pretty Woman.*' Ze hoefde er niet eens over na te denken.

Waarom willen alle meisjes toch zo graag geloven in die mierzoete leugen over een man die verliefd wordt op een hoer? Ik moet er alleen maar van kotsen.

Ik trok een fles wijn open.

'Wat een vies eten,' zei ze halverwege ons maal. 'Je moet een keer met me meegaan naar Bali, dan maak ik bamboescheuten voor je en varkensvlees met kruiden en hete peper. En dan kun je mijn grootmoeder leren kennen. Ik weet zeker dat je haar aardig zult vinden.'

Ze had een sterk accent, rolde met de 'r'. Ik vond het vertederend. Het versterkte mijn behoefte om haar te beschermen. 'Ik heb een idee,' zei ik tegen haar. 'Kom gewoon fulltime voor me poseren. Ik betaal je twee keer zoveel als wat je in die smerige eettent verdient.'

'O nee, ik kan mijn zus niet in de steek laten! Ze zou heel verdrietig zijn in haar eentje. Maar wel heel erg bedankt, Anis.' Ze zei het heel ernstig, met haar handpalmen tegen elkaar gedrukt voor haar borst en haar hoofd gebogen. Ik had het gevoel dat het Nutan geen klap kon schelen, maar ik zei niets.

Samen gingen we naar de videotheek, en ik keek braaf naar Julia Roberts als het hoertje met het grote hart. Bij *The English Patient* viel Zeenat al na tien minuten op de bank in slaap. Ze sliep als een kind, haar duim in haar mond, haar borst zachtjes rijzend en dalend. Ik wilde haar engelachtige mond kussen. Wat was ze onschuldig, een onbeschreven blad.

Ik hield van haar, maar wist dat het hopeloos was. Ze had totaal geen belangstelling voor me. Ze kwam alleen omdat ze eenzaam was en heimwee had. Het enige wat ze wilde, was terug naar haar dorpje en haar grootmoeder. 'We zijn eenvoudige mensen, we horen bij de aarde,' zei ze een keer tegen me. 'We moeten terug voordat de grote stad ons ziek maakt. Voordat we vallen.'

Ik dacht aan wat mijn grootvader een keer tegen me heeft gezegd. 'Anis, geen enkele vrouw kan de man weerstaan die haar onvermoeibaar het hof maakt. Overlaad haar met aandacht, dag in dag uit, zelfs als ze je afwijst en weghoont. Op een gegeven moment hou je er gewoon mee op. Als ze dan niet binnen een maand de jouwe is, kom je maar met me praten. Zelfs al lig ik in het graf. Dan bespreken we plan B, maar ik waarschuw je, dat is niet voor doetjes.' In gedachten hoorde ik zijn lach.

Maar ik weigerde zo cynisch te zijn. Dit keer was het mijn beurt voor onbeantwoorde liefde. Met Swathi had ik me als een schoft gedragen, en toch had ze het begrepen, toch was ze van me blijven houden. Dit was mijn kans om iets goed te maken.

Bij het schijnsel van de televisie beloofde ik het slapende kind te beschermen tegen de kaken van de wolf, tegen Ricky. Ik bleef nog heel lang naar haar kijken, totdat ik zelf ook in slaap viel.

De volgende ochtend maakte ze me wakker door zacht op mijn oogleden te blazen. 'Zo maakt mijn grootmoeder ons altijd wakker,' vertelde ze me toen ik slaperig met mijn ogen knipperde. Ze hield een melkfles omhoog. 'Kijk, iemand heeft een gaatje in de dop gemaakt.'

'Pimpelmeesjes,' legde ik uit.

'Pimpelmeesjes?'

'Dat zijn vogeltjes. Ze hebben geleerd dat ze het folie door kunnen prikken met hun snavel en dan de room op de melk kunnen drinken.'

Ze lachte verrukt. 'Echt waar? Wat een slimme vogeltjes. In het vervolg kom ik elke zondagochtend, en dan verstop ik me achter de gordijnen om naar die pimpelmeesjes van jou te kijken.'

Afgesproken.

Francesca

De zoveelste slechte nacht. Ricky heeft alweer niet thuis geslapen. Sinds hij zijn rijbewijs heeft moeten inleveren omdat hij dronken achter het stuur zat, slaapt hij liever op zijn kantoor dan dat hij op zoek gaat naar een taxi. Ik dacht aan de smalle bank op zijn kantoor. Een andere gedachte kwam boven, maar die zette ik snel van me af. Rosa was beneden aan het stofzuigen. Ik schoof naar Ricky's kant van het bed en begroef mijn gezicht in zijn kussen. Het voelde koel aan en rook vaag naar parfum – het mijne. Hij was niet vaak genoeg thuis om zijn geur achter te laten.

Rosa zou zo bovenkomen om mijn kamer te doen. Ik kwam uit bed, liet mijn nachtjapon op de grond vallen en ging naakt op de weegschaal staan. Ik had de avond daarvoor niets gegeten, dus hoefde ik nergens bang voor te zijn.

De volgende stap was een nauwkeurige inspectie voor de grote spiegel. Je kunt nooit te rijk of te mager zijn. Van opzij controleerde ik mijn borsten en billen op uitlubberen. Niets veranderd. Nóg niet. In een paars tricot ging ik naar de andere kamer voor mijn fitnesstraining en drie kwartier later liet ik me in geparfumeerd badwater zakken. Ik probeerde nergens aan te denken en liet mijn gedachten afdwalen, zoals gewoonlijk naar een veld op Sicilië. Mijn haar ging krullen door de stoom, dus die moest ik na mijn bad gladstrijken.

Zittend voor de spiegel van mijn toilettafel deed ik mijn gezicht. Eerst de minutieuze controle op nieuwe rimpels. Vandaag niet. Mooi. Mijn lippen waren nog bijna net zo opgezet als de eerste dag dat ik ze met collageen had laten inspuiten, en het pijnlijke bewijs van het feit dat ik geen jota begreep van de rol die ik moest spelen.

Toen ik besefte dat ik de weg kwijt was, besloot ik de vrouwen die in dezelfde winkels kochten als ik te imiteren. Ik zag ze als een club van rijke vrouwen waar ik zelf geen lid van was omdat ik niet rijk genoeg was. Dat maakte ik op uit flarden van gesprekken over zeiltochten op jachten en privé-eilanden in het Caribisch gebied.

Deze vrouwen waren mijn rolmodellen, geen vriendinnen – daar durfde ik niet eens aan te denken. Door ze heel goed te observeren leerde ik alles wat ik weten moest.

Rijke vrouwen doen er alles aan om níet sexy te zijn. Alleen héél lichte lipstick, want rood is uitdagend. En omdat alleen vlees sexy is – dat geeft vorm, dat beweegt, dat nodigt uit – waren ze graatmager. Geen lekker rommelige kapsels of blote kleren, maar een onberispelijke helm van zorgvuldig gekleurd haar en kleren waarvan alleen de coupe telde.

Dit deden ze omdat ze wisten dat ze nooit konden wedijveren met de maîtresses en vriendinnen van hun man. Had ik zelf niet afgunstig naar jonge meisjes gekeken? Verspilde tijd. Je krijgt je jeugd toch nooit terug. Ik begreep dus heel goed dat deze vrouwen alles wat hun rivalen deden, droegen of zeiden ordinair noemden. In plaats van levendig en impulsief waren zij duur en afstandelijk.

De eerste keer dat ik zo'n vrouw met opgeblazen lippen zag, wist ik dan ook niet wat ik ervan moest denken. Het was een openlijke uitnodiging tot seks, en dat had ik nooit verwacht. Zo werd het moeilijker om de vrouwen van de maîtresses te onderscheiden. Eerlijk gezegd vond ik die lippen net zo grotesk als het geslacht van een loopse baviaan.

Na de ingreep schaamde ik me zo voor mijn dikke lippen dat ik het hele weekend op mijn slaapkamer bleef. Op zondag kwam Ricky thuis. Hij had donkere kringen onder zijn ogen en was volkomen uitgeput, maar toen hij zag wat ik had gedaan, kreeg zijn gezicht een merkwaardig geamuseerde uitdrukking. Hij schoof zijn hand in mijn nek en boog zijn hoofd om mijn lippen te likken. De zijne smaakten naar cognac. 'Lekker,' zei hij, en het volgende moment doken we met elkaar in bed.

Na de seks zag ik zijn ogen dichtvallen, maar hij verzette zich en schudde zijn hoofd. 'Mijn poppies wachten op me,' zei hij, en hij sleepte zichzelf uit bed. Ik zei dat ze best nog even konden wachten, maar hij was al in de badkamer. Ik hoorde water stromen, het geluid van flesjes op de marmeren tegels, het doortrekken van de wc. Toen hij terugkwam, had hij een schittering in zijn ogen. 'Waar zijn ze, die kinderen van me? Francesca, wat heb je met ze gedaan?'

Hij deed de deur open, en ze stormden hem zowat omver. 'Hier zijn we, papa, hier zijn we!' riepen ze, maar hij deed alsof hij ze niet hoorde. Hij keek naar links en naar rechts in de gang en riep ze. 'Waar zijn die kinderen nou? Heb je ze soms weggegeven, Francesca?'

Lucca was al te groot voor dat soort spelletjes. 'Doe niet zo raar, papa,' zei ze afkeurend, maar toen hij haar beetpakte en begon te kietelen, gierde ze van het lachen. Ik lag in bed en luisterde naar ze. Wat waren ze blij om hun vader te zien, wat maakte die huiselijkheid me gelukkig. Kon het maar altijd zo zijn. Maar ja, we kunnen niet alles hebben in het leven.

Terwijl ik terugdacht aan dat zeldzame blije moment maakte ik me zorgvuldig op: foundation, poeder, zwarte eyeliner, grijze oogschaduw, drie lagen mascara, blusher, en tot slot abrikooskleurige lippenstift.

Ik koos een grijs mantelpak van Prada en zachtgrijze pumps. Toen ik mezelf in de spiegel bekeek, zag ik er precies uit zoals ik eruit wilde zien. De vrouw van een heel erg rijke man, erelid van de Club van Rijke Vrouwen.

Rosa klopte en kwam binnen. Ze begroette me hartelijk, maar ik keek niet eens op. 'Goedemorgen, Rosa,' zei ik opzettelijk koel. Het was natuurlijk onaardig van me, maar ik wilde niet met haar praten. Ik beschouwde haar als een indringster in mijn huis. Ik wilde niet de bekakte madam zijn, *ik wilde mijn eigen huis schoonmaken.*

In de kast hingen kleren klaar die ik wilde verkopen aan een winkel in Knightsbridge. Ik had ze nog maar één keer gedragen, maar het waren avondjurken en te veel mensen hadden me erin gezien. Denkend aan Ricky liep ik de trap af. Ik wilde hem graag bellen, maar hij had er een hekel aan om voor de lunch gewekt te worden.

Nadat ik de kleren had afgegeven, liep ik langs Restaurant Montpelliano. Het was een heldere, koude ochtend, en de eigenaar, Tonino, zat buiten aan een tafeltje met een kop koffie en een sigaret. 'Signora Delgado, wat een mooie dag. Kom gezellig een kop koffie met me drinken,' riep hij naar me. Glimlachend sloeg ik zijn uitnodiging af. Ik kon me niet aan de indruk onttrekken dat hij me in stilte uitlachte, medelijden met me had, net als iedereen. Het kon me niet schelen. Al die mensen wisten niet dat Ricky me een belofte had gedaan: *'Tutta la vita.'* Daar hield ik me aan vast. Onze oude dag zouden we slijten op Sicilië, in het huis dat zijn vader voor hem had gebouwd. Vanaf ons balkon zouden we uitkijken over de wijngaarden, de olijfbomen en het witte zand...

Nadat ik mijn haar had laten doen, dronk ik in een trendy café een kop koffie bij wijze van lunch, en daarna ging ik winkelen totdat het tijd was om de kinderen van school te halen. Het was de vrije dag van mijn au pair. Een keer in de week haalde ik zelf mijn kinderen van school.

Je zag meteen dat ik anders was dan alle andere moeders. Ze keken me niet erg vriendelijk aan. Misschien waren ze jaloers, of misschien voelden ze aan dat ik geen vriendschap met ze wilde. Ik had geen enkele behoefte aan hun domme babbeltjes.

De kinderen kwamen naar buiten. De meesten bleven op het schoolplein nog even staan om dag te zeggen tegen hun vriendjes en vriendinnetjes, maar de mijne stormden op me af en omhelsden me onstuimig. Het wekte de afgunst van de andere moeders, maar ik had ze zo uit de droom kunnen helpen. Je krijgt geen aanhankelijke kinderen door ze goed op te voeden, maar juist door ze te verwaarlozen.

'Kom,' zei ik tegen ze. 'Het is maandag en papa's restaurants zijn dicht. Misschien komt hij wel thuis voor het eten.'

Elizabeth

Ik was onderweg naar de kapper toen Maggie me belde. Ze was zo opgewonden dat ze struikelde over haar woorden, en ze wilde afspreken in Ricky's huis omdat ze me iets moest laten zien. Ik was er eerder dan zij. Haylee hing met Angel, een hoertje met een harde kop, en twee mannen die ik niet kende, op de sofa's, dronken en high. Ze boden me iets te drinken aan, maar ik zei nee. Ik moest die avond dineren met de mollah en een paar van zijn Arabische vriendjes, en die eikels konden alcohol van een kilometer afstand ruiken.

Ik ging naast een van de mannen zitten, en Haylee bleef me vals aankijken. Ze had een hekel aan me. Achter mijn rug noemde ze me een etalagepop. Haar vijandigheid verbaasde me, want ik had haar nooit iets misdaan. Ricky zei dat ze gewoon niet tegen concurrentie kon. Haar onzekerheid was me een raadsel; volgens mij zijn er maar weinig vrouwen zo ongelofelijk sexy als zij.

Ooit gingen we met ons drieën winkelen, en Haylee vond dat ik een zilveren jurk moest kopen, een kleur die niet past bij een bleke huid zoals de mijne. Ik moest zo bleek blijven voor de mollah. Op dat moment besefte ik hoe gemeen ze was. Goed, ik kocht de jurk en smeerde me in met nepbruin, en met mijn bronskleurige huid was die zilveren jurk wél mooi. Haylee had vreselijk de smoor in, maar dat verborg ze achter haar babyface.

Met anderen deed ze hetzelfde. Als iemand iets aanpaste wat echt heel mooi stond, zei ze: 'Zijn dat striae op je borsten? Gelukkig valt het mee, je kunt er misschien wat foundation opsmeren.' En terwijl ze het zei, bleef ze onschuldig glimlachen. Of ze zei bijvoorbeeld: 'Die groene stond je mooier.' En de groene stond dan het lelijkst. Soms zagen we haar op feesten in een jurk die ze ons had afgeraden.

Maggie kwam binnen, helemaal buiten adem. Ze kwam naast me zitten en legde een hand op mijn been. Ik keek ernaar. 'O, Maggie,' zei ik. 'Wat mooi!' Een blauwe saffier met diamantjes. Alsjeblieft, lieve god, bad ik in stilte, laat het geen goedkope belofte zijn.

'Hoe kom je aan die kei?' krijste Haylee, en ze trok Maggies hand los uit de mijne. 'Kijk eens, allemaal. Kijk!' Ze hield Maggies hand omhoog zodat iedereen de ring kon bewonderen. 'Iemand wil met – ' ze liet een dramatische pauze vallen ' – met Maggie trouwen.'

'Gefeliciteerd,' zeiden de mannen die ik niet kende beleefd.

Angel boog zich samenzweerderig naar Maggie toe. 'Ik zou dat ding zo snel mogelijk verkopen, of je zegt dat je hem kwijt bent. Hij is nu nog verliefd, dus dan maakt hij ook geen scène. Bovendien is zo'n ring ongetwijfeld verzekerd.'

Haylees mooie gezicht stond uitdagend. 'Waarom ben je toch altijd zo'n vals secreet? Komt het misschien doordat je zelf geen man kunt vinden die een verlovingsring voor je wil kopen?' vroeg ze.

Achteloos haalde Angel haar schouders op. 'Geloof me nou, Maggie,' zei ze. 'Verkoop dat stomme ding. Die ring is heel wat grammetjes coke waard.' Toen lachte ze, hees en ruw.

'*And fuck you too,*' zei Haylee.

'Kom mee naar de keuken, Maggie,' zei ik. Ze stond op en kwam achter me aan. 'Hou je van hem?'

'O Beth, dat weet je toch.'

'Beloof me dan dat je hier nooit meer een voet zult zetten.'

'Ik ben hier met geen stok meer naartoe te krijgen. Ik hou van hem, Beth. Echt waar. Hij weet alles en toch wil hij me.'

Ik trok haar tegen me aan en gaf haar een kusje op haar wang.

'Niet huilen, Beth.' Ze snufte in mijn haar. 'Op een dag ben jij ook aan de beurt, wacht maar af. Mag ik dan bruidsmeisje zijn?'

Waarom huilde ik? Ik dacht dat ik geen tranen meer had. 'Wees gelukkig, Maggie. Wees ook een beetje gelukkig voor mij,' zei ik. Toen hoorde ik de stem van Bruce bij de deur. 'Ik moet ervandoor. Ga je mee?'

'Ja, ik ga mee. Ik vind het hier vreselijk.'

Samen liepen we de keuken uit, langs Bruce. 'Vanwaar die haast?' vroeg hij.

'Ik heb afgesproken met vrienden,' zei ik kil. Ik wist dat het laf van me was, maar als ik hem op afstand hield, kon hij ook mijn hart niet breken. Hij was veel gevaarlijker dan de mollah. En kijk eens wat de mollah met me heeft gedaan.

Bruce

Ik ging tegenover Haylee zitten. De twee types naast haar glimlachten vaag. Het was duidelijk dat zij voor alle drank en drugs hadden betaald, en dat ze geilden op Haylee, maar ik kreeg de indruk dat ze niet ver zouden komen.

'Waar gaat Elizabeth naartoe?' vroeg ik aan Haylee.

'Naar een of andere briljante kapper, geloof ik. Ze wil er van-avond goed uitzien. Je weet wel, voor haar Arabische cliënten.' Ze keek me volmaakt onschuldig aan, maar er zaten minstens twee gemene steken onder water in die paar zinnetjes. Het ergst vond ik dat ze Elizabeth min of meer openlijk een hoer noemde waar die vreemde kerels bij waren. En dat ergerde me óók weer. Wat kon mij het schelen als die twee dachten dat Elizabeth een hoer was? Tot op zekere hoogte wás ze een hoer. Ik stond op om weg te gaan.

'Doe de groeten aan Elizabeth als je haar straks ziet in Mo-mo's.' Wat hád ze opeens tegen Elizabeth?

Ik ging een paar uurtjes naar de winkel en daarna door naar Soho. Vroeger vond ik Soho spannend, met halfblote vrouwen in rood verlichte deuropeningen en bars waar de strippers hun kruis in je gezicht duwden als ze dachten dat je dat lekker vond. Maar Soho is veranderd. Soho is geannexeerd door de flikker-scene. In een roes van alcohol en drugs zitten ze met elkaar te roddelen in trendy bars en restaurants, waar al het eten in toren-tjes wordt geserveerd.

Het enige dat er nog over is van vroeger, zijn de hoertjes in achterkamertjes in achterafstraatjes. Achter elke deur waarop 'modellen' staat. Nog steeds hetzelfde product, en er is nog steeds veel vraag naar.

Ik ging naar een rokerige kroeg in Greek Street, waar mijn vriend Ashley me begroette. 'Heb je iets voor de pijn?' vroeg ik hem.

Hij lachte zijn aantrekkelijke lach met die prachtig witte tan-den van hem, zette een glas voor me neer, opende zijn hand en liet me blauwe pilletjes zien. Ze zagen er interessant uit. Het ef-fect was waarschijnlijk spectaculair.

'Nee, bedankt. Vandaag hou ik het bij vloeibaar.'

Na een paar biertjes nam ik een taxi naar Momo's. Het was natuurlijk lachwekkend, maar ik kon het niet helpen. Ik stond er zelf versteld van, want het was niets voor mij om achter een vrouw aan te lopen.

Elizabeths onvergeeflijke haar leek net een baken in die sche-merdonkere tent. Ze zat aan een hoektafeltje met een groepje Arabieren. Ik wilde niet dat ze me zou zien, wilde verborgen blij-ven in het donker en haar bekijken in die heel andere wereld van haar.

Op een gegeven moment zag ik dat ze opstond om naar de wc te gaan, en ik sprintte de trap af naar beneden, zodat ik op haar stond te wachten toen ze eraan kwam. 'Hallo, Elizabeth,' zei ik glimlachend.

Ze zag er beeldschoon uit in een kort wit jurkje met een collier van zwarte parels, maar ze had niet lelijker kunnen kijken. 'Hallo, Bruce,' zei ze kortaf, en ze zou zo langs me heen zijn gelopen als ik haar hand niet had beetgepakt. 'Wil je straks iets met me drinken?'

Ik zag haar nadenken. 'Goed,' zei ze. 'Waar?'

Opeens wantrouwde ik haar. 'Ken je de Mezzanine Bar in Soho?' vroeg ik. Het was een niet-bestaande bar.

'O ja, die ken ik. Een uur of twaalf?'

'Klinkt goed,' zei ik terwijl ik haar hand losliet. Ze liep weg, en ik rende met twee treden tegelijk de trap op. Wat een kreng. Ze wilde me laten zitten. Ik ging terug naar Ashley om stoom af te blazen en te bedenken hoe ik haar zou straffen. Met een paar biertjes erbij beraamde ik een plan.

Tegen elf uur ging ik met een taxi naar Momo's. 'Laat de meter maar aanstaan, vriend,' zei ik tegen de chauffeur, maar al na een paar minuten probeerde ze te ontkomen. En raad eens, ze probeerde mijn taxi aan te houden! Ik deed het portier open. 'Ik heb een leukere plek bedacht, dat wilde ik even komen zeggen,' zei ik met een uitgestreken gezicht, hoewel ik me in stilte rot lachte.

Ze gaf zich *sans rancune* gewonnen, dat moet ik haar nageven, en stapte in. 'Mooi. Ik wilde net naar je toe komen. Waar gaan we heen?'

Om haar dwars te zitten nam ik haar mee naar een volkse bruine kroeg in East End. Ik wist dat al mijn vrienden er zouden zijn om te vieren dat Jelly die dag was vrijgekomen uit de nor; hij had een straf uitgezeten voor het vervalsen van cheques. Toen de taxi voor de deur stopte, zag ik dat ze snel naar haar dure outfit keek, maar toen ze mij weer aankeek, stonden haar ogen uitdrukkingsloos. Het was een *fuck you* à la Elizabeth.

Iedereen draaide zich om, iedereen staarde haar aan. Paddy kwam naar ons toe, al flink in de olie. Waarschijnlijk was hij die avond al uit ten minste drie pubs gezet.

'Tjonge, jonge. Wat zijn we vanavond in deftig gezelschap,' zei hij.

'Dit is Elizabeth. Ze is ook Iers.'

'Kijk eens aan. Heb ik het niet gezegd? Je dagen als vrijgezel zijn geteld,' zei Paddy.

Elizabeth zei niets. Ik ook niet.

'Trek je maar niks van hem aan, Beth,' zei Paddy, en hij nam haar bij de arm. 'Ik stel je even voor aan de andere jongens.'

We speelden een ontzettend kinderachtig spelletje, waarbij de verliezer moet proosten en zuipt als een spons, terwijl alle andere klappen en juichen. Ik knipoogde naar Paddy: stuur het spel zó dat Elizabeth het meest moet proosten. Hij knipoogde terug: op mij kun je rekenen, jongen. maar het werd al snel duidelijk dat die achterbakse eikel het spel een héél andere kant op stuurde.

Ik stond en proostte op Paddy, Bonehead, George, Jelly, Elizabeth, mijn carrière als kapper, Engeland, Ierland, de koningin, de miljoenen van Anna Nicole Smith, alle domme blondjes met wie Paddy het had gedaan, de motor van Bonehead. Tegen de tijd dat ik bij Mickey Mouse was – of was het Donald Duck? – kon ik niet eens meer vuil naar Paddy kijken, want ik zag dubbel.

Alles begon te draaien. M'n kop, m'n kop! Tegen de muur geleund omdat ik niet meer op mijn benen kon staan, bracht ik de volgende dronk uit op alle smerige wormen die ik voor vrienden had aangezien. Godzijdank begon mijn geluk opeens te keren en was Elizabeth achter elkaar de pineut.

Ze dronk als een kozak. In haar peperdure jurkje en haar zwarte parels dronk ze de jongens zowat onder tafel. Iedereen was voor haar. De IJskoningin viel in de smaak. Paddy had tranen van trots in zijn ogen. 'Deze is te goed om weg te geven, Bruce,' zei hij dijenkletsend. Jelly sloeg op de tafel, Bonehead hield zijn hoofd in zijn handen en Elizabeth... Elizabeth lachte. God, wat kon die meid lachen.

Ik probeerde de glanzende zwarte parels aan te raken, maar viel voorover op tafel. Tegen de tijd dat ik weer overeind kwam, stelde Paddy voor om naar een andere kroeg te gaan, maar ik was te ver heen. Als die tafel nou maar ophield met draaien.

Een man aan de andere kant lonkte naar Elizabeth, en in mijn dronken toestand gaf ik haar de schuld. Als ze nou met me wilde slapen, al was het maar één keer, zou ik me niet aan die vent hebben geërgerd. Dat wist ik zeker. Een egoïstisch kreng was het. Haar harnas leek ondoordringbaar, dus was overgave de enige mogelijkheid. Ze had een prijs, net als iedereen.

Ik was zo ongelofelijk dronken dat het eigenlijk geen zin had om het te vragen, maar ik deed het toch. 'Gaan we met elkaar naar bed?'

Ze grinnikte, maar was meteen weer ernstig. 'Volgens mij is het erg druk in dat bed van jou. Ik heb rust nodig,' zei ze tegen me. Ik staarde haar aan. Zij moest ook toeterzat zijn. Ze praatte met dubbele tong en klonk, ik zweer het je, oprecht.

'Als rust in de spiegel kijkt, wat is er dan te zien?' vroeg ik zogenaamd diepzinnig.

'Verdriet,' antwoordde ze zonder erover na te denken.

'Waarom?' vroeg ik, geschrokken van haar antwoord.

'Vanwege de spanning die verloren is gegaan.'

Ik keek naar haar gezicht, opeens zo vreemd kwetsbaar, en raakte in paniek. Vanuit haar ivoren toren stuurde ze me een bizarre boodschap. Maar ik wilde haar alleen oppervlakkig en snel, ik wilde geen relatie. Niet helemaal waar, zei een klein stemmetje. Ergens vanbinnen begon een alarm te rinkelen. De grond leek wel drijfzand. Ik was op onbekend terrein, wankelde op mijn grondvesten.

Ik deed mijn mond open om te protesteren, maar ze had zich omgedraaid en vroeg de barman om een taxi voor haar te bellen. Paddy hielp haar erin.

Het begon net licht te worden, en de koude lucht deed pijn in mijn longen. Paddy sloeg me hartelijk op mijn rug. Het voelde alsof er een moker op mijn hoofd was beland.

'Voorzichtig,' smeekte ik. 'Het is heel lang geleden dat ik dit voor het laatst heb meegemaakt.'

Hij nam me mee naar een wrak dat als door een wonder niet door de assen was gezakt. 'Spring d'r maar in,' zei hij.

Hij kroop achter het stuur. Ik was zo ziek als een hond, dus kon ik niet protesteren. Onderweg was hij sentimenteel op het melodramatische af. 'Er is in heel Engeland en heel Ierland geen beter en mooier meisje dan Elizabeth,' zei hij met veel gevoel. 'En als ik zie dat je aanpapt met een ander, sla ik je persoonlijk de hersens in,' verklaarde hij fel. Páddy die mij in elkaar zou slaan? Ik wilde lachen, maar aangezien mijn hoofd toch al voelde alsof iemand me de hersens had ingeslagen probeerde ik het niet eens.

Ik crashte op Paddy's bank. Vluchtig vroeg ik me af of de IJsprinses van tranen was gemaakt. Het wit wat ik zag, zoutkristallen? Sherlock Holmes berispte me streng: 'Je kijkt alleen, je observeert niet.' Het kon slecht aflopen. Het knaagde aan me... een beetje.

Mei 2000

Anis

Het was zondag. Ik werd vroeg wakker en liep op mijn tenen naar de zitkamer, maar Zeenat had zich niet achter de gordijnen verstopt om naar de pimpelmeesjes te kijken. Ik vond haar in de keuken, staand voor de koelkast met haar handen in het vriesvak.

'Wat doe jij nou?'

Ze haalde haar handen eruit, bekeek aandachtig haar nagels en liet ze, kennelijk tevreden over het resultaat, aan mij zien. 'Kijk,' zei ze. 'Wat vind je van deze kleur?'

Het was een soort kaneelbruin. Een beetje saai, ben ik bang, maar het was me al vaker opgevallen dat ze niet van felle kleuren hield. 'Mmm, heel mooi,' zei ik. 'Nutan draagt altijd rood, maar jij niet. Vind je het geen mooie kleur?'

'Ik vind rood een beetje eng. Soms schrik ik als ik mijn nagels of mond onverwacht in de spiegel zie. Dan denk ik dat ik bloed.'

'Echt waar?' Ik lachte. Ze was zo grappig, zo anders.

Ik keek naar haar terwijl ze koffie zette. Ze pakte alles heel voorzichtig beet, met de kussentjes van haar vingers vanwege de natte nagellak, en het viel me op hoe sierlijk haar gebaren waren, hoe volmaakt vrouwelijk. En ik bedacht dat het prachtig zou zijn als ze zich altijd zo bewoog. Toen vroeg ik me af of de mode van de lotusvoetjes zo was begonnen. Mannen die vrouwen verminkten omdat ze vonden dat ze mooier werden door hun handicap.

'Kom, probeer mijn Balinese koffie. Ik heb een winkeltje in Camden Town gevonden waar ze het verkopen. Het is zóóó lekker.'

Ik proefde. De Balinese koffie was niet zóóó lekker, maar zóóó zoet dat het bocht haast niet te drinken was.

'Vind je het niet lekker?' vroeg ze ongelovig.

Ik zag hoe verbaasd ze keek en overwoog een leugentje. 'Misschien met wat minder suiker...'

'Nee, het hóórt juist zo. Het geeft niet, ik drink het wel,' zei ze glimlachend, en ze dronk ook mijn koffie.

Het ontbijt bestond uit een verrukkelijke bananencake en zwarte kleefrijst; ze was om vijf uur opgestaan om deze lekkernijen klaar te maken. Zelf at ze toast met marmelade. 'Zóóó lekker,' zei ze, rollend met de 'r'.

We gingen naar de Portobello-markt.

Dolenthousiast wees ze op een kapotte oude bamboemand in de vorm van een kerkklok, ongeveer zestig centimeter hoog. Op Bali werd dat soort manden gebruikt om er de hanen in te houden op het erf, zodat een zwervende kwade geest werd afgeleid door het tellen van de gaten in de mand en vergat het gezin kwaad te doen. We kochten de mand om mijn appartement tegen demonen en kwade geesten te beschermen.

Ricky

Ik weet nog precies op welke dag ze kwamen, 3 mei 2000. Het was helder en zonnig. De manager had twee tafeltjes buiten gezet, en een stel zat buiten met knoflookbrood en een glas wijn. Ik had Fass moeten bellen zodra ik ze het restaurant binnen zag komen, maar dat heb ik niet gedaan.

Het waren er drie. Uitgestreken koppen, er kon nog geen glimlachje van af. Drie goedkope pakken en twee koffertjes. Dat had me moeten waarschuwen, want ze wilden natuurlijk wraak nemen vanwege mijn gouden Rolex en mijn pak van Armani. Elke idioot had ze kunnen herkennen: jakhalzen die het eten van de leeuw kwamen stelen. Maar ik had al drie dagen helemaal niet geslapen, ik was een wrak én ik was high. Cocaïne schakelt je intuïtie uit, en je gaat denken dat elk probleem met zelfverzekerd handelen opgelost kan worden. Ik zag alles door een roze bril. Er kon niets misgaan en er zou niets misgaan. Het teamwerk, hun vastberadenheid, de manier waarop ze me insloten – ik zag het allemaal niet.

'Mr. Delgado,' begroette de leider van de roedel me.

'Hoe maakt u het?' zei ik glimlachend.

Zijn mond trok. Jezus, hij probeerde te glimlachen. 'Victor Bremner, inspecteur van de dienst omzetbelasting. Mijn collega's, Colin Cahill en Peter Blather. We willen uw boeken inzien.'

Dit gewiekste trio was iets heel anders dan de vrouwelijke inspecteur die had gebloosd toen ik met haar flirtte, die me had geleerd hoe ik de boel kon tillen. Nog twee andere monden vertoonden een zenuwtrekking. Ik begon net een beetje aan hun manier van glimlachen te wennen toen ze er simultaan alle drie mee ophielden. Alsof het was ingestudeerd.

Toen had ik Fass moeten bellen. Maar zoals ik net al zei, ik had net een fikse dosis op. Dopamine ging flink tekeer in mijn hersenen. Ik had met grizzly's kunnen worstelen, een hardloopwedstrijd kunnen winnen van een cheeta...

'Veel plezier ermee,' zei ik, en ging ze voor naar het kantoor. Ik wist dat ze zo ongeveer almachtig zijn. Ze kunnen zelfs bij je thuis komen. Je moet nooit spelletjes met ze spelen. 'Een ogenblik graag,' zei ik in het kantoor, 'ik moet even iemand bellen.'

Ik belde Francesca. 'Gooi alle papieren in de linkerladen van mijn bureau weg,' zei ik in het Italiaans.

Zodra ik had neergelegd, haalde Colin Cahill een mobieltje uit zijn zak. Zijn ogen waren koud en hard. 'Het huis,' blafte hij in de telefoon. 'De vuilnisbak.'

Dat stuk verdriet verstond Italiaans! Te laat herinnerde ik me de waarschuwing van Fass dat ze vaak iemand sturen die de moedertaal van de restauranteigenaar spreekt.

De belangrijkste regel, en ik had me er niet aan gehouden. De muren hebben oren. Vernietig alles, vernietig zo snel mogelijk al het belastend materiaal. Belastend materiaal van de ergste soort slingerde achteloos rond in mijn kantoor, bonnetjes en zwarte rekeningen van het afgelopen jaar.

Shit, shit, shit.

Ik belde Fass, maar de jakhalzen waren al bezig mijn eten te verscheuren.

Bruce

We spraken af voor de lunch in een Thais restaurant op Fulham Road. Ze droeg een roomkleurige zijden blouse en een gladde zwarte rok. Om de een of andere reden was ik nerveus. Ik bestelde een dubbele gin-tonic.

'Voor mij ook,' zei ze tegen de serveerster. Ze keek me aan en trok haar wenkbrauwen op.

Shit, ik zat als een debiel naar haar te staren. Waar waren mijn beroemde charmes gebleven? 'Wil je dat ik je haar doe?' vroeg ik.

'Wat zou je ermee willen doen?'

Ik stak een hand uit, pakte een lok van dat afzichtelijke platina en liet het haar door mijn vingers gaan. In het licht boven de tafel was het bijna wit. Ik had plannen. Andere plannen. 'Waarom deze kleur?'

'Het is gewoon de droom van alle Arabieren, een lelieblanke huid en blond haar.'

'Wie is de man die wil veranderen wat al volmaakt is?'

Ze keek me vreemd aan, een beetje verdrietig, vond ik. 'Volmaakt? Wat vreselijk.'

'Vind je het niet fijn om zo'n volmaakte schoonheid te zijn?'

'Weet je dan niet dat de mens van nature kapot wil maken wat volmaakt is? Dat we gecharmeerd zijn van het onvolmaakte, de ruïne onder het onkruid? Het is een troost voor onze eigen onvolmaaktheid om te weten dat er ergens, onzichtbaar voor het blote oog, een barst zit.'

'Ik zal je heus niet breken.'

Perplex staarde ze me aan. 'Daar krijg je de kans niet voor. Ik zag je al aankomen toen je een stipje aan de horizon was.'

Er was dus al eens iemand geweest die haar pijn had gedaan.

De serveerster bracht onze drankjes. Of we al wilden bestellen? 'Nog een paar minuutjes,' zei ik tegen haar.

'Wat zag je precies toen je me aan zag komen?'

Ze pakte haar glas. 'Een geile Don Juan op de versiertoer.'

'Au!'

'Luister, ik heb alleen maar ja gezegd tegen deze lunch om je te vertellen dat je ermee moet kappen. Ik heb geen belangstelling. Je bent niet mijn type. Ik heb al een minnaar, ik hoef er niet nog een.' Haar heldere grijze ogen waren volmaakt uitdrukkingsloos, alsof ze haar woorden ontelbare keren had gerepeteerd.

Ze wenkte de serveerster, en het meisje kwam naar ons tafeltje. 'Ik wil graag de kleefrijst met groene kipcurry, vis met gember en roergebakken groente.' Ze keek naar mij. 'En jij?'

Ricky

Kut, kut, kut! Het werd een ongelofelijke kutmaand. De broer van Cosmos kwam langs om te vertellen dat Cosmos was gepakt. Hij reed altijd in de nieuwste auto's en smeet met geld, en dat liep in de gaten. Die eikels hebben hem op heterdaad betrapt, met het spul en het geld. Hij had een kluis in St John's Wood. Hij ging altijd shoppen in Europa en dan naar die kluis, het ene erin en het andere eruit. De stomme idioot kwam soms met wel zes of zeven kilo coke terug uit Europa.

Op de dag dat de russen hem grepen, werd heel St John's Wood afgezet. Hij zag ze aankomen, maar het was al te laat. Ze hebben hem met gillende sirenes omsingeld, meerdere auto's en tientallen smerissen. Hij is tegen de grond gedrukt, en de klootzakken hebben alles in beslag genomen. Arme drommel, die zien we voorlopig niet meer terug. Intussen zit ik in de shit zonder vaste leverancier en moet nu die Portugese afzetter in Chelsea gebruiken.

Bruce

Ricky en ik gingen coke scoren. Er was een nieuwe jongen uit Edinburgh. Er liep een tatoeage van een enorme vuurspuwende draak over zijn hals en gezicht. Hij zat heel *cool* voor het raam in een restaurant en verkocht het spul onder de tafel. We gingen tegenover hem zitten.

Er liep een meisje langs. Ze had iets sletterigs, en Ricky kon het niet laten, moest zich zo nodig uitsloven. 'Een bontje op d'r poesje.'

De dealer grinnikte. 'Dat wordt dan knippen en scheren.'

Het ijs was gebroken. Uiteindelijk gaf hij ons een paar xtc-pillen van het huis – zijn grootmoeder had ze gefabriceerd in de garage. Holy shit! Zelden zulk sterk spul geslikt.

Ricky

Ik heb een nieuwe leverancier. Ik moest naar een of andere steeg. *Fucking hell*, je had hem moeten zien. Italiaans, spreekt geen woord Engels, en hij zag eruit als een dakloze met een gore rugzak, maar toen we bij hem thuis waren, keerde hij die gore rugzak om en kwamen er zakjes coke, honderden verschillende xtc-pillen, viagra, zakjes marihuana en handenvol lsd uit tevoorschijn. Er lag een straatwaarde van minstens 50.000 pond op tafel. Een paar verpletterend getatoeëerde mensen zaten onderuitgezakt voor de buis. Zij halen het geld voor hem op en hij zorgt dat ze hun spul krijgen.

Bruce

Ik keek in de spiegel Elizabeth aan. Haar ogen verrieden niets.

'Wat vind je ervan?' vroeg ik, me bewust van een sterke behoefte om haar te behagen. Ik schrok er zelf van. Of er niet al genoeg pluimstrijkers om haar heen cirkelden. Zo wil ik niet worden. Ik bedacht een gewiekst plan.

'Erg mooi.' Ze glimlachte koel en professioneel.

Ik glimlachte terug en maakte met de wax aan mijn vingertoppen nog wat speelse plukjes rond haar gezicht. Jammer genoeg wilde ze me niets aan die afzichtelijke kleur laten doen. Toch was ik zelf tevreden over het resultaat. Ik was niet voor niets kapper van het jaar.

Ik bukte me en hield mijn gezicht naast het hare, zo dichtbij dat mijn wang de hare bijna raakte. Haar haren roken naar shampoo, wax en haarspray. Waarom zou een kapper opeens verrukt zijn van die geur? In de spiegel bleef ze me strak aankijken, probeerde ze me te doorgronden, maar ik liet niets van mijn plannen doorschemeren. 'Heb je zin in een lijntje?' vroeg ik.

De lichtgrijze ogen begonnen te schitteren.

'Wacht hier,' droeg ik haar op.

Het was halfzes op een maandagmiddag en er stonden geen afspraken meer in het boek. Ik ging naar de ruimte met wasbakken aan de achterkant en zei tegen de shampoomeisjes dat ze naar huis mochten. Ze keken elkaar verbaasd aan. Dat zei ik nooit, en ze lieten het zich geen twee keer zeggen. Ze pakten hun doorzichtige plastic handtasjes en verlieten via de achterdeur het pand. Ik deed de deur achter ze op slot, en het gegiechel stierf weg. Toen riep ik Elizabeth.

Ze kwam overeind uit haar stoel en liep naar me toe. Ik maakte een piepklein envelopje open en Elizabeth ging op het randje van een stoel zitten. Ze was heel stil. Dat was nóg een reden waarom ik haar leuk vond. Ik hoefde nooit bang te zijn dat ze ging leuteren. Ze begreep het belang van stilte.

Ik maakte twee lijntjes, rolde met mijn blik op haar gericht een bankbiljet op en gaf het aan haar. Het zilveren gordijn viel naar voren toen ze zich naar voren boog.

Ze gaf me het bankbiljet terug, zelfs zonder mijn vingers aan te raken. We gingen in de zwarte leren stoelen zitten, tegenover elkaar, glimlachende vijanden. Ik glimlachte om mijn plan te verbergen, zij verborg haar gedachten.

'Vertel me eens iets over jezelf,' nodigde ik haar uit. Ik was oprécht nieuwsgierig naar haar. Ze deed haar ogen dicht. Zo was ze net een schilderij, mooi om te zien maar zo gesloten als een boek. Toen ze haar ogen weer opendeed, zag ze dat ik naar haar keek. Haar lippen bewogen, alsof ze licht geamuseerd was. Daar was ze erg goed in, emotioneel geweld. Pure verachting. Ik bedacht dat het kloppende verlangen naar haar misschien weg zou ebben als ik haar eenmaal een keer had gehad.

'Wat wil je weten?' vroeg ze.

'Alles.' We speelden een spel.

'Ik zou niet weten waar ik moet beginnen.'

'Wat vind je van: *"Come up and see me some time"*?' opperde ik.

'Dat zei Mae West alleen maar in de film. Ze meende het niet.'

Intussen probeerde ik me Elizabeth voor te stellen in dat negligé van Mae West, maar dat zei ik natuurlijk niet hardop.

Toen maakte ze een wonderlijke opmerking: 'Ik zal je iets verklappen – ik ga bij je weg zodra ik de kans krijg.'

Snel keek ik haar aan.

Ze lachte om mijn uitdrukking; het klonk heel hard in die betegelde ruimte. Ik glimlachte terug. 'Nóg een juweeltje van Mae West?'

Het was opwindend om met Elizabeth alleen te zijn in een lege kapsalon. Het maakte me overmoedig. Ricky's nieuwe leverancier was goed. Parelmoer, noemde hij het. Ik had het net weg kunnen grissen voordat Ricky het versneed. Het golfde door mijn aderen en gaf me het gevoel dat ik onoverwinnelijk was.

Ik ging naar het keukentje. Nu zou het plan in werking treden. Uit een klein buisje achter de radiator haalde ik twee witte pilletjes, xtc. Ik verpulverde ze en mengde ze met de coke. Toen ik terugkwam, hield ik een envelopje in mijn hand dat er net zo uitzag als het vorige. 'Meer,' kondigde ik aan.

Er was wat handigheid voor nodig, maar uiteindelijk snoof alleen Elizabeth het versneden spul.

'Dit is niet hetzelfde spul, hè?' vroeg ze.

'Jawel, precies hetzelfde.' Ik keek haar recht in de ogen. Ik kan goed liegen. 'Hoezo?' voegde ik er onschuldig aan toe.

'Het voelt anders. Scherper in de neus en een beetje bitter,' legde ze uit.

'Het ligt aan jou,' zei ik luchtig, en streek met een vinger over haar wang. Nog heel even, en haar pupillen zouden enorm groot worden, haar huid hypergevoelig voor elke aanraking. Nog heel even...

Toen het tweede envelopje helemaal leeg was...

'Ik heb het gevoel dat ik je al mijn hele leven ken,' zei ze met haar wang tegen mijn hand.

'Ik ook,' antwoordde ik schijnheilig.

'Dat was goed spul, maar ik voel me een beetje gek.'

Ze schoof haar handen in haar nek en tilde haar haar op, hield het tegen haar achterhoofd omhoog. Hebbes! Dit was een regelrechte uitnodiging. Nu de laatste stap, het trucje dat nooit mislukte, zelfs niet met vreemden in een club. De eerste paar grammetjes voor niks, de rest bij mij thuis. Ik hield drie envelopjes als een waaiertje tussen mijn vingers. 'De rest neem ik mee naar huis. Ga je mee?'

'Nee, bel maar een taxi voor me.' Haar gezicht was leeg.

Ik zal je iets verklappen – ik ga bij je weg zodra ik de kans krijg. Perplex staarde ik haar aan. Dit was werkelijk niet te geloven. Zelfs de koudste en meest berekenende hoer laat je met haar slapen als ze zoveel coke van je heeft gesnoven als Elizabeth van mij. Deze vrouw gaf echt niets terug. Hoe kreeg ze het voor elkaar? Ik kon pluimstrijken totdat ik erbij neerviel, en dan zou ze gewoon over me heen stappen.

Ik was des duivels, maar kon moeilijk klagen. Ik hield mijn gezicht in de plooi, belde een taxi en betaalde die óók nog eens.

De taxi reed weg, en dat secreet had de moed om naar me te zwaaien.

Zou het me ooit lukken om haar in bed te krijgen? Of zou het net zo gaan als met de vissen in de vijver van onze dikke buurvrouw Mary? Ik kan haar schelle stem nog horen: 'Probeer jij mijn vissen te stelen, Bruce?' Ik dook weg achter de struiken en sprong over het muurtje, maar aan de andere kant stond mijn moeder me op te wachten, haar armen over elkaar geslagen. 'Breng meteen die vissen terug!' En ik klom weer over het muurtje en deed de vissen terug, terwijl Mary's pafferige gezicht van achter het raam naar me keek.

Ik ging weer naar binnen en maakte mijn envelopjes open, een voor een. De tijd verstreek. De telefoon ging. Eerst nam ik niet op, maar dat ding bleef rinkelen. Het was Elizabeth.

'Bruce?' hijgde ze in de hoorn. 'Wat was dat voor spul? Ik voel me echt klote, ik ben zo ziek als een hond. Verdomme, alles begint zwart te worden langs de randen. Jezus...'

Ik hoorde een doffe plof en de verbinding werd verbroken. Ik hield de hoorn bij mijn oor vandaan en staarde er stompzinnig naar. En toen drong het tot me door. Shit! Ik raakte in paniek, want ik wist niet eens waar ze woonde. Ik belde Ricky, maar zijn mobiel stond uit, en de restaurants waren gesloten. Ik piepte hem, pakte mijn jasje en holde de straat op. Ricky's tempel was leeg, iedereen was weg. Ik was echt doodsbang, maar kon niets doen behalve wachten, wachten totdat er iemand kwam die wist waar ze woonde. Maar het was maandag en er kwam bijna nooit iemand op maandag.

Er stond een fles donkere rum op tafel. Afwezig, werktuiglijk begon ik te drinken. Ik kon echt niets doen, helemaal niets. Het was idioot, maar niemand wist waar Elizabeth woonde. De rum was zoet en stroperig, maar ik bleef drinken, denkend aan haar stem: *Alles begint zwart te worden langs de randen. Jezus...* En dan die vreselijke plof.

Fuck, wat had ik gedaan? Soms gingen er mensen dood van één xtc-pil. Mijn handen beefden. *Fuck, fuck, fuck*. Ik kon gewoon niet geloven dat ik zo stom was geweest. Hoe had ik dat Elizabeth kunnen aandoen? Mijn god, als haar iets overkwam...

In mijn angst zoop ik de hele fles leeg. Een uur ging voorbij. Ik ging op de bank liggen, draaide mijn hoofd opzij en zag een fles wodka onder de tafel liggen. Nog een uur verstreek, tergend traag. Ook die fles dronk ik helemaal leeg. Ik plunderde Ricky's bar, zoop alsof mijn leven ervan afhing. Op een gegeven moment ging ik out.

Ricky schudde me hardhandig wakker. 'Wat is er? Waarom heb je me gepiept?'

'Klootzak, dat was uren geleden!' kraakte ik.

'Ik reageer nooit, tenzij het mijn dealer of een geil mokkel is.'

'Snel, we moeten zo snel mogelijk naar Elizabeth. Ik heb haar xtc gegeven en ze kan er niet tegen. We moeten naar haar toe.'

'Ik heb haar net nog gezien,' zei Ricky lachend, 'compleet high. Ze zat aan een tafel met allemaal dure Zweedse zakenmannen. De aanstellers gingen telkens staan als ze wegging om naar de wc te gaan. En je weet hoe vaak Elizabeth naar de wc gaat.'

'Die pillen...'

'Weet je dan niet dat ze wel vijftien van die pillen op een avond kan slikken? Ze verslaat iedereen.'

Schaapachtig keek ik hem aan. 'Maar ze belde me...'

'Eigen schuld,' zei hij onverschillig. Hij trok zijn jasje uit en liep naar de trap. 'Ik ben kapot, man.'

Ik staarde naar mijn handen. Ze hingen slap omlaag. Mijn god, ik was verliefd op een harteloos kreng.

Elizabeth

Ik belde Maggie, maar ze kon niet praten. Ze zei dat er een spin zo groot als haar hand in het bad zat, en ze probeerde hem in een jampot te krijgen zonder zijn poten te amputeren. Ik legde neer en grijnsde. Ze klonk blij, en zoals gewoonlijk overdreef ze schromelijk. Als ze zei dat een man op straat had geprobeerd haar te vermoorden, ging het om iemand die haar de weg had gevraagd. Ik vroeg me net af hoe groot die spin van haar precies zou zijn toen Bruce belde.

'O, de held,' zei ik.

Een tijdje bleef het stil – een mix van gêne en woede, vermoedde ik – maar toen barstte hij in lachen uit. 'Ach, wat maakt het ook uit. Ik geef het toe, ik ben stom geweest. Ik had je kunnen vermoorden. Wil je het me vergeven?'

Wat kon ik hem nou eigenlijk verwijten? Ik had hem bijna een hartaanval bezorgd. Al dat koortsachtige piepen en bellen. Het had ons verbaasd, Ricky en mij. We hadden nooit gedacht dat zijn geweten zo ruim was.

'Neem de volgende keer rattengif, dan weet je tenminste zeker dat het werkt,' zei ik, en daar moest hij om lachen.

Hij nodigde me uit voor een etentje om het goed te maken.

Ik voelde me nog behoorlijk wankel van de vorige avond, dus deed ik wat ik niet had moeten doen: ik zei ja. Of misschien is dat niet waar. Misschien dat ik inmiddels naar hem verlangde, naar die grote brede schouders van hem, die prachtig intense blik. Mmm, dat kuiltje. Ja, beslist dat kuiltje. Ik weet niet waar dat gevoel vandaan kwam, maar als ik met hem samen was voelde ik me veilig. Alsof ik voor het eerst van mijn leven beschermd werd. Ik wílde ja zeggen, dus dat deed ik. Maar ergens heel diep vanbinnen had ik al spijt van mijn impulsiviteit.

Die man kan me pijn doen. Hij wil me niet, niet de echte ik.

Hij is oppervlakkig en verlangt alleen naar lichamelijke perfectie. In zijn ogen ben ik een beeldschoon elfje, en hij wil zich laten betoveren. Maar ik ben niet het beeldschone elfje naar wie hij op zoek is. Ik mag me niet door hem laten raken, hij is niet de man voor me. Hij loopt bij me weg zodra hij ontdekt wie ik werkelijk ben. Zodra hij mijn geheim kent. Ik heb mijn lesje echt wel geleerd: mannen zijn niet te vertrouwen.

Juni 2000

Nutan

Ik werd rillend wakker. Het was nog donker. Ik knipte het licht aan. Zeenat en ik lagen samen in bed, maar de bleke slang was langs geweest. Ik wist heel zeker dat hij het was geweest. Ik had hem gevoeld toen hij zwaar op mijn rug was komen zitten, ik had zijn gespleten tong in mijn oor voelen bewegen, maar ik kon de taal die hij sprak niet verstaan.

Ik luisterde naar de ademhaling van mijn zus terwijl het buiten licht begon te worden. Ik wist dat het bezoek een waarschuwing was, of misschien had ik wel iets onder de leden. Mijn hoofd bonkte.

Het lukte me niet om verder te slapen, dus ging ik zitten om Nenek een brief te schrijven. Ik vertelde haar van de pijn. De post deed er zo lang over dat het wel twee maanden kon duren voordat ik antwoord van haar had. Tegen de tijd dat Zeenat wakker werd, was de hoofdpijn nog erger geworden, en ik zei tegen haar dat ik niet kon werken.

'Wil je naar het ziekenhuis?' vroeg Zeenat.

'Nee, dat hoeft niet,' zei ik. 'Ik denk dat ik gewoon te lang en te vaak feest heb gevierd. Wil je deze brief voor me op de bus doen? O, en zou je na het werk langs kunnen gaan bij Ricky om mijn oorbellen te halen, die gouden. Ik heb ze in de slaapkamer laten liggen, in de la, geloof ik, anders op het nachtkastje. Als je ze vandaag niet gaat halen, neemt iemand anders ze gegarandeerd mee.'

'Doe ik. Ik probeer terug te komen als ik pauze heb om te zien hoe het met je gaat, maar misschien vindt de baas het niet goed. Zonder jou is er toch al te weinig personeel.'

'Het geeft niet. Ik geloof niet dat het iets ernstigs is.'

Maar die middag om twee uur was de pijn zó erg dat ik begon te huilen.

202

Ricky

Het was twee uur. Ik weet niet waar het vandaan kwam, maar in die doodstille werkkamer van me voelde ik opeens heel duidelijk dat ik omlaag werd getrokken. Het liep allemaal vreselijk uit de hand. Kondigde een angstig voorgevoel een naderende ramp aan? Laat me niet lachen! Ik rammelde mezelf flink door elkaar. Ik geloof niet in dat soort zweverige shit. Rusteloos trok ik een la open. Er lagen wat lsd-pillen in. Sterk spul, hadden ze tegen me gezegd, 'geniaal'. Ik slikte twee aspirientjes en vier pillen en ging achterover liggen.

Toen ik mijn ogen opendeed, vlogen er roze flamingo's door de lucht. Ik glimlachte. In de muur, in een scheurtje in het behang, ging een deurtje open, donker, mysterieus, uitnodigend. Ik wist meteen dat het een deur naar een geheime wereld was, en dat ik er alleen in gedachten kon komen. Er klonk een geluid, en toen ik wegkeek van de deur zag ik mijn twee dochters bij het bureau staan.

'Papa, wat doe je?' vroegen ze.

Wat een schoonheden, die meiden van me. Je had ze die dag moeten zien. Engeltjes, ik zweer het je. Zo mooi dat ze net twee lampjes leken. Toen de jongste drie was, dacht ze dat strikjespasta van vlinders was gemaakt, en ze heeft jaren geweigerd farfalle te eten. Op dat moment van perfecte luciditeit herkende ik ze als een deel van mezelf. Ik keek dwars door hun huid heen naar het bloed in hun aderen – het mijne. Mijn eigen vlees en bloed. Een warme golf van emotie ging door me heen. Ik zou mijn leven voor ze willen geven, zonder erover na te denken. Ik besloot mijn ontdekking met ze te delen, en vertelde ze over het deurtje.

Nieuwsgierig keken ze naar de scheur in het behang. 'Er is niets, papa,' riepen ze in koor.

Ik keek naar de muur. Het deurtje was nog wat verder opengegaan. Een man zou zich nu bijna door de opening kunnen wurmen. We moesten opschieten, anders ging deze unieke kans aan onze neus voorbij. Om de reis te kunnen maken, moesten zij natuurlijk ook lsd slikken. Schiet op, kinderen.

O, wat leuk! Wij met z'n drietjes.

Samen zouden we de geheimen van de andere wereld verkennen. Ik deed de la open, haalde er twee uit en zei dat ze hun mond open moesten doen. Meteen gingen hun mondjes open, als beeldige roze bloemen, rood vanbinnen en heel diep. Ik hield een hand boven elke roze bloem.

'Klaar?' vroeg ik.

'Klaar!' riepen ze, enthousiast over het nieuwe spel.

'Ricky!' schreeuwde een vrouwenstem van ver weg, schril en angstig. Ik aarzelde. De roze bloemen gingen weer dicht. Mijn dochters draaiden zich om naar hun moeder.

'Ga naar boven, meisjes,' droeg ze hun op.

'Maar...' protesteerden ze teleurgesteld.

'Naar bóven, zei ik!' Wanneer heb ik haar ooit zo streng gehoord? Nog nooit.

Ze gingen, schouders gebogen, lipjes pruilend.

Langzaam draaide ik mijn hoofd opzij. Ik wist dat ik fout zat.

Ik voelde het bloed wegtrekken, en er begon iets als een gek te klauwen in mijn hoofd. Shit, wat heb ik gedaan? Toen was het heldere moment weer voorbij en voelde ik mezelf wegzweven. Heerlijk. De kamer was opeens een grote speeltuin. En zij droeg blauwe zijde, en haar lange krullen waren vochtig van de douche. Straks zou ze weer steil haar hebben, en ik besefte dat ik de krullen veel mooier vond. Zij niet, dat wist ik ook. Op haar houten Japanse sandalen stond ze als versteend voor me en keek me diep geschokt aan. Er kwam een briesje door het open raam, en haar bijna droge krullen werden vluchtig opgetild.

Ik staarde naar haar en deed heel erg mijn best om me op haar gezicht te concentreren. Ik moest bedenken wat ik was vergeten. Vreemd, maar op de een of andere manier was ik nog heviger geschokt dan zij. Mijn hersenen werkten niet. Ik zag haar als een prachtig standbeeld. Had ik haar uit een onderaardse tempel gered? Ik raakte in de war. 'Ben jij het?' vroeg ik.

Maar ze opende haar mond, alsof ze ontwaakte uit een lange droom. Ik kon de woorden niet verstaan, maar ik wist dat het niet mijn spinnengodin was. Ze had een andere stem, veel liever. Deze vrouw was anders. Ze deed me denken aan iemand die ik heel goed kende. Nog doordringender staarde ik haar aan. Ik kende haar. Krijg nou wat, het was de moeder van die prachtige kinderen.

'Francesca?'

Over een paar jaar, dacht ik opeens, zou ze eruitzien zoals mijn moeder, gezet en lankmoedig, met lelijke kuiltjes in haar dijen die je zelfs door haar jurken heen kunt zien, maar op dat moment was ze Da Vinci's *Gioconda*, Mona Lisa.

Met die glimlach van haar, zo geheimzinnig dat zelfs een flikker haar wilde schilderen. Nee, misschien was ze toch geen beeld, eerder een lijk. Maar de mond bewoog, dus kennelijk leefde ze. Ik deed mijn best om te verstaan wat ze zei.

'Die dag onder de olijfboom, weet je nog? Toen huilde ik om jou,' zei ze.

Ondanks de roes van de drugs wist ik waarom ze me dat vertelde. Dit was het einde. Geen spelletjes meer. Ze wilde vrij zijn. Het kwam als een schok dat ik haar echt kwijtraakte. Na al die jaren en alle leugens die ze zichzelf had laten slikken vond ze het nu eindelijk welletjes.

Ze draaide zich om en liep weg, hoofd hoog, stappen ferm. Ik was haar voorgoed kwijt. Dit keer was ik echt te ver gegaan. Ik keek naar de muur.

Waar was de deur?

Ik stormde het huis uit.

Het kon niet. Het was onmogelijk. Mijn hoofd tolde. Geschrokken keek ik naar mijn voeten, blote voeten. Ik knipperde met mijn ogen en opeens had ik weer schoenen aan.

Ik werd gek...

Ik tripte, en niet zo'n beetje ook. Ik liep. En liep. Uren, voor mijn gevoel. Door een labyrint van donkere stegen, alsof ik niet in Londen was, maar in Singapore of Bombay. Soms moest ik over grote ratten heen stappen, of over rollen scheepstouw. Op een gegeven moment kwam ik langs een man die bij een ouderwetse lantaarnpaal stond en de muntjes in zijn zak liet rinkelen. Hij tikte tegen zijn hoed. In een andere poel van licht stond een beeldschone vrouw met lang zwart haar. Ze droeg het rode jasje van de Chinese keizerin uit mijn geschiedenisboek. Toen ik op haar af strompelde, hield ze het jasje open. Ze droeg er niets onder, en haar lichaam was lang en mooi, maar opeens raakte ik in de greep van een vreselijke angst. Ik rende weg door het donker, en achter me hoorde ik haar spottende lach.

Eindelijk leek ik terug te keren naar mijn eigen tijd. Ik kwam langs een pub, en alle mensen aan de tafeltjes op het terras keken me met koude, onvriendelijke ogen aan. Struikelend over mijn benen vluchtte ik weg. Ik was gewoon paranoia. Dat wist ik, maar het hielp niet.

Shit, ik moest naar mijn huis. Twee uur liep ik rond, op zoek naar mijn huis. Het effect van de drugs begon intussen wat minder te worden, ik had vaker heldere momenten. Ik deed mijn ogen open en zag dat ik in het busstation van Victoria zat. Ik nam een taxi naar mijn huis.

Francesca

Ik hoorde hem weggaan. Hij sloeg uit schaamte op de vlucht. Laat hem maar gaan. Hij is niet meer de mooie adonis die ik vroeger aanbad. Ik heb vandaag goed naar hem gekeken. Hij begint dik te worden. Valse blauwe ogen etteren in een pafferig gezicht. Ik wilde hem zoals hij vroeger was, maar mijn Ricky is al jaren dood. Wie was dit smerige monster? *Tutta la vita*, Ricky? Het was tijd om uit de gondel te stappen. De hoogste tijd.

Misschien had ik al veel eerder weg moeten gaan. Die dag dat ik het envelopje in zijn broekzak vond bijvoorbeeld. Toen was ik nog een kind, en als een kind doopte ik mijn vinger in het witte poeder om het te proeven. Het smaakte naar een pijnstiller, maar het verdovende effect begon meteen. En sinds dat moment heeft de verdoving zich verder verspreid. Die avond zat ik op het bed zonder iets te voelen. Geen verdriet, geen verbittering, zelfs geen boosheid. Absoluut helemaal niets.

De kinderen kwamen binnen. Ze waren boos op me. 'Het is jouw schuld dat papa weg is gegaan,' zeiden ze. Ze hielden van hem. Hoe kun je níet houden van een vader die niet zegt dat je lief moet zijn als hij naar zijn werk gaat, maar juist dat je lekker veel stoute dingen moet doen? Hij was hun held.

Hoe kón hij het doen? Hoe is het mogelijk dat je je eigen vlees en bloed wil vergiftigen? Wat bezielde die man?

Jarenlang heb ik gedaan alsof er niets aan de hand was, zo wanhopig verlangde ik naar de Ricky uit mijn dromen. Toch heb ik heel diep vanbinnen altijd geweten dat deze dag zou komen.

Als ik dat niet wist, waarom heb ik dan jarenlang geld gespaard? Mijn 'oprotfonds' noemde ik het gekscherend. Ricky was zo slecht met geld dat hij het niet eens merkte. Niet dat hij het erg gevonden zou hebben. Door de jaren heen verhoogde ik het huishoudgeld, en wat er overbleef ging in mijn fonds. Net als het geld dat ik met de verkoop van mijn jurken verdiende. Het tikte aardig aan.

Het moment van de waarheid was gekomen. Wat een opluchting om eindelijk wakker te worden uit een nachtmerrie.

'Jullie weten toch dat papa moet werken,' zei ik tegen mijn beteuterde meiden. Onvoorstelbaar dat mijn stem zo kalm klonk.

'Papa zei dat er een deurtje in de muur zat.'

'O ja? Luister, ik heb een idee. Laten we lekker op vakantie gaan. Laten we een tijdje bij oma gaan logeren.'

'Ja, we gaan naar Nonna op Sicilië!'

'Dat gaan we ook doen, maar laten we eerst bij Nonna in Egham gaan logeren.'

Ik had heimwee, weet je. Ricky had me altijd beloofd dat we naar Sicilië zouden gaan als we oud waren. Dat was wat ik wilde. Misschien ben ik daarom wel bij hem gebleven. Ik wilde de Siciliaanse zon op mijn huid voelen, de witte aarde uit mijn jeugd onder mijn voeten. Ik wilde terug naar een tijd dat ik echt gelukkig was geweest. Ik wilde fruit eten dat naar fruit smaakte, en ik wilde de kinderen met een gezond bruin kleurtje zien, ravottend in de vrije natuur.

Eigenlijk was mijn droom om terug te gaan verbonden met een droom uit mijn jeugd die ik nooit had kunnen verwezenlijken. Gek genoeg was het Ricky die steeds in de weg had gestaan, en nu hij er niet meer was...

Mijn droombeeld ontstond in de delicatessenzaak van mijn vader toen ik een druppeltje Toscaanse olijfolie proefde. Een drupje olie, zeg jij, nou en? Maar voor mij ging er een raam open en zag ik mijn toekomst, groen, spannend en mooi. In Toscane worden de olijven geplukt als ze nog groen zijn. De onrijpe olijven gaan in een pers en er worden olijfblaadjes over uitgespreid. Het resultaat is een verrukkelijk peperige olijfolie. Met een stuk knapperig brood is het een maaltijd op zich.

Op Sicilië laat men de olijven aan de bomen hangen als ze erg klein zijn of als er nog voldoende olie is. Niemand weet wat ze ermee moeten doen. Er is geen vraag naar. Als ik nou op Sicilië zo'n bijzondere olijfolie zou kunnen maken... Ik zou de olijven kunnen kopen van de boeren, een ambachtelijke olie kunnen maken en die naar Engeland exporteren. Durfde ik dat aan in m'n eentje? Ik had een lapje grond nodig, niet veel, genoeg om onafhankelijk te zijn. Ik zou al met Kerstmis terug kunnen gaan.

Maar stel nou dat ik faalde? Misschien was er al genoeg olijfolie op de markt. Stel nou dat ik al mijn spaargeld in een illusie stopte? Hoe moest ik de kinderen dan grootbrengen? Ik had tijd nodig om na te denken. Het was een te belangrijke beslissing.

Eerst moest ik bijkomen bij mijn ouders, totdat ik me weer wat sterker voelde. De aanvankelijke verdoving begon weg te zakken, en ik besefte dat ik gewond was. Ik had zoveel pijn.

Hij was mijn lust en mijn leven, weet je. Voor hem had ik mijn droom opgegeven. Dacht jij soms dat het de creditcards waren?

Nee hoor, het was mijn hart. Mijn hart weigerde hem op te geven. Een Russisch gezegde luidt: De vis rot weg vanuit de kop. Precies, dáár begon bij mij het bederf, dáár begon de pijn. Nu verspreidde de pijn zich door mijn hele lichaam.

De kinderen sloegen hun armen om me heen en vroegen: 'Waarom huil je, mama?'

Ricky

Het was acht uur toen ik de deur van mijn bovenwoning openmaakte. Eindelijk. Mijn hoofd voelde verschrikkelijk. Ik hees mezelf de trap op, en wie stond er in mijn slaapkamer naast het bed? Nutans kleine zusje. Ze zette grote ogen op. Kijk eens aan, een offer van de spinnengodin. Het meisje glimlachte, warm, vriendelijk, vol vertrouwen. Ze zei iets wat ik niet kon volgen, iets over oorbellen. Toen ze nerveus achteruitdeinsde, laaide er plotseling een wild verlangen in me op.

Ze deed alsof ze een hekel aan me had, maar ik had vaak genoeg gezien dat ze smachtend naar me keek. Ze was verliefd op me, al vanaf het begin, verliefd op de minnaar van haar zus. Ik had haar lang geleden al kunnen hebben, maar nu was het eindelijk zover... Zou ze net zo ruiken als Nutan? Ik kon haar al onder me voelen, het breken van haar tere botten in mijn handen. Dát ze zou breken stond vast.

Nou en? Ik was zelf kapot. Haar zachte ogen waren als balsem. Dat had ik nodig. Ergens diep vanbinnen voelde ik een ondraaglijke pijn. Ik glimlachte naar haar. '*Com'e va, Bella?*'

Eerst verstijfde ze, en toen gleed er een half glimlachje over haar gezicht en zei ze iets intrigerends: 'Doe alsof je mij bent. Doe wat ik doe.'

'Kom. Hier is het lekker warm.' Ik stak mijn hand naar haar uit.

Ze negeerde mijn hand, draaide zich half om en pakte de gitaar die tegen de muur stond. Opeens was ze net haar zus, grappig, gezellig, avontuurlijk. *Doe alsof je mij bent. Doe wat ik doe.* Ik wist wat ze deed: ze deed alsof ze haar zus was.

'Speel. Speel John Lennons "Imagine",' zei ze.

Mijn handen trilden van de drugs. Ik wilde geen gitaar spelen. Ik wilde haar naar het bed slepen. Ik wilde seks, zodat ik kon vergeten wat ik had gedaan. Het vreselijke, het onvergeeflijke.

Ik liet me op het bed vallen en mijn vingers begonnen te tokkelen. Niet John Lennon, maar Cat Stevens, 'My lady D'banville'. Het zal wel verbeelding van me zijn geweest, maar ik zweer je dat mijn vingers bloedden. Ik keek op en zag Francesca. Roerloos als een standbeeld, koud als ijs. Ben jij het, my lady D'banville?

Ik hield van je, my lady.

Francesca raakte mijn wang aan. Haar hand was warm. Ik keek haar aan.

O nee, het is niet my lady D'banville. Zij slaapt.

'Je huilt.' Zeenat hurkte als een kat aan mijn voeten en streelde mijn gezicht. 'Wat is er?' O, Francesca, je bent het niet.

Zeenat zou heel anders zijn dan haar zus, dat wist ik al, zacht en voorzichtig. Ze zou het eindeloos willen rekken.

'Er was eens een man die sliep met een als slang vermomde vrouw,' zei ze.

Jij, een slang? Je bent niet eens een aardworm. Als je echt een vermomde slang was geweest, zou het zelfs leuk kunnen zijn. Een ervaring om over op te scheppen. Maar ze was slechts het stille zusje.

Toch vond ik haar fascinerend. 'Kom eens hier, Bella.'

Ik trok haar aan haar armen omhoog, maar toen mijn mond naar de hare ging, begon ze zich te verzetten. Je bent zelf begonnen, schatje. Als je de tijger bij zijn staart pakt, moet je je ook op laten eten. Ik pinde haar op het bed. Het wond me op, haar verzet, haar schrik, haar hulpeloosheid, maar om je eerlijk de waarheid te zeggen, maagden zijn dodelijk saai. Het is alleen spannend om de eerste te zijn. Twee keer in dezelfde familie.

Ik was ruw. Er scheurde iets, ondergoed, en opeens hield ze op met worstelen. Ze ontspande zich, opende zich, haar ogen enorm groot en angstig.

Passief lag ze onder me. Onvoorstelbaar dat ze precies hetzelfde lichaam had als Nutan. Maar Nutan was als een luipaard in bed, opwindend, mysterieus en gevaarlijk, terwijl Zeenat lusteloos was en alles gelaten onderging. Ze léék zelfs niet op haar zus. Het was alsof ik seks had met een kussen waar een gat in zat. Vreselijk. Ze verzachtte de pijn in mijn binnenste niet, ik kon niet vergeten. Het standbeeld, de kinderen...

Ik slaakte een kreet. Francesca lag onder me.

Minachtend keek ze me aan. 'Je bent een ijdele, harteloze rat. Je had de meisjes met rust moeten laten,' zei ze.

'*Fuck!*' vloekte ik toen ik focuste op het nog steeds angstige gezicht van Zeenat. En opeens walgde ik van haar goedheid, haar meisjesachtige onschuld. Dat ik haar begeerde! Ik zag het jonge, mooie lichaam onder me als een verstikkende wingerd. Ik kende haar type. Straks wilde ze kusjes en liefde. Ik maakte me los van het lichaam en het bloed tussen haar benen.

Opeens was ik boos. 'Luister, Zeenat, ik kan het niet. Ik ben aan het freaken en voel me klote.'

Nu wist ze wat ik wist: ze was niet goed genoeg. Haar zus was beter. Haar geschrokken ogen vulden zich met tranen. O nee, ook dat nog. Het was een vergissing, het was dom van me. Dat begrijp je toch wel? Het is niet mijn schuld. Zij loog, zij kwam naar het hol van de wolf en deed alsof ze haar zus was.

Toch bleef de godin van de goedheid, een standbeeld dat Francesca heette – heel anders dan de spinnengodin – me met ontblote tanden beschuldigen: 'Je bent een ijdele, harteloze rat.'

Om de boze godin te kalmeren, had ik offers kunnen brengen, slangen en vlinders en vogels en jade en wierook, maar in plaats daarvan mompelde ik: 'Blijf even kijken, je kunt er nog iets van leren.' Ik zei het zo onverschillig dat Francesca vervaagde. Vaarwel, engel van me.

Nooit meer zou ik het standbeeld dat Francesca heette wakker maken. Krullen en blauwe zijde. Mijn hoofd gonsde. Het was de lsd. Toen ik de deur achter me dichttrok, hoorde ik Zeenats gesmoorde snikken, maar ik had andere dingen te doen, geen tijd voor een jengelend klein meisje.

Nutan

Ik deed de deur open en zag dat Zeenat zich opmaakte. In de spiegel keken we elkaar aan, maar ze wendde meteen haar blik weer af.

'Ga je uit?' vroeg ik.

'Ja,' antwoordde ze kortaf. Zwijgend ging ze verder met de blusher. Wat mankeerde haar opeens?

'Waar ga je naartoe?' vroeg ik nieuwsgierig, en ik ging op het bed zitten om mijn schoenen uit te trekken. Ze maakte zich nooit op als ze naar Anis ging.

Met een ruk draaide ze zich naar me om, zomaar opeens woedend. 'Wat gaat jou dat aan? Heb ik jou soms gevraagd waar je naartoe ging?'

Verbluft keek ik haar aan. 'Ik heb aspirine gekocht.'

'O, en als je de hele nacht wegblijft met die... die Italiaanse hond?'

Ze had niet gevraagd hoe ik me voelde. 'Wat heb je opeens?'

'Wat ik heb? Niets, helemaal niets.' Ze draaide zich weer om naar de spiegel, en kleurde haar lippen zo rood als een exotische bloem.

'Heb je mijn oorbellen?' vroeg ik.

'Ja, ze liggen naast het bed.' Nog steeds woedend (zag ik aan haar houterige bewegingen) griste ze een kort zwart jurkje van het bed, een jurkje van mij, en dat trok ze over haar hoofd. Met haar hoofd nog in de jurk zei ze: 'Je bent gewoon een egoïstische trut.'

Ik wist niet hoe ik moest reageren. Nooit eerder hadden we zulke venijnige dingen tegen elkaar gezegd.

Haar hoofd kwam uit de halsopening omhoog, haar gezicht vertrokken van woede, en nog iets. Ik had haar nog nooit zo gezien. Ze trok mijn jurk over haar heupen. Toen pas besefte ik dat het jurkje te strak zat en te kort was. In combinatie met haar veel te zwaar opgemaakte gezicht leek ze net een hoer. Zag ik er ook zo uit in die jurk?

Toen deed ik iets doms, ik klapte in mijn handen, en zei op sarcastische toon in het Engels iets wat Ricky had kunnen zeggen: 'Way to go, baby.'

Het bloed trok weg uit haar gezicht en ze deed haar ogen even dicht. 'Ja,' zei ze, 'maak me maar belachelijk. Jij denkt dat je nieuwe vrienden zo bijzonder zijn, hè? Schorpioenen zijn het, allemaal. Je weet het pas als ze je steken. Pas als je vlees blauw is en wegrot door het vergif bedenk je dat het tijd is om terug te gaan. Nou, zo lang wil ik niet wachten. Ik ga volgende week naar huis, naar Nenek.'

'Je bent gewoon jaloers,' hoonde ik beschuldigend.

Haar ongelovige lach klonk als een blafje. 'Wat? Op jou? Je hebt geen idee,' schamperde ze. 'Nenek had gelijk, we hadden nooit moeten gaan. Moet je eens zien hoe blind je bent geworden.' Ze stormde langs me heen en wankelde de trap af op haar naaldhakken. Het was zo warm buiten dat ze geen jas droeg.

Ik bleef volkomen in de war achter. Ik begreep helemaal niet waarom we ruzie hadden gemaakt – we hadden nooit ruzie – en bovendien zo fel en gemeen. Waarom? Waren onze tanden soms niet gevijld toen we in de puberteit kwamen? Waren we daardoor niet gevrijwaard van de zes slechte eigenschappen van de mens: hartstocht, hebzucht, boosheid, extase, domheid en jaloezie? Ik ging met mijn benen opgetrokken tegen mijn borst voor het raam op haar zitten wachten. Ze zou vast snel terugkomen, want ze voelde zich natuurlijk net zo rot als ik. Ik had nog steeds hoofdpijn, maar niet meer zo erg.

Het was negen uur, en toch nog licht buiten. Het was zo'n warme zomerdag dat de melk op de vensterbank zuur was geworden. Beneden me kwamen mensen met eten in zakjes uit de snackbar. Zittend voor het raam at ik een boterham met kaas. Ik verlangde naar een lijntje. Ik ging op het bed liggen, viel in slaap en werd om vijf uur 's ochtends geschrokken wakker. Ze was nog steeds niet terug.

Ik begon me zorgen te maken. Waar kon ze zo opgedirkt naartoe zijn gegaan? Ik keek uit het raam. Het was nog donker buiten en fris. Ik deed een nachthemd en dikke wollen sokken aan en ging weer voor het raam zitten. De straat was verlaten. Om zes uur was ik ziek van angst. Het was licht geworden. Waar was ze? Ze was nooit eerder zomaar verdwenen in de nacht.

Ik meldde me ziek en zat de hele dag voor het raam op haar te wachten. De hele dag.

Om zeven uur die avond was ik bijna hysterisch van ongerustheid. Had ze een man gevonden en was ze met hem naar huis gegaan? De vreselijkste mogelijkheden kwamen bij me op. Ze was zo zachtmoedig, heel anders dan ik. En er waren zoveel rare, geperverteerde mensen in dit land. Ik had onvergeeflijke dingen gezegd en dat had ik nooit mogen doen. Maar waarom hadden we ruzie gekregen? Dat begreep ik nog steeds niet.

Kwart voor negen. Ik belde Anis uit de telefooncel verderop in de straat. Meteen hoorde ik de bezorgdheid in zijn stem. Om negen uur was Anis bij me. Ik zag dat hij van streek was, maar hij probeerde zich te beheersen. Daardoor voelde ik me nog rotter.

Ik voelde me zo ellendig en zo slecht dat ik in zijn armen huilde als een idioot. Samen zaten we te wachten, oren gespitst, luisterend naar het kleinste geluidje op de trap. Na een tijdje ging hij naar beneden om iets te eten te halen in de snackbar, maar ik kreeg geen hap door mijn keel. De geur van kebab maakte me duizelig. Ik vroeg Anis om coke. Hij had niets bij zich, maar belde iemand met zijn mobieltje en in minder dan een halfuur was er al iemand aan de deur. Ik nam een lijntje, maar werd meteen helemaal gek van de paranoia. Ik kon geen moment stilzitten. Ik was ervan overtuigd dat er iets vreselijks was gebeurd. Ik liep heen en weer, heen en weer, van het raam naar de muur en terug. Ik wilde weg, naar buiten om haar te zoeken. Dat heeft geen zin, zei Anis terwijl hij gespannen uit het raam keek.

Er was meer dan vierentwintig uur verstreken. Het was tien uur, en Anis had net voorgesteld om de politie te bellen toen ik op de trap haar hoge hakken hoorde. Ik stoof naar de deur, en verstijfde. Het was inderdaad Zeenat, en toch... O, ik kan de verandering niet beschrijven. Ik keek in haar glinsterende ogen en zag een merkwaardige uitdrukking. Keek ze heimelijk of triomfantelijk? Ik wist het niet. Het volgende moment vlogen we elkaar om de hals, de uitdrukking waarmee we elkaar hadden aangekeken alweer vergeten. Ik zag haar tranen, ik zag haar wroeging, maar ik wist het. Er was iets veranderd. Er was afstand tussen ons. Een geheim.

'Waar ben je geweest?'

'Bij Anna.' Anna was de Engelse serveerster in het eethuis.

Na een tijdje ging Anis naar huis. Hij keek verdrietig. Ik raakte zijn gezicht aan. 'Wat is er?' vroeg ik. Hij schudde zijn hoofd en glimlachte triest. Toen nam hij afscheid en vertrok, duidelijk ontroostbaar. Alsof Zeenat niet veilig thuis was gekomen. Alsof ze blijvende schade had opgelopen.

We lagen in bed met elkaar te praten, hand in hand, en deden alsof er geen afstand tussen ons was. Ik was doodmoe en viel in slaap. Ik geloof dat ik droomde dat ze me kusjes gaf, mijn haar streelde, en telkens herhaalde: 'Het spijt me. Het spijt me zo. Vergeef je het me?' In mijn slaap gaf ik antwoord: 'Natuurlijk vergeef ik je.'

In het blauwe licht van de dageraad schrok ik wakker. Het uur van de heksen. Nenek zei dat de schemering een spleet tussen de werelden is. Alleen de doden en degenen die kunnen zien met hun ogen dicht mogen erdoor, kunnen door de spleet naar de andere kant. Ik had het koud en kroop tegen mijn zus aan. Haar lichaam was vertrouwd. We hadden altijd samen geslapen. Ik herinnerde me een andere keer, toen we klein waren en lekker dicht tegen Nenek aan waren gekropen. Voorzichtig raakte ik mijn hoofd aan. De pijn was bijna weg.

Ik mocht Anna niet. Ze had iets wat ik niet prettig vond. Opeens was ik bang voor Zeenat.

Anis

Ik bedreef voor het eerst de liefde met Zeenat in een droom, toen ik haar in de schemering slapend aantrof onder een mangoboom. En ik deed het zonder haar toestemming. Ik liet me op haar vallen en ging haar binnen. In haar slaap kromde ze haar lichaam om me te ontvangen. Een zwerm eenden die van de rijstvelden terugkeerde naar het dorp vloog over, de wind van hun wiekende vleugels voelbaar op onze naakte lichamen. Toen ik met een siddering een climax bereikte, werd Zeenat wakker. Ze drukte de binnenkant van haar polsen tegen mijn hele lichaam, zonder een plekje over te slaan. Vol van genot sloot ik mijn ogen.

'Zie je nou wel? Je bent helemaal niet zoals je vader. Je bent geen homo,' zei ze, en ik opende mijn ogen, plotseling klaarwakker. Ik kon zien dat Zeenat anders was, ik zag het in haar ogen. Op de een of andere manier was ze niet langer een onbeschreven blad. Iemand had haar bezoedeld. Het was me niet gelukt haar te beschermen. Ze kwam nooit meer langs, zelfs niet op zondag. Zelfs niet om naar de pimpelmeesjes te kijken.

Juli 2000

Ricky

Ik legde de telefoon zachtjes neer, maar ik was woedend. Was dit nou zomer, deze echt afschuwelijke, lelijke, ongewassen vuilgrijze dag? Ik wilde iets kapotmaken, zo groot was de frustratie die in mijn hersenpan klopte. De jakhalzen van de belastingdienst hadden becijferd dat ik ze ongeveer een kwart miljoen pond aan achterstallige belasting, rente en boetes schuldig was.

'Dat kunnen die zakkenwassers toch niet maken!' tierde ik door de telefoon tegen Fass.

Fass dacht dat hij het terug kon brengen tot rond de 190.000 pond, maar ik moest niet al te veel hoop koesteren, want ze hadden te veel belastend bewijsmateriaal. Gelukkig zei hij niet 'ik heb je gewaarschuwd', maar dat hoefde ook niet.

Ik slikte mijn achtste aspirine van die ochtend.

Godvergeten eikels.

Ik zou drie of misschien zelfs vier van mijn restaurants moeten verkopen om ze te kunnen betalen. De vuilakken. De restaurants waren mijn bloed, zweet en tranen. Ze knepen me uit, en waarom nou helemaal? Om van mijn centen een waardeloze, lijmsnuivende, stelende Albanees te onderhouden terwijl die kerel geheel verzorgd op een vluchtelingenstatus zit te wachten. Of een zielige alleenstaande tienermoeder die te lui is om van haar gat te komen en een baan te zoeken. De morbide behoefte om de mensen die werken te straffen en degenen die niks doen in de watten te leggen is de ware reden dat dit mooie land naar de kloten gaat.

Ik voelde de woede kolken in mijn maag totdat ik zag dat een spin vlak buiten mijn raam een werkelijk enorm web had gemaakt. En opeens voelde ik weer iets van blijdschap. De droom is veilig. Er kan niets misgaan.

Nutan

Ik gaf de postbode een koekje en een kop koffie toen hij bovenkwam met een brief van Nenek. Hij was altijd even aardig en opgewekt. Hij vroeg naar Zeenat, en ik vertelde hem dat ze logeerde bij een vriendin. Dat deed ze steeds vaker, logeren bij Anna.

Toen hij weg was, ging ik op het bed zitten om Neneks brief
te lezen. Ik las de raadselachtige woorden twee keer en was nog
steeds niets wijzer. Ze schreef dat ik me geen zorgen hoefde te
maken over de mysterieuze hoofdpijn waar ik last van had gehad toen Zeenat en ik ruzie hadden. Ze zei dat alle vrouwen in
onze familie eraan leden als 'de ruggengraat ontwaakte'. En ze
waarschuwde dat er niet veel tijd meer was en dat ik goed voor
mijn zus moest zorgen.

Was het haar manier om afscheid te nemen? Was ze ziek?
Ging ze dood? Ik schreef meteen terug om te vragen wat ze be-
doelde met het ontwaken van de ruggengraat en het dringen van
de tijd. In mijn pauze deed ik de brief op de bus. Zeenat wilde
niet mee. Ze zei dat ze moe was. Dat bleek ook wel, want ze
schoof een stoel voor de planken met serviesgoed, legde haar armen gekruist op de derde plank en viel met haar voorhoofd op
haar handen als een blok in slaap.

Francesca

De telefoon ging en ik wist dat het Ricky was. Ik rende de trap
af, maar bleef op de overloop staan. Mijn vader had opgeno-
men, en hij zei met een stem die ik nooit eerder had gehoord: 'Bel
ons nooit meer.' Heel zacht legde hij de hoorn op de haak. O,
wat had ik hem graag willen spreken! Ik liep de trap af en bleef
in de deuropening staan. 'Wie was het?'

Mijn vader keek me uitdrukkingsloos aan. 'Verkeerd verbonden.'

'O,' zei ik, en slofte terug naar boven.

Ik ging op mijn bed zitten. Hij had gebeld. Mensen konden
veranderen als ze iets maar graag genoeg wilden. Hij wilde ons
terug. Waarom zou hij anders bellen?

Rusteloos liep ik in mijn kamer op en neer. Niets was nog belangrijk zonder hem. Inmiddels had ik er spijt van dat ik naar
mijn ouders was gegaan en hen in vertrouwen had genomen.

Had ik maar vrienden die me konden helpen. Ik had gewoon naar een hotel moeten gaan, dan zouden Ricky en ik het allang weer hebben bijgelegd. Ik was boos op mijn ouders, hoewel het natuurlijk mijn eigen schuld was, want ik had ze zelf tegen hem opgezet. Het was dom van me geweest om ze alles te vertellen. Als ik ze niet van de drugs had verteld, hadden ze hem nog wel kunnen vergeven. Hij was de vader van de kinderen. Maar er was geen terug.

En dan mijn onpraktische plan om naar Sicilië te gaan en olijfolie te maken. Het was een belachelijk idee, het zou nooit iets worden. Ik kon het net zogoed meteen laten varen, dan bespaarde ik mezelf de schaamte van een mislukking. Ik had geen flauw idee hoe je een bedrijf opzet, laat staan dat ik wist hoe je olijfolie maakt en aan de man brengt.

Het enige wat ik kon was winkelen. Ik kon zelfs niet voor mijn eigen kinderen zorgen. Het hele gedoe was krankzinnig. Hij was mijn man, ik had hem nodig. De kinderen hadden hem nodig. Ik had nooit iemand anders gekend of bemind. Ik kon niet eens op eigen benen staan. Ik was als een vis op het droge.

Ik moest het goedmaken. Ik zou hem bellen. In het donker bleef ik in mijn kamer zitten wachten totdat ik mijn ouders boven hoorde komen. Een uur later stond ik voor hun slaapkamerdeur en hoorde ik mijn vader snurken.

Op mijn tenen sloop ik naar beneden en drukte op het knopje van de telefoon waarmee ik de laatste beller kon zien. Mijn hart sloeg over toen ik het nummer van het restaurant zag. Hij hield wél van me. Hij wilde ons wél. Ik haalde diep adem en belde het restaurant. De manager nam op, maar voordat ik iets had gezegd, hoorde ik Ricky op de achtergrond. Hij lachte, luid en joviaal. En toen wist ik dat hij nergens last van had. Het kon hem niet schelen.

Ik legde de telefoon neer en ging terug naar boven. Lieve-Heer, geef me mijn oude leven terug.

Nutan

Het was koud buiten en de straten waren verlaten. Het was tussen vier en zes uur 's ochtends – het moment van de nacht dat de coke op is en de slaap niet wil komen. Het moment dat je hunkert naar meer, ook al weet je dat meer je niet nog een keer high kan maken. Je bent verzadigd, en het enige wat je nog kunt doen, is zoeken naar slaap.

Ik nam aan dat onze kamer leeg zou zijn. Zeenat was er bijna nooit meer. Meestal sliep ze bij Anna. De ogen van dat meisje gloeiden op een manier die me nerveus maakte. Sinds de dag dat we ruzie hadden gehad, besefte ik dat Zeenat afstand nam. Zelfs als ze naast me lag te slapen, voelde ik haar wegglijden. Ze verborg een geheim, en ik was bang voor het vreselijke dat zelfs mij niet verteld kon worden.

Steeds duidelijker voelde ik dat we terug moesten naar Bali. Het drong tot me door dat Zeenat gelijk had. Ik was besmet door de koude, vreemde lucht van dit land. Het was niet goed voor ons. Engeland had ons tegen elkaar opgezet. Het was mijn schuld. Ik was een beetje gek geweest, maar nu was ik weer mezelf. Ik wilde terug. We hadden onze fantastische vakantie gehad en nu konden we naar huis.

Toen ik bovenkwam zag ik dat er licht brandde, en dat maakte me blij. Zeenat was er, en ze was nog wakker. We konden praten. Wat zou ze opgelucht zijn als ze hoorde dat ik ook terug wilde. Ik deed de deur open.

Ze was er.

Met een spuit in haar hand.

Ze draaide zich naar me om. Dus dit was het vreselijke geheim. Voor het eerst zag ik de kleine pupillen in haar gloeiende ogen. Ik wist waar ik die gloed eerder had gezien. Anna. Ogen zo sluw als die van een vos. Ik herkende haar te laat. Ze was Kuni, de gebochelde bediende uit mijn vaders wajangspel die achter mijn zusters schouder stond te fluisteren en te smiespelen en tweedracht zaaide. Van achter de schermen had ze Zeenat bij me vandaan gelokt.

Allerlei gedachten schoten door mijn hoofd, zo snel dat het me duizelde. Mijn stomme verbazing ergerde haar, ik zag het aan haar gezicht. Het kon haar niet schelen dat ik het wist. Dat vond ik nóg schokkender.

'Wat doe je?' fluisterde ik haast onverstaanbaar.

'Wat denk je?' Ze zag dat ik wilde protesteren en stak een hand op. 'Probeer me niet tegen te houden. Het is een deel van mijn leven geworden.'

Ze had nergens spijt van, voelde geen schaamte. Integendeel, ze was triomfantelijk. Ongelovig schudde ik mijn hoofd. Maar er was meer. Langzaam stak ze haar hand uit, haar bewegingen zo gracieus als die van een danseres, om mij de spuit aan te bieden. 'Het is niet wat ze zeggen. Het is prachtig, een heel bijzondere smaak, een beetje zoals... zoals bloed,' zei ze, en haar ogen glinsterden. *Doe alsof je mij bent. Doe wat ik doe.*

Sprakeloos staarde ik haar aan. 'O, Zeenat, wat heb je gedaan?'

Ze zag er helemaal niet uit als een junkie, ze leek zelfs enorm sterk. Voor het eerst van ons leven had zíj de nieuwe ervaring ontdekt. Nu wilde zíj de leiding en mij de weg wijzen. Dit keer moest ik doen alsof ik haar was. Doen wat zij deed.

Droom ik jou of droom jij mij? Het was een dichtregel die me heel diep had geraakt, en waarvan ik pas op dat moment de betekenis begreep.

Ik keek naar mijn zus en de tijd stond stil. Als ik haar alleen nog kon bereiken door te ervaren wat die naald met je deed... als dat de enige manier was om haar te laten zien hoever ze was afgedwaald... Ja, ik was bereid mezelf op te offeren om haar te laten zien dat ik van haar hield.

Ik deed een stap naar haar toe, en... stak mijn hand uit naar de spuit. Ik dacht dat ze ontzet zou zijn, dat ze me zou smeken het niet te doen, maar in plaats daarvan zei ze sussend: 'Het is niet eng. Ik doe het wel voor je. Je legt de naald tegen je huid en dan duw je ertegen. Dat is alles. Het is prachtig. Je zult zelf ervaren hoe mooi het is.'

Het was bizar. Zeenat had mijn gezicht, maar ze liet me niet langer haar gedachten lezen. Met snelle, geoefende bewegingen bond ze een rubber slang rond mijn bovenarm, en toen zocht ze in de holte van mijn elleboog een ader. Als verdoofd keek ik toe, keek ik naar de groene ader die zich vol vertrouwen blootgaf. Zonder me aan te kijken stak ze de naald erin. Het deed pijn! Bloed stroomde in de spuit. 'Zo hoort het,' zei ze. Ik deed mijn ogen dicht, uit ongeloof over wat we deden.

In een flits zag ik ons zitten, verslagen en in elkaar gezakt op het bed in een smerige, armoedige kamer, met het kille licht van een straatlantaarn dat door de dichte gordijnen scheen. Het was een afschuwelijk beeld. Stel je voor dat Nenek ons zou kunnen zien. *Het is niet eng. Ik doe het wel voor je.*

Mijn maag protesteerde en ik boog me opzij om over te geven op de grond. En toen viel ik, niet in een zwarte en onbekende kloof van verloedering en verschrikkingen, maar op een zachte, warme wolk. Ik werd erdoor omhuld. Berustend legde ik mijn hoofd in Zeenats schoot. Ze had gelijk. Wij, die uit dezelfde baarmoeder en hetzelfde zaad waren voortgekomen, moesten bij elkaar blijven. Het was beter dan alle dingen die ik had geprobeerd, en het had inderdaad een heel bijzondere smaak. Morgen was een droom. Ik was blij met wat ze had gedaan.

'Je hebt gelijk,' mompelde ik. 'Het is prachtig.'

Bruce

Het was een warme avond en alle jonge meisjes waren op stap, kittig en koket met hun hoge hakken en schattige korte rokjes. Ze stonden tegelijk met ons in de rij voor de Blue Swallow. De uitsmijters bekeken ons. Ze wilden schoonheden in hun club, dus lieten ze Elizabeth graag binnen, maar Ricky niet.

'Geen spijkerbroeken,' blaften ze kortaf.

'Laten we ergens anders naartoe gaan,' stelde Elizabeth voor.

'Veel te veel gedoe,' zei Ricky, en hij draaide zich om en slenterde weg. 'Ik zie jullie straks binnen wel.'

'Hij zal wel een nette broek gaan halen in het restaurant,' raadde Elizabeth.

We hadden net aan de bar onze drankjes besteld toen ik Ricky aan zag komen.

'Hé!' riep hij, nog steeds in zijn spijkerbroek.

'Hoe ben je binnengekomen?'

'Ik ben naar de club hiernaast gegaan en heb de jongen die de plees schoonmaakt twintig pond gegeven. Hij heeft me hier via de achterdeur naar binnen gesmokkeld.'

We lachten.

'Nu eerst scoren,' zei hij, en hij keek om zich heen op zoek naar dealers. Ik gaf hem honderd pond, en hij deed er zelf ook honderd bij.

Onopvallend stopte hij me het spul in de hand, en het volgende moment stevende hij kwijlend af op een oosters grietje aan de bar. Prachtig haar en een spannend pruilmondje, maar ik ga nooit meer met een Chinese meid naar bed. Kille kikkers zijn het.

'Even een spleetoog versieren!' riep Ricky boven het kabaal uit.

Ik gaf een envelopje aan Elizabeth, en we gingen allebei afzonderlijk naar de toiletten. Toen ik terugkwam, zag ik een spetter met rood haar in een bikinitopje met lovertjes. Ik staarde uiteraard, en toen ik me omdraaide, zag ik dat Elizabeth me vreemd aankeek.

'Wat is er?' vroeg ik.

'Niks. Laten we naar de China White gaan. Daar is Maggie,' zei ze rusteloos.

Er kwam een gozer naar ons toe, en hij vroeg Elizabeth ten dans, waarbij hij mij straal negeerde. Ik werd op slag moordlustig. Het liefst had ik hem de nek omgedraaid. Ik legde mijn handen tegen zijn hoofd, niet ruw, begrijp me goed, draaide zijn verbaasde gezicht naar me toe en glimlachte. De glimlach van een tijger. Geschrokken trok hij zijn hoofd los, mompelde iets en maakte dat hij wegkwam. Het was een jonge knul, dronken. Ik keek hem na toen hij tussen de menigte verdween en voelde me hol vanbinnen. Ze was niet van mij. Ik had een onbeduidende schermutseling gewonnen, terwijl ik niet eens het recht had om me op het slagveld te begeven.

Elizabeth keek me strak aan. 'Wat ben je toch subtiel.'

'Zullen we gaan?' vroeg ik kribbig. Ik voelde me klote.

Ze knikte. 'Laten we Ricky en dat Chinese meisje halen.'

Buiten keken de uitsmijters woedend naar Ricky.

'Hocus-pocus,' zei hij, en knipoogde pesterig naar ze toen we in een van de wachtende taxi's voor de deur stapten.

'Mensen zijn een plaag,' verklaarde Ricky opeens zonder enige aanleiding.

Ik zat voorin en draaide me naar hem om. Ik zag zijn gezicht en vreesde het ergste.

'Nee, ik meen het. We zijn net grote ratten. Ik heb eens een programma gezien over een prachtig paradijselijk eiland dat ratten bijna volledig hebben verwoest. Die smerige beesten hebben alles opgevreten, de dieren, de planten, de vogels, de bloemen en de bomen. De hele klotezooi. En als zelfs de boomwortels weg zijn, vreten ze elkaar op, net als wij. Ratten hebben een eiland opgevreten, wij eten een hele planeet. Denk er maar eens over na. Ratten zijn we. Niets geven we aan enig ander schepsel op deze aarde. We maken geen honing, onze melk is alleen voor ons eigen nageslacht, en we vinden ons eigen vlees te kostbaar om het op te laten eten. We kunnen geen nestjes maken met ons eigen speeksel. Zelfs als we dood zijn laten we onze huid niet als leer gebruiken. We kunnen maar twee dingen: schijten en neuken.'

'Dus volgens jou neuken ratten vaak?' vroeg het Chinese ding.

'Vaak? Ze doen niet anders, Bella.' Ricky lachte, veel te hard, en zijn hand schoof over haar dij naar haar kruis.

De chauffeur keek in zijn spiegeltje naar Elizabeth. Toen ik me omdraaide, zag ik dat ze verveeld en ongelukkig naar buiten staarde, dat ze zich het liefst weg zou laten stralen. Het versterkte mijn eigen rotgevoel. De volgende keer dat het Chinese wicht haar valse lachje lachte, zag ze er in mijn ogen uit als een geel kussensloop vol kikkers.

Ricky

Op een ochtend kreeg ik spontaan een vreselijke bloedneus, maar ik ging niet naar de dokter. Ik wist al wat de diagnose zou zijn. Stop maar een tijdje met de drugs. Laat het tussenschot helen. Hou op met snuiven.

Alsof dat zomaar gaat. Ik ging naar de keuken en maakte een dosis freebase.

Als je het nog nooit hebt geprobeerd, moet je het echt eens doen. Dat spul is echt zó goed, maar zoals alle goede dingen kost het een vermogen. Ha, ha, een restaurant om precies te zijn. Ik ben verslaafd geraakt aan rotzooi die me een paar duizend pond per week kost.

'Verkoop een restaurant,' adviseerde iemand me. 'Daar kun je een hele tijd op teren.'

'Ik weet er alles van. Ik heb er al vier verkocht om die smeerlappen van de belastingdienst zoet te houden. Heb ik er wel zes nodig? Hé, zo gewonnen, zo geronnen.'

Als mijn neus weer een beetje is geheeld, hoef ik niet meer zoveel geld uit te geven. Bovendien ben ik sowieso van plan om binnenkort te stoppen. Ik wil mijn shit weer op orde krijgen. En snel ook.

Nutan

We hadden voor een Tesco met Anna afgesproken. Ze zag er heel slecht uit, en nog magerder dan toen ze in het eethuis werkte. Naast haar stonden twee plastic tassen met whiskyflessen. Haar ogen fascineerden me. Ze waren onwerkelijk, met een groene gloed en kleine zwarte stipjes in het midden. Of we geld hadden, wilde ze weten.

We knikten. 'Kom, dan gaan we,' zei ze, en ze liep naar een telefooncel.

'Heb je spul voor me?' vroeg ze in de hoorn. 'Doe er maar vijf. Twintig minuten. De vaste plek. Tot zo.'

Ze snoof en veegde met haar mouw haar neus af. We hielpen haar met het dragen van de tassen en liepen naar een steeg aan de achterkant van een rijtje winkels. Bij de achterdeur van een slijterij hield ze haar gezicht voor een rooster en riep de eigenaar. Een man van middelbare leeftijd kwam naar de deur.

'Alles oké?' vroeg ze.

Hij knikte zwijgend en ging een sleutel halen. 'Alleen jij,' droeg hij haar op.

'Ik ben zo terug.' Met de tassen verdween ze naar binnen, en wij bleven voor de deur staan wachten.

'Hoeveel flessen?' vroeg hij.

'Acht.'

Hij haalde de flessen uit de tassen en controleerde snel of alle zegels nog heel waren. Toen viste hij een briefje van twintig uit zijn zak. Ze kwam weer naar buiten, en hij deed de deur achter haar dicht en op slot.

'Weet hij dat ze gestolen zijn?'

'Natuurlijk weet hij dat. Iedereen hier is bereid om gestolen spullen van je te kopen. Ze zijn best aardig, ze proberen je nooit af te zetten als ze aan je kunnen zien dat je echt ziek en wanhopig bent. Verkopen in een pub is pas erg. Daar zetten ze je af als ze merken dat je radeloos bent, omdat ze weten dat je uiteindelijk met alles akkoord gaat.'

Wat had ik die dag een medelijden met haar. Ze had niets, geen kinderen, geen familie. Ze was een dievegge. Er werd misbruik van haar gemaakt door meedogenloze vreemden die haar alleen zagen als een zielige junk. Wij zouden nooit zo worden, wij zouden op tijd stoppen. Het was bijna een week geleden dat ik mijn eerste shot had gehad, en ik had nergens last van. We moesten het gewoon niet te vaak doen, dan konden we er ook niet lichamelijk afhankelijk van worden. Het ging goed met de coke, dus zou het ook goed gaan met Bobby Brown – Bobby of Brown of Bobby Brown, slang voor heroïne.

We gaven Anna twintig pond. Een zakje kostte tien pond, maar je kreeg er vijf voor vijfendertig. Een bushalte was de ontmoetingsplaats. De dealer was te laat, en ze begon in paniek te raken. Met een mengeling van fascinatie en walging sloeg ik haar gade. Ze had een loopneus en veegde met de rug van haar hand het snot weg.

'Stomme klootzak! Ze zijn allemaal hetzelfde. Je zegt tegen ze dat je doodziek bent, en dan laten ze je een uur wachten, terwijl ze alleen maar een trap af hoeven te lopen. Machtswellustelingen zijn het, met hun *powder power.*'

De power die een dealer heeft over zijn verslaafde klanten.

Ze vertelde ons dat ze sinds een tijdje seks had met een man van zestig, die bijna al haar heroïne betaalde. Haar vriend, een jongen met dreadlocks die Rizla heette, vond het best zolang hij maar een deel van het spul kreeg.

De dealer kwam. Anna was inmiddels zo ziek dat ze trilde. Ze woonde vlakbij, in een kraakpand, en we moesten rennen om haar bij te houden. De deur van het huis was dichtgetimmerd en we klommen door een raam naar binnen.

In de huiskamer zaten vijf junks op de grond rond een gaskachel. Je had die kamer moeten zien, het was werkelijk met geen pen te beschrijven. Er hing een misselijkmakende zure lucht. De vloer lag bezaaid met naalden, crackpijpjes, stukjes aluminiumfolie en lepels, en in de hoeken lagen stapels pizzadozen, vieze kleren en andere rotzooi. Op een bank met smerige vlekken en kapotte bekleding hing een comateuze figuur. Tegen een van de muren lag een onvoorstelbaar vieze matras met een gekreukelde bruine deken erop. Al het andere, werd ons verteld, was verkocht of gestolen.

In de keukenkastjes lagen meer vuile naalden, stukken folie en zwartgeblakerde lepels. Alles in dat huis was even weerzinwekkend en smerig, en toch vond ik het ook fascinerend. Ik keek er rond alsof ik een toerist was.

Die dag is de enige keer geweest dat ik de mensen in dat huis zag zoals ze waren, ziekelijk bleek en mager, met glazige ogen. Later zag ik dat niet meer. Als je zelf net zo bent, valt het niet meer op. Niet in hun ogen en niet in die van jou.

Het feit dat die mensen leefden te midden van zoveel onbeschrijfelijke viezigheid had me moeten waarschuwen, maar dat was niet zo. Spul dat menselijke wezens berooft van iedere vorm van waardigheid kan niet anders dan levensgevaarlijk zijn. Ik had mijn zus bij de hand moeten nemen en weg moeten gaan. Ik had niet moeten blijven, maar ik was jong en nieuwsgierig, en ik zag het als een spannend avontuur. Wat kon deze absolute gehoorzaamheid afdwingen? Nu weet ik het. Nu wel.

Toen wisten we niet waar we aan begonnen. We zagen het als iets sociaals. Je nam het in een groepje. Als je het niet nam, hoorde je er niet bij. Die nacht bleven we in dat kraakpand slapen.

Je neemt een lepel en daar leg je de heroïne op. Je doet er citroenzuur bij, vitamine C-poeder, citroensap of azijn. Als je citroenzuur of vitamine C gebruikt, moet je er een beetje water bij doen. Je houdt een aansteker onder de lepel totdat de vloeistof borrelt. Dan doe je er een klein stukje van het filter van een sigaret of een plukje watten in om de vloeistof te filteren. Doe je dat niet, dan heb je vuil spul, en daar kun je ongelofelijk ziek van worden. Let altijd goed op luchtbelletjes. Die wil je niet in je arm. Ga op zoek naar een ader. Spuit nooit in je huid. Het doet pijn, en er ontstaat een bobbel, een abces dat brandt en steekt. Spuit altijd alleen maar in een ader.

Het was weerzinwekkend om het te doen. En toch deden we het. Je vraagt je misschien af waarom we het niet rookten. Niet iedereen kan roken. Mijn zus kon het niet. Ze ging ervan braken. Zo erg dat ze uiteindelijk bloed kotste.

Anis

Het was laat. Ik was dronken en probeerde mijn huissleutel in het slot te steken toen ik haar mijn naam hoorde noemen. Ik draaide me te snel om, waardoor ik bijna mijn evenwicht verloor. Ik zakte op een knie, en zag Zeenat in het licht van de straatlantaarn. Ze stond onder aan het trapje. Mijn hersenen wilden niet functioneren. Ik knipperde met mijn ogen.

'Wat...' begon ik, en zij zei: 'Ssst...' Ze legde haar vinger tegen haar lippen. Aha, geheimen.

Glimlachend kwam ze de trap op. Ze pakte de sleutels uit mijn hand, maakte de deur open en bleef op me staan wachten. Ik strompelde naar binnen en bleef naar haar staan kijken terwijl ze de deur dichtdeed. Toen ze zich omdraaide en me aankeek, schrok ik van de felle en vastberaden blik in haar ogen. Hoewel het me pijn deed om haar aan te kijken, kon ik mijn blik niet van haar losmaken. Ze was anders. Anders dan alle anderen. Zij was de enige die wilde nemen, niet had geleerd te geven. Ik zag het aan de schittering in haar ogen.

Augustus 2000

Anis

Ik had me in Zeenat vergist. Ze was niet gekomen om te nemen. Ze was gekomen om me voor te stellen aan een vriendin van haar, iemand die ik alleen van naam kende en tot dan toe op een afstand had weten te houden. Ze heeft veel van mijn vrienden tot diep in de nacht gezelschap gehouden, en wilde zelfs in het kille ochtendlicht niet weg. Als ik heel erg dronken was op feestjes, fluisterde ze soms: 'Kom, geef me je hand.' Haar stem was heel zoet, en uit de verte deed ze me aan de Ophelia van Millais denken, een bleek en prachtig lichaam in het water. Prachtig als ze slaapt, maar als ze wakker is? Ik had geen idee hoe ze zou zijn.

Nu weet ik het wel.

'Het is heel anders dan ze zeggen. Het is niet eng. Ik doe het wel voor je. Je houdt de punt van de naald tegen je huid en dan duw je ertegen. Ziezo, klaar,' zei Zeenat.

Zei Krishna op het slagveld niet tegen Arjuna: 'Als iemand mij met gevoel een blad, een bloem, een vrucht of water aanbiedt, dan zal ik dit offer van liefde aannemen.'

Dat deed ik.

Daarmee werd de schone slaapster gewekt, maar ik had haar zo lang links laten liggen dat ze wraak nam. Onmiddellijk zette ze haar lange scherpe nagels diep in mijn vlees. Wat was ze sterk! Ik voelde dat ze me nooit meer los zou laten. Je hebt geen idee hoe vasthoudend ze is. Ze deinst nergens voor terug, ze martelt mijn lichaam met pijn en krampen, met projectielbraken, en als ik het waag om bij haar weg te gaan, houdt ze me maandenlang wakker met stuiptrekkingen.

Maar om je eerlijk de waarheid te zeggen, haar hardvochtige ogen en valse glimlach doen me niet zoveel, want als ik mijn ogen dichtdoe, is haar adem onvoorstelbaar geurig en zoet. Haar zoete vloeistof is als manna uit de hemel in mijn bloed. Ei-

226

genlijk zou ik mijn ogen open moeten doen. Misschien was het dom van me dat ik ze ooit heb dichtgedaan.

Elizabeth

Ik kwam Ricky's bovenhuis binnen. Maggie was er, dronken, lijkbleek en met een donkere zonnebril, en ik wist meteen wat er was gebeurd. Beloften zijn goedkoop. Heb ik dat niet altijd geweten? Mannen zoals hij zijn het grote risico van haar beroep. Ze stak haar ringloze hand in de lucht en zwaaide ermee heen en weer. 'De vuile krent wilde hem terug. Ik had naar die gemene hoer moeten luisteren en het stomme ding moeten verkopen. Nu is het te laat. Maar nooit te laat om een feestje te bouwen!' Ze klonk vrolijk, maar ik kende haar te goed. Haar hart was gebroken.

Later gingen we naar haar huis. Ze voerde de katten, en de mieren, plofte toen op haar haveloze bank en trok de zonnebril van haar neus. De rotzak had haar een blauw oog geslagen.

'Ik vind het zo naar voor je, Maggie,' zei ik, en ze barstte in tranen uit. En ik kon echt helemaal niets voor haar doen.

'Ik ben zo stom geweest,' snikte ze. 'Hij wilde alleen mijn pooier zijn. Hij wilde me alleen gebruiken.'

Bruce

Ik was er beroerd aan toe, ik was high, en dacht dat het allemaal leugens waren. Er raasde een storm in mijn hoofd toen ik aanbelde bij haar chique appartement in Mayfair. In de spiegelende deur zag ik mezelf, en ik schrok ervan. Was ik echt al zo dik? Ze deed de deur open en keek me aan, haar armen over elkaar geslagen, de uitdrukking op haar gezicht ijzig, haar ene wenkbrauw opgetrokken.

'Ik ben je op een nacht naar huis gevolgd,' zei ik bij wijze van uitleg. Het was de enige manier geweest om erachter te komen waar ze woonde. Ze gaf niemand ooit haar adres, wilde niet dat ik, of iemand anders, langskwam in het liefdesnestje dat ze deelde met de Arabier.

Met afkeer keek ze me aan. 'Wat kom je doen?'

'Jezus, je kunt me toch binnen vragen? Waar zit dat hart van jou?'

'In de koelkast,' antwoordde ze. Ze liet de deur openstaan toen ze zich omdraaide en naar binnen liep.

Die vrouw was zo koud en berekenend dat het bijna bewonderenswaardig was. Ik deed de deur dicht, en even had ik het onwerkelijke gevoel dat ik over de Egyptische afdeling in Harrods liep. Dat appartement was een soort schatkamer van Ali Baba, ik kan er echt geen beter woord voor bedenken. Toch zag ik tussen al die ordinaire kitsch nergens een blijk van zijn aanwezigheid – geen doos sigaren op de salontafel, geen witte hoofdtooi aan een haakje, nergens een waterpijp, zelfs geen kleintje.

Ik liep achter haar aan naar de keuken. Ze deed de koelkast open en pakte een fles wijn. Achter haar hing een schilderij van een man en een zwevende vrouw, en ik wist meteen dat alleen dát van haar was. De rest was van hem. Dit had zij gekozen, en ze had het in de keuken gehangen, uit het zicht.

'Hou je van Chagall?' vroeg ze.

'Nooit van gehoord.' Maar ik vond het wel een mooi schilderij. Het had een uitstraling van onbereikbaarheid – net als zij.

'Ik vind hem de grootste Russische schilder aller tijden. Hij schilderde als een ten dode opgeschreven kind. Alsof hij in wonderen geloofde.' Ze schonk de strokleurige vloeistof in een glas en bracht het naar haar lippen. Oké, geen wijn voor mij. Soms ergerde ik me wild aan haar opzettelijke onbeschoftheid.

'Witte wijn, de ultieme beschaving. Die twee woorden roepen beelden op van elegantie en luxe, vind je niet?' Over de rand van haar glas heen keek ze me aan.

Niet-begrijpend staarde ik terug.

'Je weet toch dat ik nooit met je zal slapen?'

Dat vond ik niet erg. Slapen was echt niet wat ik in gedachten had. 'Ik vraag me af,' zei ik peinzend, 'of God wist wat een wrede vlinder je zou worden toen hij je vleugels zo prachtig schilderde.'

Uit mijn zak haalde ik een rechthoekig fluwelen doosje. Er zat een armband van zwarte parels in. Ik had hem niet gekocht. Paddy had hem 'gevonden' en bedacht dat de armband bij haar choker paste. Ik legde het doosje op tafel en schoof het naar haar toe. Ze keek er wel naar, maar stak haar hand niet uit. Ik wilde zeggen dat het geen kwaad kon, dat het een cadeau van Paddy was, maar op dat moment herkende ik de muziek die opstond en wilde ik proberen om indruk op haar te maken. 'Vivaldi's *Vier jaargetijden*, "Winter",' zei ik.

'"Herfst",' corrigeerde ze me kortaf. Ze kwam tegenover me staan, leunde met haar heup tegen de tafelrand en sloeg haar armen over elkaar. Uitdrukkingsloos keek ze me aan. 'Ik wil graag weten of we elkaar begrijpen. Je kunt me niet kopen.'

'Waarom niet? De Arabier koopt je toch ook?'

Ze lachte spottend, minachtend. 'Daar kun je niet aan tippen, lieve schat, met je drie lullige kapsalons.'

Zelfs als ze me zo gemeen uitlachte, verlangde ik nog steeds naar haar. Het maakte me nijdig. 'Weet je waar jij me aan doet denken? Aan een vleermuis. Een vleermuis die ondersteboven hangt, zodat de hersenen alles omkeren.'

Koel keek ze me aan. 'Ik zal je maar niet vertellen waar jij mij aan doet denken.'

Ik liep naar de koelkast. 'Als jij die ultieme beschaving voor jezelf houdt, pak ik zelf wel een glas,' zei ik, en deed de koelkast open. De inhoud maakte haar opnieuw tot een vreemde. Verse dadels, blauwe kaas, een bakje kruisbessen, komkommersoep en allerlei exotische etenswaren van Harrods en delicatessenzaken. Waar waren de cheddar, de bacon en de eieren? Mijn blik viel op een klein rond potje. Natuurlijk, kaviaar voor de prinses. Ik vond dat spul niet lekker, maar ik wilde haar ergeren en maakte het potje open.

'Tweede la links,' zei ze.

Hoorde ik ergernis in haar stem? In de la lag in een apart vakje een elegant lepeltje van parelmoer. Daarmee nam ik een hap van haar kaviaar.

'Lekker?' vroeg ze op sarcastische toon.

Ik weet niet wat ik daarvoor had geproefd, maar dat spul van haar was werkelijk verrukkelijk. Glibberige zoutige explosies van smaak op mijn tong. Ik nam nog een hapje. Ik had ooit eens een gesprek over kaviaar opgevangen en het woord 'malassol' onthouden. Het is Russisch, en betekent 'weinig zout', en je gebruikt het voor zeer hoogwaardige kuit die maar weinig zout nodig heeft.

'*Malassol... Beluga,*' liet ik achteloos vallen.

'Heel goed voor een jongen uit East End.'

'Dat is nou precies het probleem met generalisaties. Het is net zoiets als zeggen dat alle Engelsen hun sokken aanhouden in bed, of dat alle Ierse meisjes die het zich kunnen veroorloven om in Mayfair te wonen prostituees zijn.'

Ze zuchtte vermoeid. 'Weet je zeker dat je niet liever ergens anders wilt zijn?'

'Heel zeker. Ik ben zo gelukkig als een hond met zeven staarten,' zei ik grijnzend. Ik weet niet wat het was, maar ik kon gewoon niet ophouden. 'Dus dit is jullie liefdesnestje als de Arabier in de stad is?'

'Nee, je vergist je,' zei ze met een geamuseerd glimlachje. 'De mollah heeft suites in de Ritz. Het is te veel gedoe met vier lijfwachten, begeleiders, en een bediende die voor hem uit loopt om de lucht die hij zal inademen te parfumeren.'

Ik kon het niet helpen, mijn gezicht verried wat ik dacht.

Het maakte haar nog gemener. 'Ik ga naar hem toe, een verboden genot, als een zwarte truffel, zo sterk van geur dat een klein wolkje al genoeg is, meestal als de schoenmaker is geweest om zijn maten op te nemen,' legde ze uit, haar grijze ogen kwaadaardig glinsterend.

'O.' Ik staarde naar haar in haar verre wereld. Haar cynische aanvaarding van een weerzinwekkende situatie. Opeens maakte de kaviaar me misselijk. Hoe kon zo'n intelligente vrouw er genoegen mee nemen om het speeltje te zijn van een religieuze hypocriet? Tenzij ze zelf natuurlijk volkomen oppervlakkig was, een soort monogame hoer. Een verpleegster die geveinsde hartstocht toedient aan een walgelijk varken.

Ze viel me tegen.

Misschien had ik me de ontmoetingen opwindender voorgesteld, roekelozer. Niet deze steriele vorm van misbruik: 'Kom maar langs als de schoenmaker is geweest.' Waarom verlangde ik nog steeds naar een kussen dat 's ochtends naar deze vreemde vrouw rook? Ze had me ooit een keer verteld dat Aspasia haar heldin was, de beroemdste Griekse hetaere; dat woord, legde ze uit, betekende minnares, en dat vertaalde ik uiteraard naar hoer. Ik begon een hekel te krijgen aan haar, aan hem en aan mezelf.

De telefoon ging.

Ik zag dat ze schrok, en ze keek gejaagd naar de display om het nummer te zien. 'International', stond er. Smekend keek ze me aan en legde haar wijsvinger tegen haar lippen. Ze draaide zich half van me om, nam op en veranderde op slag. Ik wist niet wat ik hoorde; ze sprak vloeiend Arabisch.

'Het komt door de hongersnood,' had ze een keer tegen me gezegd. 'Daardoor hebben wij Ieren geleerd ons snel aan te passen, anders gaan we dood.'

Wie was het schepsel op wie ik zo onbezonnen verliefd was geworden? Het deed me pijn in mijn hart om de harde keelklanken te horen uit haar mooie mond. Ik zag haar voor me in die jurk met de blote rug, de zwarte met dat sleepje. In gedachten zag ik een gemanicuurde, vlezige hand die bezitterig tegen haar blote rug werd gelegd, als om haar te brandmerken, en haar bij me weg te voeren. Ik wist dat ze het alleen deed voor het geld, maar dat hielp niet. Brandend van jaloezie stond ik naar haar te kijken. Ze had zijn taal geleerd.

Lachend, een zacht en sexy geluid, legde ze de hoorn weer op de haak. Ze keek me aan met ogen die helemaal niet lachten.

'Is het zoet, Arabisch bloed?' hoonde ik op kille toon.

Ze hoefde er niet eens over na te denken. 'Het lijkt erg op het jouwe.'

Ik gaf het op. Wat had het voor zin?

'Wil je een lijntje?' zei ik.

'Wil je een wijntje?' echode zij.

Ik knikte en zette de kaviaar terug in de koelkast. Triest, maar het was een verloren zaak. Ze blies langs me heen als een koude windvlaag, en mijn nog steeds verlangende hart stond op de tocht.

Nutan

Soms is Anna er niet als we langskomen, omdat ze geld verdient in iemands bed. Wij zitten dan voor de kachel op haar te wachten. Als ze terugkomt, haalt ze alle drugs uit haar zakken en huilt ze omdat ze walgt van zichzelf. En dan zet ze, nog steeds huilend, een spuit in haar arm. Soms voelt ze zich zo smerig dat ze in bad gaat. De drugs zijn zo sterk dat ze wel eens in slaap valt terwijl ze zichzelf boent. Op een dag verdrinkt ze nog.

Op een avond ademde ze niet meer. Jezus, ze bewoog helemaal niet meer. Het was doodeng. Gelukkig was er een jongen die op haar borst drukte en mond-op-mondbeademing deed. We hebben haar halsoverkop naar de eerstehulp gebracht, en daar spoten ze adrenaline in haar arm. Het spoelde de heroïne weg, en ze kwam meteen bij. Ze had ook meteen ontwenningsverschijnselen, en was zo kwaad dat ze de verpleegster een klap gaf.

'Stom wijf! Nou is mijn kick weg. Weet je wel wat ik ervoor heb betaald? Veertig pond door de plee,' krijste ze. Ze werd echt gek. Ze had dood kunnen zijn en het kon haar niet schelen.

Bruce

Ricky zat in z'n eentje te lunchen toen ik binnenkwam. Ik ging bij hem zitten. Hij schonk me een glas rode zijn in, zette een leeg bord voor me neer en schepte het vol met polenta en konijn gestoofd in rode wijn. 'Eet, eet,' zei hij uitnodigend.

'Nog even over Elizabeth en de Arabier,' begon ik.

'Zet het uit je hoofd,' adviseerde hij me. Hij brak een stuk brood af en doopte dat in de saus op zijn bord. 'Je verdoet je tijd. Je kunt net zogoed suikerklontjes in zee gooien en wachten tot het water zoet wordt. Ga op iets anders jagen, je krijgt haar dijen echt niet uit elkaar. Ik heb het jarenlang geprobeerd voordat ik het opgaf.'

'Ik denk dat ik van haar hou.'

Ongelovig keek hij me aan. Het stuk brood bleef halverwege zijn mond in de lucht steken. 'Je denkt...' Toen gooide hij zijn hoofd in zijn nek en lachte schaterend. Het duurde een hele tijd voordat hij weer kon praten. 'Je bedoelt dat je met haar naar bed wil?'

'Nee, ik wéét dat ik van haar hou,' zei ik geërgerd.

'O, had dat dan meteen gezegd,' zei hij sarcastisch. 'Het is allemaal flauwekul, of hebzucht, het is maar hoe je het bekijkt. Je valt op de mooiste vrouw die je ooit hebt gezien. Dat kun je toch geen liefde noemen? Jezus, je kent dat mens niet eens. Stel nou dat ze er niet zo uitzag? Stel nou dat ze niet zo'n godin was?' Hij propte het brood in zijn mond en begon te kauwen. 'Wat gebeurt er dan met die liefde van jou?'

'Doe niet zo vervelend. Hoe kan ik daar nou antwoord op geven? Ze ziet eruit zoals ze eruitziet, en ik ben verliefd op haar.'

'Hoe komt het dan dat ik je nog nooit heb gezien met een meisje dat niet oogverblindend mooi was? En hoe komt het dat je nooit een vaste relatie hebt?'

Ik keek hem aan. 'Klootzak! Dat heb je haar verteld, hè?'

Hij grijnsde schaapachtig. 'Hé, ze vroeg ernaar. Wat had ik dan moeten doen? Liegen?'

'Ze vroeg ernaar?' herhaalde ik.

Hij haalde zijn schouders op. Maar ik zag dat zijn belangstelling voor Elizabeths gevoelens niet oprecht was, en ik herinnerde me iets wat Anis ooit had gezegd: de wolf zat erover in dat de schapen nat zouden worden in de regen.

'Sorry, man, ik wist niet dat je wat van haar wilde toen ik het haar vertelde,' voerde hij als verdediging aan, maar ik kon zien dat het hem geen moer kon schelen.

Hij wist wat hij had gedaan. Hij wist dat ik haar wilde vanaf de eerste keer dat ik haar had gezien. Hij wilde alleen niet dat ik haar zou krijgen. Zelfs niet voor één nachtje.

'Hou toch op met die shit, man. Doe niet zo zielig. Je had haar toch niet gekregen. Elizabeth valt op meisjes.'

'*Fuck off.*' Ik liet het eten en de wijn onaangeroerd staan en liep weg. Hij brulde nog een paar obsceniteiten en lachte schaterend toen ik de voordeur van zijn huis achter me dichtsmeet.

Nutan

Met moeite opende ik mijn ogen. Ik had een smaak van metaal in mijn mond en mijn huid jeukte. Anis had me uitgelegd dat het gif van de drugs in het lichaam oxideert, vandaar die smaak. Het was licht buiten, tijd om naar ons werk te gaan, maar ik was te moe. Ik schudde Zeenat wakker. Ik moest heel lang schudden voordat ze zich bewoog. 'We moeten naar ons werk,' zei ik.

'Ik heb opgezegd, ook voor jou,' zei ze slaapdronken.

'Wat bedoel je?'

'Ik ga poseren voor Anis, als zijn vaste model. Het verdient goed,' mompelde ze met haar ogen dicht.

Opgelucht liet ik me weer achterovervallen.

Bruce

Ik nam haar mee naar Luculus, klein, intiem en duur. Ik wilde dat het een bijzonder etentje zou worden, een nieuwe richting in-slaan. Ze bestelde oesters, gevolgd door de confit de canard. De zalvende Franse ober knikte goedkeurend en flirtte met zijn ogen toen hij de menukaart van haar aanpakte.

Ik bestelde hetzelfde.

Ze keek om zich heen naar de andere gasten. Bijna allemaal ouder dan zij, deftig, en naar het aantal dode pelsdieren in de garderobe te oordelen allemaal Europees. De wijn werd inge-schonken en we babbelden over koetjes en kalfjes. Zes oesters gleden door mijn keel, maar het gesprek ging nog steeds nergens over. Ze wachtte af. Ik kon niet precies beoordelen wat het was, maar het leek wel of ze verwachtte dat ze in een hinderlaag zou worden gelokt.

'Ricky vertelde me dat je lesbisch bent,' zei ik langs mijn neus weg.

Ze lachte en stak een klein stukje beboterd brood in haar mond. 'Het idee maakt Ricky wild. Twee stoeipoezen die elkaar een beetje likken terwijl ze wachten op het ultieme genot dat de grote god hun gaat schenken.'

'Hoe zit het dan met al die keren dat hij een naakt meisje in zijn bed lokt en jij de kamer binnengaat en de deur dichtdoet?'

'Ach, ik bied ze een lijntje aan. Die meisjes doen alles voor een lijntje. Ze zeggen alles wat hij horen wil, en hij beloont ze met meer coke. Iedereen blij.'

'Maar waarom die hele poppenkast?'

'Weet ik het. Beschikbaar en toch ongenaakbaar, zoiets. Een beetje zoals Greta Garbo. En ik schrik de mannen ermee af.'

'Waarom laat je mij dan niet in de waan?'

'Omdat ik jou niet af wil schrikken,' antwoordde ze losjes, maar haar ogen keken me doordringend aan.

Ons hoofdgerecht werd geserveerd. De eend was een beetje te zout.

'Waarom gebruik je eigenlijk zoveel make-up? Wat verberg je nog meer?' vroeg ik.

Snel keek ze me aan. Ik las het in haar ogen. Dit was de hinderlaag waar ze op had gewacht. 'Waarom doe je het?' vroeg ze zacht.

Ik legde op tafel mijn hand over de hare, en haar ogen werden groot van verbazing. 'Kijk me aan,' zei ik tegen haar. 'Kijk in mijn ogen. Wat zie je?'

Gevangen in mijn felle blik drong er een soort bewustzijn tot haar door, er begon gevoel te dagen. Abrupt wendde ze haar blik af.

'Nou, wat heb je gezien?' vroeg ik.

'Dat je wel weet hoe ik heet, maar niet wie ik ben.'

'Vertel het me dan. Wie ben je?'

'Wie ik ben? Wil je dat echt weten?' Ze zette haar wijnglas neer, en haar gezicht kreeg een merkwaardige uitdrukking. Ze pakte haar tas en haalde er een klein flesje met iets wits uit. Terwijl ze me onafgebroken bleef aankijken, deed ze wat van de lotion op haar vingers en smeerde die uit over haar gezicht. Grijs vermengde zich met roze en goudbruin, zwarte mascara liep in vegen over haar wangen. Toen pakte ze haar servet en veegde alles van haar gezicht. Met bonzend hart staarde ik haar aan. Haar gezicht leek naakt toen ze haar servet neerlegde.

Hoewel ik mijn blik geen seconde van haar had losgemaakt, voelde ik de ongelovige blikken van alle andere eters op ons gericht. Zonder haar goudbruine masker zag ze er bleek en moe uit. De huid van haar lippen was haast doorschijnend. Wat was ze weerloos. Ik voelde dat ik kippenvel kreeg en er kwam een vreemde bezitsdrang in me op.

Zonder met haar ogen te knipperen wachtte ze af. Wachtte ze op iets van mij.

'God, wat ben je mooi,' fluisterde ik.

In haar ogen las ik haat – ze haatte mij, of ze haatte zichzelf – en toen stond ze op en schoof ruw haar stoel weg. Het was muisstil geworden in het kleine restaurant. Ik was zo ontzettend in de war dat ik haar alleen maar stompzinnig na kon kijken. Wat had ik dan moeten zeggen? Dat ze lachwekkend was? De deur ging open en ze was weg. Roerloos keek ik toe toen ze in een taxi stapte. Ik hield van die vrouw. Dat was de waarheid.

Ik knikte naar de ober en maakte een schrijvende beweging. De rekening werd gepresenteerd in een fluwelen mapje, waar ik mijn geld in deed. Ze had zichzelf voor me ontbloot alsof het een soort test was. En zich toen gedragen alsof ik was gezakt. Het was verrassend koud buiten.

Aan de overkant van de straat kwam een groepje luidruchtige meisjes uit Draycotts naar buiten. Ik bleef voor de etalage van een kunsthandel staan en staarde naar een stilleven. Ik moest nadenken. Ik had de test verknald. Ik dacht aan haar gezicht met de uitgesmeerde make-up, haar uitdrukkingsloze en afwachtende ogen. Er was iets belangrijks gebeurd, en ik wist niet wat.

Naast mijn spiegelbeeld in de ruit doemde een meisje op. Ik keek naar haar. Haar vriendinnen stonden aan de overkant van de straat te wachten.

'Heb je zin om samen met ons een feestje te bouwen?' vroeg ze. Ze was jong en niet onknap.

'Waarom gebruik je make-up?' vroeg ik.

Verbaasd haalde ze haar schouders op. 'Voor de lol.'

'Oké,' zei ik. Ik wenste haar een prettige avond en liep weg. Ik was al een heel eind verder gelopen toen ik haar hoorde roepen: 'Ben jij wel helemaal lekker?'

Een koude windvlaag streek langs me heen en ik trok mijn jas dicht. Anis had me eens een prachtig gedicht laten lezen.

Koude wind ik smeek je,
Raak haar heel licht aan,
Laat haar even huiveren,
Maak dat ze een beetje van me houdt.

Elizabeth

Ik schrok wakker, opeens bang, en keek snel om me heen. Nee, alles in mijn slaapkamer was nog roomkleurig en goud. Alles was er nog. Ik hoefde me geen zorgen te maken. Nóg niet. Ik kwam uit bed en deed de gordijnen open. Wit licht stroomde de kamer binnen. Ik liet mijn nachtjapon op de grond glijden en ging naakt voor de grote spiegel staan. In het heldere licht bekeek ik mezelf van top tot teen. Hoe vaak had ik dat al gedaan? Soms ongelovig, andere keren geschokt. Vanwege mijn weerzinwekkende lelijkheid.

Maar vandaag was het nog erger dan anders. Ik trok mijn ochtendjas aan en ging naar de woonkamer. De inrichting was luxueus op een ordinaire, kitscherige manier. Vreselijk, die oosterse grandeur. Ik voelde me een gast in mijn eigen huis.

Logisch, want niets was van mij. Helemaal niets. Alles was van hem. Hij hoefde maar in zijn vingers te knippen, en poef, alles kon verdwijnen. Daarom was ik zo voorzichtig. Dag en nacht was ik op mijn hoede. Al vijf jaar lang had ik niets verkeerd gedaan. Tot dan toe had het me geen moeite gekost, maar er veranderde iets binnenin me. Opeens verlangde ik naar dingen buiten mijn bereik.

In de afzichtelijke gouden spiegel boven de haard zag ik mijn gezicht, bleek en bang. Het was verkeerd om op die man te vallen. Op Bruce. Hij kon me breken. Zijn liefde zou omslaan in haat als hij mijn geheim ontdekte. Ik was één grote wandelende leugen. Hij hield van een hersenspinsel.

Maar mijn hart wilde niet naar wijze raad luisteren. Het verlangde naar zijn gezelschap. Ik miste hem als hij er niet was en niet belde, en sinds kort huilde ik zelfs als hij bij me wegliep. Waarom hem? Waarom moest ik uitgerekend op die man vallen? Een oppervlakkig beest. Hoe had ik zo ontzettend stom kunnen zijn om mijn hart weg te geven aan een man zoals hij?

Ik stond in de keuken, het marmer koud onder mijn voeten, en staarde naar de zwevende vrouw op het schilderij van Chagall. 'Moeder,' fluisterde ik, 'wat zou jij doen als je mij was en de liefde klopte aan je deur?' En ik meende te horen dat ze antwoord gaf, een stem in mijn hoofd. 'Vraag hem binnen. Zeg tegen hem: "Je komt van de andere kant van de wereld, en hoewel ik arm ben en je niet veel kan bieden, wil ik alles met je delen, want je bent mijn vriend."'

Je vergist je, moeder. De liefde is geen vriend. Ik zal van alles worden beroofd. Kijk maar hoe het met jou is gegaan. En ik zag haar voor me zoals ze die ochtend mijn zus wiegde in haar armen, totdat ze haar met geweld weg moesten halen.

Bruce

De dag na mijn etentje met Elizabeth ging ik naar de tempel van de spin en daar trof ik Ricky en Elizabeth aan. Ze zaten naast elkaar op de lange bank en gingen helemaal op in hun gesprek. Ik schrok ervan om die twee blonde hoofden zo dicht bij elkaar te zien. Ik wist dat ze nooit iets met elkaar hadden gehad, maar het maakte me zelfs jaloers om ze naast elkaar te zien zitten. Ze keken op toen ik binnenkwam, en Ricky begon te lachen, zijn luide stompzinnige Italiaanse lach. Hij vond het grappig dat ik verliefd op haar was.

Ik glimlachte niet.

Hij ging staan, drukte een kus op Elizabeths hoofd, en vertrok. Ze strekte haar benen op de plek waar hij had gezeten, zodat ik niet naast haar kon gaan zitten. Ik ging tegenover haar zitten. Ze glimlachte naar me alsof er de vorige avond niets was gebeurd.

'Waar hadden jullie het over?'

'Ricky is gisteravond uit de Spearmint Rhino gegooid,' zei ze.

'Waarom?'

'Hij was op het podium geklommen en likte de paal van de danseres.'

'Wat is het toch een idioot,' zei ik, en we lachten allebei. Ze was onweerstaanbaar als ze lachte. Ik wilde haar vasthouden. Op de radio zongen Robbie Williams en Nicole Kidman dat romantische duet, 'Somethin' Stupid'. Ik liep naar de radio om het geluid harder te zetten en kwam voor haar staan. 'Wil je met me dansen?'

Ik stak mijn hand uit, en na een lichte aarzeling legde ze de hare erin. Ik trok haar overeind en liep weg bij de banken. Mijn moeder ging vroeger wel eens naar dansavondjes in het buurthuis, en daar had ik dansen geleerd. Elizabeth danste verbazingwekkend goed, en we vormden een goed paar, onze passen perfect op elkaar afgestemd.

Ze was betoverend. Ik trok haar dicht tegen me aan en ving een vleugje van haar parfum op. Wat voelde ze goed. Zo goed.

Haar ogen straalden, haar mond stond een eindje open, haar stem was een ademloze lach. Het duet was bijna afgelopen en Robbie en Nicole herhaalden de laatste regel keer op keer.

I love you
I love you

'*I love you*,' zei ik, en ze verstijfde. Het was waar, ik hield echt van haar. Ik voelde haar ineenkrimpen alsof ze zich aan me had gebrand. Zwijgend keken we elkaar aan. Opeens klonken er geluiden. Er kwam iemand binnen door de voordeur. De betovering was abrupt verbroken en ze maakte zich los uit mijn armen.

'Ik was toch al van plan om weg te gaan,' zei ze.

Ik pakte haar hand. 'Heb je gehoord wat ik zei? Ik meende het.'

'Bederf het nou niet. Zo bederf je het weinige wat ik heb.'

'Luister, ik wil je iets vertellen,' zei ik. 'Het is iets wat ik van Guillaume Apollinaire heb geleerd.' Met haar lichtgrijze ogen keek ze me uitdrukkingsloos aan. '"*Kom naar de rand*," *zei hij. Ze zeiden:* "*We zijn bang*." "*Kom naar de rand*," *zei hij. Ze kwamen. Hij duwde ze...*'

Ze kromp van afschuw ineen. Mijn verhaaltje beviel haar niet.

'En ze vlogen,' zei ik.

Ze deinsde achteruit en schudde haar hoofd. 'Nee,' zei ze heel nadrukkelijk, en het volgende moment was ze weg.

Waarom niet, Elizabeth? Waarom niet jij en ik?

September 2000

Anis

Dat prachtige licht is weg uit Zeenats ogen. Toch voel ik nog steeds een onverwachte tederheid.

Nutan

Ik ging op zoek naar Zeenat. Anis deed open, maar hij legde me met een vinger tegen zijn lippen meteen het zwijgen op. Ik liep achter hem aan naar de woonkamer die hij als atelier gebruikte. Het was een grote, lege kamer met allemaal doeken tegen de muren, sommige heel groot. De houten vloer zat onder de verfspetters. In het midden stond een doek op een ezel, en op de tafel ernaast lagen tubes verf. Ertussen stond een pot met kwasten. Door de hoge ramen van de erker stroomde wit licht de kamer in. Er waren nergens donkere hoekjes, je kon je nergens verbergen.

Op een laag tafeltje poseerde Zeenat, beschenen door dat harde licht. Meedogenloos scheen het op haar naakte huid, het leek haar op een onverklaarbare manier te beschadigen. Ze leunde naar voren, haar lichaam in de lucht, de spieren in haar armen gespannen, steunde op vingertoppen die wit waren geworden. Haar lange haar viel naar voren. Heel vluchtig keek ze naar me, zonder zich te verroeren. Dit deed ze voor ons. Voor het geld. Ik had haar dankbaar moeten zijn, ik had schaamte moeten voelen, maar dat was niet zo. Ik zag alleen de glazige blik in haar starende ogen, een blik die ik kende. Ze was high en dat wilde ik ook.

Anis ging zo op in zijn werk dat hij me al vergeten was. In die doodstille wereld van hen bestond ik niet eens. Ik ging naar de keuken. Op de tafel stonden een pot jam, een schoteltje met boter en twee gebruikte borden. Ze hadden toast gegeten. Ik wist niet dat Zeenat 's ochtends at. Dat deden we nooit op Bali. Er stonden twee mokken waaruit koffie was gedronken. Ik wist welke van Zeenat was, die met de onopgeloste suiker erin. Wij Balinezen houden van mierzoete koffie.

Vuil vaatwerk was opgestapeld in de gootsteen. Een kleine televisie stond aan, maar zonder geluid. Beeldschone modellen paradeerden over een catwalk. Het had iets onwerkelijks. Waarom zou iemand naar Fashion TV willen kijken, en dan ook nog eens zonder geluid? Door het raam keek ik naar het plaatsje aan de achterkant. Het lag vol dorre bladeren. Een muur scheidde het van de straat, en aan de andere kant liepen mensen, reden auto's. In huis was het onnatuurlijk stil. Een cocon van stilte voor die twee.

Toch was het geen rustgevende stilte. Er hing wachten in de lucht. Waar wachtten ze op? Ik hoorde Anis achteruitlopen om het doek van een afstand te bekijken en toen terug, zijn voetstappen luid op de houten vloer. Het werd weer stil. Er zat me iets dwars. Ik dacht aan mijn zus in dat onbarmhartige licht. Ik had iets gezien wat ik niet had moeten zien, maar ik kon niet meer terug, ik kon het niet uitwissen.

Zonder iets te zien staarde ik uit het raam. Die uitdrukking op Zeenats gezicht. Geleund op haar vingertoppen in die vernederende houding en niets om haar lichaam te bedekken, haar tere borsten ontbloot in dat wrede licht. Het was bijna een vorm van misbruik.

Waarom liet ze zich zo vernederen door die sadistische, egoïstische man? Maar ik wist waarom ze het deed. Ze deed het voor de drugs.

Er kwam boosheid in me op. Het was schandalig wat hij met haar deed! Tegelijkertijd besefte ik waar mijn boosheid vandaan kwam. Jaloezie. Ik was jaloers op Anis. Ik moest dat gevoel onderdrukken, het vastketenen aan de muur.

We hadden nooit naar dat koude, afschuwelijke land moeten gaan. Het had ons veranderd. Ik wilde terug, maar er klonk een vals klein stemmetje in mijn hoofd: *'Tusing jani, tusing ada de wasa.'* Niet nu. Het is geen gunstige dag.

Op mijn tenen sloop ik naar Anis' slaapkamer. Ik wist waar hij zijn voorraad bewaarde. Dat was de eigenlijke reden voor mijn komst. Ik hunkerde ernaar. Het deed pijn als ik het niet nam. Ik was bang dat Zeenat zou merken dat ik behoorlijk verslaafd was geraakt, dat ze zou ontdekken hoeveel ik gebruikte als ze niet keek.

O vader, zie je wat je met ons hebt gedaan? Je hebt ons in wajangpoppen veranderd. Het is Sita, vader. Ze is verdwaald in de jungle, en nu heeft Rawana haar weggedragen. Snel, vader, laat ons bewegen anders gaan we misschien dood. Help haar. Help ons. Speel met ons. Laat ons weer dansen, poppenspeler.

Zeenat

Ik rook de kreteksigaret van mijn grootmoeder. Scherp en toch warm. De unieke geur probeert me te verleiden om terug te gaan.

Anis

Balinese kunst maakt gebruik van veranderende perspectieven. De verschillende elementen van een schilderij lijken elk vanuit een ander gezichtspunt geschilderd: de muur van voren, de bloemen van bovenaf, de vrouw die wast in de rivier van links en de vogels in de bomen van onderaf.

Bruce

Bij de garderobe van een nachtclub greep Ricky het meisje vóór ons. Ze had een ongebruikelijk uiterlijk, kroeshaar, dikke lippen en een ronde neus, typisch zwart, maar haar huid was lichter dan de mijne en haar ogen waren klein en blauw. Kil keek ze Ricky aan.

'Gaan we straks neuken, Bella?' vroeg hij hartelijk.

De kleine blauwe ogen namen Ricky van hoofd tot voeten op. 'Maak van je hart vooral geen moordkuil,' zei ze met een ongelofelijk bekakt accent, en toen draaide ze zich om.

'Is het je ooit gelukt?' vroeg ik hem.

Hij lachte. Het kon hem geen bal schelen. 'Ik moet de techniek een beetje bijhouden. Dit was trouwens niet serieus. Straks kom ik pas echt in actie.'

Toen ik in de kleine uurtjes naar zijn huis ging, stond de muziek keihard en waren er een stuk of zes mensen aan het feesten. Het halfzwarte, halfwitte meisje lag languit op een bank. Ze droeg Ricky's badjas en rookte een joint. De kleine blauwe oogjes keken naar me. Ik liet me naast haar op de bank vallen. Soms begreep ik werkelijk niets van zijn succes. Hij was gevoelloos, op het grove af, maar alle mogelijke soorten vrouwen lieten zich door hem inpalmen. Ik snapte niet hoe hij het deed. Nu en dan ontsnapte er een aan zijn greep, maar niet vaak.

'Ik dacht dat je niet wilde komen,' zei ik.

'*Yeah, man.*' Ze zei het met een briljant Jamaicaans accent.

Ricky kwam uit de wc, zag me, grijnsde, en trok zijn wenkbrauwen op. Hij maakte een ring met sleutels los van zijn riem en gooide die in mijn schoot. 'Elizabeth is in mijn slaapkamer. Een of andere eikel heeft iets in haar drankje gedaan.'

'Wat?'

'Ga nou maar, man. Zo'n kans om haar te naaien krijg je nooit meer.'

Ik pakte de sleutels, rende de trap op en maakte de deur open. Het was donker in de kamer, alleen het licht van een straatlantaarn scheen door de gordijnen naar binnen. Zachtjes deed ik de deur achter me dicht. Toen mijn ogen gewend waren aan het donker zag ik dat ze op het bed lag en naar me keek. Opluchting golfde door me heen, mijn knieën knikten ervan. Jezus, wat was ik geschrokken.

'Gaat het?' vroeg ik zacht. De matras zakte in onder mijn gewicht. Ze zag er zo klein en kwetsbaar uit, en ik wilde haar toedekken. Ik pakte de rand van het dekbed om dat om haar heen te slaan.

'Niet doen,' fluisterde ze. 'Alles hier stinkt naar zweet en seks. Laat me maar gewoon even liggen.'

'Hoe voel je je?'

'Nu gaat het wel weer, maar mijn armen en benen voelen nog steeds een beetje dood aan.'

'Wat is er gebeurd?'

'De zoveelste ellendeling die bang was dat ik uit mezelf nooit met hem mee zou gaan.'

Ik grinnikte, maar niet van harte. 'Ach, Elizabeth, Elizabeth, ik ben inmiddels vergeten hoe het moet.' Kon ze dan niet zien dat ik stapelgek op haar was?

'Gelukkig was Ricky erbij,' zei ze.

'Hmmm.' Ik kwam naast haar liggen. Ik was misschien een beetje dronken, maar voelde me zo intens vredig toen ik naast haar lag in die donkere kamer, haar scherpe tong verdoofd door een gemene drug. Een moment om weg te dromen.

Anis

Mijn zus belde.

Mijn vader was dood. Ik stond voor het raam. Het miezerde. De blaadjes waren glanzend groen en de boombast leek wel zwart. Een vrouw in een donker mantelpak met heel erg witte benen rende langs. Ik vond het altijd mooi als het zo zachtjes en grijs regende. Dan voelde ik me lekker veilig in mijn huis. Hij stierf aan een zware hartaanval. Zo snel dat mijn moeder niets had kunnen doen. Voordat ze hem het glas melk kon brengen waar hij om had gevraagd was hij al dood.

Ik draaide me om van het raam, deed mijn ogen dicht en zag hem voor me, niet terwijl hij het deed met een man, maar zittend met mij in de regen, in Afrika. We keken naar een groep bavianen die de malste capriolen uithaalden om wolken vliegende termieten te vangen. Je had ze moeten zien! Het was een betoverend schouwspel, bijna poëtisch, zoals ze dansten in de motregen en gevleugelde termieten uit de lucht plukten.

Zeenat kwam naast me staan. Ik voelde haar, aarzelend, onzeker. 'Wat is er?' vroeg ze.

'Mijn vader is dood.'

'Je ziet hem terug in een andere wereld,' troostte ze.

'Dat is nou precies waar ik bang voor ben,' antwoordde ik cynisch.

Ze nam mijn gezicht tussen haar handen en draaide mijn hoofd naar haar toe. In dat rauwe licht zag ze er anders uit. Haar huid was ziekelijk bleek. En ik was de bruine vlekjes in haar ogen vergeten. Ze glinsterden, groot en doorschijnend. Als vampiers spookten we 's nachts rond, en overdag kropen we weg.

Ik overwoog haar te schilderen in dat nare grijze licht. Ik wilde niet naar de begrafenis, de hand van mijn moeder vasthouden en liegen dat ik het zo erg vond dat haar schijnheilige echtgenoot dood was. Ik liet Zeenat voor het raam zitten. Te vaak had ik haar in het donker geschilderd. Urenlang. Het licht veranderde, en Zeenat en ik namen twee keer een pauze voor een shot. Soms vielen haar ogen dicht, dat gebeurde altijd, maar ik bleef schilderen. Het werd donker in de kamer, maar zelfs in het schemerlicht wilde ik niet ophouden. Totdat ik me opeens mijn vaders computer herinnerde, en het document dat pas na zijn dood geopend mocht worden.

Ik legde mijn kwasten weg, tilde het kind zacht uit de erker op en legde haar in mijn bed. Zorgvuldig dekte ik haar toe.

Toen ik aanbelde bij het huis van mijn ouders deed mijn zus open. We hadden geen hechte band met elkaar. Ze was getrouwd en had kinderen, ik wist niet eens hoeveel. Zwijgend keek ze me aan, verwijtend. Ze gaf mij volledig de schuld van de breuk tussen mijn vader en mij. In haar melodrama was ik de egoïstische ondankbare bruut.

Ik liep langs haar heen naar binnen. In de gang stonden groepjes mensen op gedempte toon met elkaar te praten. Ze keken allemaal naar de trouweloze zoon, beroemd en een beetje gestoord. Mijn moeder omhelsde me en ik stond stijf en onwillig tegen haar zachte lichaam aan. Ze rook naar een oude vrouw. Ik moest haar beschermen tegen dat weerzinwekkende document.

Ik deed de deur van mijn vaders werkkamer achter me dicht.

De voorspelbare idioot, hij gebruikte nog steeds hetzelfde wachtwoord. Ik opende elk document, maar het leek wel of de harde schijf helemaal was geschoond. Toch kon hij het niet helemaal hebben vernietigd, dat kon ik me niet voorstellen. Het stond waarschijnlijk op een diskette. Ik begon te zoeken, kil, nauwkeurig, grondig. Ik zocht overal. Er was geen map waar ik niet in keek, geen boek dat ik niet opensloeg en doorbladerde. Ik maakte kastjes open, keerde laden om, keek achter de prenten aan de muren, ik kroop zelfs onder het bureau om naar geheime vakjes te zoeken. In mijn radeloosheid sloegen de stoppen door, ik pakte een zakmes en viel aan op de bank. Eerst kleine sneetjes hier en daar, toen haalde ik de hele bekleding open. Niets. Ik sneed het kleed aan stukken. Niets. Was het mogelijk?

Was het mogelijk dat hij alles lang geleden had vernietigd? Dat het toch niet zijn bedoeling was geweest dat wij het zouden zien? Misschien had ik hem verkeerd beoordeeld. Misschien had hij zijn dubbelleven juist geheim willen houden. Gelukkig. Laat mijn moeder en zus maar denken dat hij de ideale man en vader was. Niets dan fijne herinneringen voor hen.

De deur ging open en ze bleef in de deuropening staan. Oud, broos en helemaal in het wit gekleed. Ze deed de deur dicht en kwam de kamer binnen. Diepbedroefd keek ze om zich heen. Het was allemaal voor niets geweest. Ze keek me aan, en het uiteinde van haar sari gleed van haar hoofd op haar schouder. Wat was ze oud geworden! Haar donkere haar was bijna helemaal zilver.

Wat dacht ze? Dat ik op zoek was naar mijn vaders testament? Dat ik aasde op zijn geld? Ze sloeg haar handen voor haar gezicht en schudde haar hoofd langzaam heen en weer. Zwijgend staarde ik naar haar. Haar verdriet of verwijten raakten me niet. Zij wist niet wat ik wist. Toen kwam ze naar me toe en bleef voor me staan. Zacht, heel zacht, streken haar oude vingers over mijn gezicht, mijn wenkbrauwen, mijn oogleden, over de brug van mijn neus omlaag, naar mijn lippen, en omhoog naar mijn jukbeenderen. Alsof ze blind was. Alsof ze het moment koesterde, mijn gezicht in haar geheugen grifte. Maar toen haar vingers voelden hoever mijn sleutelbeen uitstak slaakte ze een heel diepe zucht.

'Is dit lijden het *dharma* van een kunstenaar?' vroeg ze zich hardop af. 'Ik ken alleen het *dharma* van een echtgenote en moeder.'

En ik zag ons drieën voor me, mijn moeder, mijn zus als meisje van drie of vier, en ikzelf, zittend in onze achtertuin, in de schaduw van de broodboom. We aten mangosteens uit een grote mand. We moeten er honderden hebben gegeten. Het was mijn moeders lievelingsfruit.

Ze zocht tussen de plooien van haar sari en liet me een computerdiskette zien. 'Is dit wat je zoekt?' Met haar diepliggende ogen keek ze me doordringend aan.

Mijn knieën knikten, ik had het gevoel dat ik in elkaar zou zakken. Ze drukte me de diskette in de hand en ik staarde er niet-begrijpend naar. Verward keek ik haar aan, en ik las het medelijden in haar blik. Ze wist het. Het *dharma* van een zoon is dat hij zich zó moet gedragen dat anderen met afgunst uit kunnen roepen: 'Wat heeft deze man in zijn vorige leven gedaan dat hij zo'n fantastische zoon verdient?' Het was mijn verantwoordelijkheid, en ik had gefaald. Toch veroordeelde ze me niet. Ze knikte een paar keer, alsof ze het begreep, of me vergaf, en draaide zich toen om naar de deur. Haar hand lag al op de deurknop.

'Hoelang weet je het al?' vroeg ik hees.

'Ik heb het altijd geweten.' Ze trok de sari weer over haar hoofd, opende de deur en ging terug naar de anderen. Haar *dharma* zat erop.

Nutan

Ik ben altijd van mijn grootmoeder blijven houden, maar er waren dagen en toen weken dat ik geen moment aan haar dacht. Ik voelde me schuldig, echt waar, maar ik kon het niet helpen. Ik was verslaafd. Ik kon niet meer zonder Bobby. Kon ik de klok maar terugdraaien. Ik was zo eenzaam. Ik had me al in geen weken goed gewassen, het water was te koud. En er was niets te eten, want ik at helemaal niet meer. Ik was twaalf kilo afgevallen. Het was vreselijk. Ik haatte mezelf. Het liefst wilde ik me opsluiten, niemand meer zien. Drugs wilde ik, verder niets. Ik gebruikte om te slapen en ik gebruikte om wakker te worden.

Ik begroette de postbode niet langer als hij 's ochtends de post bezorgde, maar op een dag kon hij Neneks brief niet gewoon in de bus doen, ik moest ervoor tekenen. Ik geneerde me toen ik de geschrokken uitdrukking op zijn gezicht zag. Het was al heel lang geleden dat we samen koffie hadden gedronken met iets lekkers erbij. 'Gaat het wel goed met je, meisje?' informeerde hij bezorgd. Ik mompelde iets, bedankte hem en deed de deur dicht. Nenek had een kaneelwortel in de brief gedaan. Met mijn ogen dicht snoof ik de geur op. O Nenek, je had gelijk. Je had volkomen gelijk. Ik begon de brief te lezen.

Ze maakte zich zorgen omdat ze al zo lang niets van ons had gehoord. Ik fronste mijn wenkbrauwen en probeerde me te herinneren wanneer we haar voor het laatst hadden geschreven. Was dat echt al twee maanden geleden? Nenek zei dat mijn vader zijn familielid zou schrijven om hem te vragen of hij bij ons langs wilde gaan. Ik sprong van het bed, zocht in mijn koffer het nummer van onze oom en rende naar de telefooncel. Ik was zo compleet buiten adem dat ik moest wachten voordat ik kon bellen. Mijn handen beefden. Zijn vrouw nam op.

Als ze een bezorgde brief kregen van mijn vader, vertelde ik haar, moesten ze zich er vooral niets van aantrekken. Het ging prima met ons. Ze zei dat er al een brief van mijn vader was gekomen, vier dagen daarvoor. Snel stelde ik haar gerust. We waren alleen op vakantie geweest naar Parijs. Ze klonk opgelucht. Wat zal mijn oom blij zijn geweest dat hem de moeite werd bespaard. Ik legde neer. In de toekomst zouden we voorzichtiger moeten zijn. Stel je voor dat hij was gekomen...

Ik schreef Nenek een lange brief, zittend op mijn bed. Ik vertelde haar dat Zeenat en ik drie weken in Parijs waren geweest en hoe fantastisch we het hadden gehad. Ik schreef over de honderden standbeelden, de prachtige oude gebouwen en de romantische bruggen. Dat we in alle beroemde musea waren geweest en de Eiffeltoren hadden gezien. Dat de Franse mannen zulke charmeurs waren en de vrouwen zo elegant. O, en of ze wist dat de Fransen echte viespeuken zijn? Ze wasten zich veel te weinig en aten rauwe oesters met een drupje citroen. Ik had er een geproefd en beschreef hoe smerig het was. Slijmerig. Enzovoort. Ik vertelde haar alle dingen die ik uit Ricky's mond had gehoord. Tijdens het schrijven rolden er warme tranen over mijn wangen.

Toen ik klaar was ging ik voor de spiegel staan, een wrak, en keek naar mezelf terwijl ik spoot. Mijn ogen hadden een rare glans. Haatte ik mezelf echt zo erg? Waarom? Waar had ik het aan verdiend? Een naald in mijn arm. Het doet pijn als je een naald in je arm steekt. Dat wist je niet, hè? Vreemd. Wat is de volgende stap, dat ik mijn eigen polsen doorsnij? *Kun je me helpen? Ik ben zo ziek als een hond.*

Ricky

Mijn dochter zong vroeger een liedje dat 'Tien groene flesjes' heette. Ik heb er nieuwe woorden voor gevonden: Tien Italiaanse restaurants. Beter dan het origineel.

Ik had er weer een verkocht. Ik moest wel. Mijn financiën waren een puinhoop. Fass was ermee opgehouden. Zijn andere oog wilde ook niet meer. Ik ging naar een Engelse accountant, maar terwijl ik de situatie uiteenzette, veranderde zijn uitdrukking van beleefd aandachtig naar verontwaardigde ontzetting. Dat moet ik Fass nageven, hij heeft nooit last gehad van moralistisch gedoe. Wat die man allemaal deed zonder een spier te vertrekken. Uiteindelijk rechtte *il Inglese* zijn rug en liet me weten dat hij niets met creatief boekhouden te maken wilde hebben. Pretentieuze bal.

Ik heb gehoord van een Chinese accountant in Soho die ook behoorlijk goed moet zijn. Ik heb zijn nummer wel, maar geen tijd om te bellen. Vijf Italiaanse restaurants hangen aan een zijden draadje. Als er een valt...

Francesca

'*Allora*,' hoorde ik mijn moeder zeggen, 'en nu de bloem.'

'Alles?' vroegen de kinderen in koor.

Ze waren iets voor me aan het bakken wat ik toch niet kon

eten. Ik deed mijn ogen dicht en probeerde me af te sluiten voor hun stemmen. Toen voelde ik me schuldig. Ik was een slechte moeder. Ik zag mezelf als een wolf met heel veel pijn, gevangen in een ijzeren strik met puntige tanden, hevig bloedend. Huilend van pijn, maar grommend naar iedereen die wil helpen. In zekere zin was het beter om mijn moeder voor mijn kinderen te laten zorgen.

Als ik naar beneden ging, zouden mijn kinderen ophouden met lachen, mijn moeder zou me met gespeelde opgewektheid begroeten, en mijn vader zou geforceerd glimlachen. Ze vonden het vreselijk om te zien dat ik het zo moeilijk had. Toen ik wegging, wist ik niet hoeveel pijn het zou doen. Ik had gedacht dat ik sterker was. Toen ik besloot bij hem weg te gaan was ik zo ontzettend kwaad dat er helemaal geen ruimte overbleef om iets te voelen. Maar sinds dat moment was het gevoel van verlies zo sterk geworden dat het haast ondraaglijk was. Ik vond het een opgaaf om uit bed te komen. Stil in bed liggen in een donkere kamer was beter.

Volgens de wekker op het nachtkastje was het bijna lunchtijd. Ik dwong mezelf op te staan. Mijn haar was slap en ongewassen, dus deed ik het in een paardenstaart. Toen ging ik naar beneden. Voordat ik de keukendeur opendeed plakte ik een glimlach op mijn gezicht. Mijn kinderen gleden van hun hoge krukken en kwamen verlegen naar me toe, een onzekere blik in hun ogen.

'We bakken een chocoladetaart voor je,' legden ze uit. Ik wist dat ze ernaar hunkerden om geknuffeld te worden, maar ze bleven beleefd op afstand. Ze wisten niet of ze dichterbij mochten komen.

Mijn moeder veegde haar handen af aan haar schort en pakte een boek van de koelkast. Ze schakelde over op Italiaans. 'De dochter van Imula is inmiddels psychiater, en ze zei dat je dit maar eens moest lezen.'

Op dat moment herinnerde ik me wat Ricky een keer over mijn moeder had gezegd. Ik had kritiek gehad op zijn moeder, gezegd dat als zij een bibliotheek zou laten bouwen, ze er panelen met geschilderde boeken zou laten aanbrengen, waarop hij spottend lachte en zei: 'En de jouwe zou de boeken voor haar bibliotheek door iemand anders laten kiezen.'

Ik pakte het boek van haar aan. *De ontembare vrouw* van Clarissa Pinkola Estés.

'Ga maar lekker lezen, dan breng ik je een kop koffie,' zei ze. Ik ging met het boek naar de huiskamer, ook om weg te zijn uit de vrolijke sfeer in de keuken. Met mijn benen opgetrokken in de favoriete stoel van mijn vader begon ik te lezen. Mijn moeder raakte mijn schouder aan, en ik besefte dat ik haar niet eens binnen had horen komen, zo boeiend vond ik het boek. Mijn moeder zette koffie voor me neer en ging weer weg. Ik was zo gegrepen door wat ik las dat ik af en toe hardop mompelde: 'Precies! Zo is het. Helemaal waar…'

Ik leerde veel dingen over mezelf. Dat ik een wolvin was – wat toevallig; had ik mezelf daarnet niet met een gewonde wolf vergeleken? – dat mijn schaduw vier poten had. Alleen had niemand me leren huilen. Ik las het verhaal over een harteloze man die een hond opsloot in een kooi met tralies die werkten als schrikdraad. Dat deed hij in het kader van een wetenschappelijk onderzoek. Eerst kreeg de hond alleen aan de linkerkant een elektrische schok als hij er tegenaan kwam. Het dier leerde snel en bleef aan de rechterkant. Toen kwamen de schokken van rechts, en de hond wist meteen dat hij links moest blijven. Weer werden de regels veranderd. De hond bleef rechts. Vervolgens kon het dier van de hele kooi schokken krijgen. De hond leerde dat hij altijd elektrische schokken kreeg, wáár hij ook was, dus bleef hij op één plek zitten en onderging gelaten de schokken. En toen zette de harteloze man de deur van de kooi open. Denk je soms dat de hond naar buiten rende? Jij denkt misschien van wel, maar ik wist dat hij het niet zou doen. Ik wist dat hij in die kooi zou blijven zitten, verslagen.

Wetenschappers noemen dit 'aangeleerde hulpeloosheid'. Zo was het met mij gegaan. Verlamd van pijn zat ik naar de openstaande deur te kijken. Dat was afgelopen. De instinctieve drang om terug te gaan naar mijn ouders was mijn eerste juiste beslissing geweest. Ik had opgesloten gezeten in een liefdeloos huwelijk, en was al zo lang weg van Sicilië dat zelfs de gedachte om terug te gaan al onoverkomelijk leek. Door het eentonige dieet van valse beloften dat me was opgedrongen was ik keihard geworden voor mezelf. Ik was blind en doof geworden en mezelf kwijtgeraakt. Ik was iemand geworden die ik helemaal niet was.

Ik had mijn dromen verkocht.

Op mijn tenen sloop ik de trap op naar boven en sloot mezelf op in mijn oude kamer. Ik wilde alleen zijn. Nog even. Onder in mijn kast stond de oude houten kist die mijn grootmoeder me vroeger had gegeven. Ik haalde de kist eruit, deed het deksel open en ging een andere wereld binnen. Zelfgemaakte poppen van maïskolven, dennenappels, een blauw met gele knikker, een paar boeken en mijn mooiste fluwelen jurk. En helemaal onderop drie albums, de dagboeken uit mijn kindertijd, bij elkaar gebonden met een blauw lint. Mijn vader had ze ooit voor me meegenomen uit Engeland. Ik maakte het blauwe lint los en sloeg de albums open. Daar stonden, in een keurig kinderlijk handschrift, mijn dromen opgetekend. Er rolde een traan over mijn wang, maar het was geen verdriet, ik zweer het je. Het was een moment van melancholie.

De dromen die ik voor Ricky had opgegeven.

Ik trok de dop van een blauwe viltstift, pakte mijn album voor Trotse Momenten, en schreef in grote letters: *Ik ben weg bij mijn man.*

In mijn album voor Grote Ideeën: *Teruggaan naar huis om olijfolie te maken.*

En in mijn boek van de Lach: *Ha, ha, hij dacht dat ik een hond was, maar ik ben een wolf.*

Ik hield de drie albums tegen mijn borst. Het zou niet makkelijk zijn, maar ik wist dat ik het kon. Toen ik weer naar beneden ging en de deur van de huiskamer opendeed, draaiden mijn kinderen hun hoofd om van de televisie. Ik ging op mijn knieën zitten en spreidde mijn armen, en ze krabbelden overeind en stormden op me af. Onstuimig klampten ze zich aan me vast, de schatten. Ik moet ze leren wat liefde en vertrouwen is, gewoon door genoeg van ze te houden. Dat hadden Ricky en ik niet gedaan.

Ik keek naar mijn vader. 'Papa, ik wil graag land kopen op Sicilië.'

En mijn vader glimlachte. Het was een trage glimlach, tevreden en blij. 'Het land staat al heel lang op jouw naam,' zei hij.

Ik glimlachte terug, door mijn tranen heen. Ach, papa, je was helemaal voorbereid op het moment dat ik bij zinnen zou komen.

'Herinner je je Toto?' vroeg hij, en ik knikte. 'Zijn moeder heeft me een deel van zijn land verkocht. Het is niet heel veel, maar wel genoeg. Er is geen water, maar we kunnen een put laten graven, als je wilt. Er staat een flinke schuur waar de familie van Toto voor de oorlog graan opsloeg. De muren zijn hier en daar een beetje afgebrokkeld, maar niet al te erg. Het formaat is ideaal, en je kunt er een gezellig huis voor jou en je kinderen van maken. Je zult zien dat het je goed zal doen om hard te werken. Ik geloof in je. Ga jij je olijfolie maar maken, mijn lieve dochter.'

Oktober 2000

Bruce

Elizabeth en ik waren een keer bij Anis thuis om spul te brengen, en toen vertelde hij ons de legende van de Boeddha die zijn hand tegen de aarde legde.

'Mag ik?' vroeg Elizabeth.

'Ze zijn niet de moeite waard,' zei hij, maar toen bedacht hij zich en knikte.

Een voor een bekeek ze de doeken die tegen de muren stonden, zonder commentaar te geven, totdat ze bij een schilderij van een enorme boeddha kwam. 'Waarom heeft hij zijn handen niet in de gebruikelijke houding?' vroeg ze. 'Ik dacht dat de handen altijd in zijn schoot lagen.'

Anis leunde achterover tegen een schilderij en vertelde ons de legende over de strijd die de Boeddha een keer aan moest binden tegen de verleiding. In de vijfde week nadat Boeddha verlichting had bereikt, toen hij zat te mediteren onder een *bodhi*-boom, kwam Mara, een adembenemend mooie *dakini*, verleidster, om hem weg te lokken van het rechte pad. Het hemelse wezen, schitterend van licht en geurend naar duizend bloesems, zweefde voor hem. Om haar te behagen schoof de zon achter een dikke wolk, en het werd zo donker als de nacht. Verleidelijk danste ze voor hem, kronkelend met haar glanzende lichaam, en ze beloofde hem onbeschrijfelijk genot. Ze wierp een gele hibiscusbloem in zijn schoot en nodigde hem uit de liefde met haar te bedrijven.

Maar Boeddha legde alleen zijn rechterhand tegen de grond, en hij riep de aarde op als getuige dat hij nooit in verleiding was geweest, zelfs nog geen moment. De wil van Boeddha was zo sterk dat de aarde antwoord gaf en zes keer beefde en trilde als bewijs dat hij geen moment van het rechte pad was afgedwaald.

'Wat een prachtig verhaal,' mompelde Elizabeth terwijl ze peinzend naar het schilderij staarde.

Anis

Waar was de hartstocht van voorheen? Het was gekunsteld en vreselijk als we het probeerden. Ik hield zoveel van haar, maar ik was altijd zo moe. Als ik niet zo zwak was, en zij niet zo fragiel en ziek... Slaperig lag ik in bed, bang haar kwijt te raken, en toch kon ik nergens anders aan denken dan aan de volgende donkere, traag bewegende droom.

Nutan

Ik zat op Ricky's bed te spuiten toen hij binnenkwam. We staarden elkaar aan en zijn hele gezicht verslapte van schrik en ongeloof. Het volgende moment werd hij vreselijk agressief, hij beende naar me toe en rukte de naald uit mijn arm. Het bloed spoot eruit. Hij smeet de spuit in een hoek, trok me overeind en sleurde me mee naar de spiegel.

'Kijk!' zei hij. 'Moet je zien wat je bent geworden. Een heroïnejunk.'

En ik zag mezelf door zijn ogen, vol walging. Voor het eerst zag ik mezelf écht. O, wat zag ik er verschrikkelijk uit. Mijn wangen waren ingevallen, maar haar was vies en samengeklit. En mijn ogen!

'Zorg dat je afkickt van die rotzooi, anders hoef je hier nooit meer te komen,' dreigde hij. Hij meende elk woord, ik geloofde hem. Hij duwde me heel hard weg. Ik viel op de grond en hij keek op me neer, een en al verachting. Hij vond me echt weerzinwekkend. Het zou hem niet kunnen schelen als ik nooit meer terugkwam. Toen draaide hij zich om en liep weg.

Ik wilde huilen, maar de behoefte aan wat er nog in de spuit zat was groter. Ik dacht aan het lelijke gezicht in de spiegel, maar ik had het spul nodig en kroop naar de spuit toe. Ricky kwam de kamer weer binnen, raapte zonder een woord te zeggen de spuit op en vertrok. Langzaam stond ik op. Overlopend van zelfverachting liep ik naar de deur. Er klonken stemmen in de huiskamer. Zagen zij ook wat ik in de spiegel had gezien?

Er moest ergens een kam zijn, maar ik kon hem niet vinden. Ik schaamde me. Mijn handen trilden toen ik mijn vingers door mijn haren haalde. Ik was me wild geschrokken van wat ik had gezien. Ergens in een la moest nog lippenstift liggen, en ik ging als een idioot op zoek. Eindelijk vond ik de lippenstift, niet de mijne, maar wat gaf het. Mijn handen trilden zo erg dat ik geen lippenstift op kon doen. De walging. Ik was compleet van de kaart. Ik wilde stoppen, echt waar. Je moet me geloven, op dat moment haatte ik mezelf. Er was helemaal niets op de hele wereld wat ik liever wilde dan stoppen, samen met Zeenat. Zelfs al vóór die dag was ik bang geworden voor de modder waarin we speelden. We zakten er al tot aan ons middel in weg. We moesten stoppen. We waren nog niet te ver heen.

Ricky

En toen waren er nog maar vier Italiaanse restaurants.

Ja, ik moest er nog een verkopen. Ik had ook alweer zó lang geen loonbelasting betaald. De boetes stapelden zich op. Uiteindelijk krijgen ze je altijd te pakken. Het is niet eerlijk, maar wat doe je eraan? Je moet je koks blijven betalen, daar kun je niet onderuit. Huurlingen zijn het. Je betaalt die rotzakken vijftig pond per dag, en je zou denken dat het genoeg is, toch? Maar nee, je moet ook hun sociale verzekeringen en belasting betalen.

De Chinese accountant stelde voor om te doen wat zijn Chinese klanten heel regelmatig schijnen te doen: steek het restaurant dat het hardst aan een opknapbeurt toe is in de fik. Uiteraard zorg je dan dat de hele administratie in vlammen opgaat. De verzekering keert meestal probleemloos uit.

Jezus, die kerel is nog erger dan Fass. Ik staarde hem net zo lang aan totdat het hem begon te dagen dat ik een beetje anders was dan zijn gebruikelijke triadetypes. Maar hij was niet voor één gat te vangen en stelde een alternatief voor: haal de hele handel door een papierversnipperaar en beweer dan dat je alles kwijt bent geraakt toen je in een taxi onderweg was naar je accountant. Ik knikte. Dat was meer iets voor mij. Ik deed het, en hij kwam met een schatting van mijn omzet, uiteraard veel lager.

Er is nog wat geld over van het verkochte restaurant. Ik speel met de gedachte om op te houden met freebasen. Ik wil Francesca en de kinderen terug. We zijn een gezin. Die kinderen hebben me nodig, ze zijn mijn vlees en bloed. Ik kan ophouden wanneer ik wil.

Nutan

Ik sloot ons op. We zouden het cold turkey doen. Anis was naar een kliniek gegaan, maar Nenek had Zeenat en mij altijd geleerd dat ziekenhuizen niet te vertrouwen zijn. Gelukkig was het Bruce gelukt om de medicijnen te bemachtigen die in ziekenhuizen worden gebruikt om de ontwenningsverschijnselen te temperen. Het begon meteen, de krampen, de pijn, de stuiptrekkingen, het zweten, het hunkeren. Mijn god, we smachtten ernaar. We slikten meer pillen om het te onderdrukken. Je tong verslapt erdoor en je voeten gaan slapen. Speeksel droop uit onze mond.

Ik weet nog dat Zeenat in slowmotion haar hand op mijn hoofd legde. 'Het spijt me,' lispelde ze haast onverstaanbaar. 'Het is mijn schuld dat jij dit mee moet maken.'

Wat was het moeilijk om mijn ogen open te houden. 'Ik neem het je niet kwalijk. Niet huilen,' mompelde ik.

Opeens kwamen we tot de ontdekking dat de pillen op waren. We hadden niets meer tegen de pijn en dat ondraaglijke verlangen. Als gekooide dieren liepen we door ons kamertje heen en weer, verward en radeloos. Zeenat had stuiptrekkingen, net als ik. Het was vreselijk, er was niets tegen te doen.

Op een gegeven moment keek ze me met koortsachtige ogen aan. 'Zullen we?'

'Nee!' riep ik.

'Alsjeblieft, toe nou!'

'Nee,' zei ik.

'Alsjeblieft. Eén keertje nog.' Met houterige bewegingen trok ze haar jas aan. 'Kijk dan naar me, ik kán niet meer.' Ze stond voor me en greep naar haar maag, en zonder enige waarschuwing spoot het braaksel uit haar mond. 'Alsjeblieft,' smeekte ze, haar armen nog steeds rond haar buik geslagen, 'geef me de sleutel.'

Ik zag haar wel, maar herkende haar niet, met haar bloeddoorlopen ogen en kwijlende mond. Ze liet zich op haar knieën vallen en smeekte om de sleutel, die ik had verstopt. De duivel had haar stevig in zijn greep. Zij had langer gebruikt dan ik, ze had het moeilijker. Ik schudde mijn hoofd. Met wanhopige bewegingen kwam ze overeind, rende naar de deur en begon ertegen te schoppen. Het maakte een hels kabaal, maar de deur bleef dicht.

'Geef me de sleutel!' krijste ze.

Ze rende naar het raam, maakte het open, en voordat ik iets kon doen sprong ze eruit en landde op het zonnescherm van de snackbar. Ze was zo mager dat ze er niet eens doorheen zakte. Op haar rug liet ze zich naar de rand glijden, en ze landde op de stoep, als een kat, op handen en voeten. Ze keek zelfs niet omhoog naar ons raam en hinkte zo snel mogelijk weg, recht op haar shot af. Ik keek haar na, ongewassen, haar spijkerbroek gescheurd, kots in haar haren en op haar kleren. Nu zij er niet meer was, vond ik het niet nodig om zelf te blijven lijden. Zo denkt een verslaafde, je zoekt naar excuses.

Ik pakte de sleutel. Mijn handen trilden zo erg dat ik de deur bijna niet openkreeg, en hoe onvoorstelbaar het achteraf ook lijkt, ik overwoog serieus om op dezelfde manier als Zeenat naar buiten te gaan. Maar eindelijk ging de deur open, en ik strompelde de trap af. Ik zou op de pof moeten kopen, maar ik was zo ziek dat de dealer niet kon weigeren. Zelfs met al zijn *powder power* zou hij zien dat ik niet meer was dan de spookachtige huid die de slang achterlaat.

Bruce

Elizabeth, Maggie en ik gingen op bezoek bij Anis. De vleugel waar hij lag leek meer op een gekkenhuis dan op een gewoon ziekenhuis. Op de achtergrond hoorde je mensen schreeuwen en huilen en kermen, en hij stond zo stijf van de morfine dat hij kwijlend in bed lag. Hij probeerde te gaan zitten toen hij ons zag, maar het lukte hem niet. Hij zag er vreselijk slecht uit.

'Help me lopen,' mompelde hij.

Ik hielp hem overeind. Hij woog haast niks, en zijn ellebogen prikten in mijn handpalmen. Met zijn arm over mijn schouders sleepte ik hem door de kamer, maar het ging niet, zijn benen waren te slap. Ik hielp hem terug in bed, en hij zakte opzij.

Maggie begon te huilen.

'Je komt er heus wel weer bovenop,' zei ik tegen hem.

'Sss… sssallemaal… raar… hier… net dromen.' Hij probeerde te glimlachen en het kwijl droop langs zijn kin.

Maggie haastte zich om zijn kin af te vegen, met haar blote hand. Ik was verbaasd over haar instinctieve zorgzaamheid, maar niet over mijn eigen weerzin.

'Dit zouden ze op de televisie moeten laten zien,' zei Maggie met een snik. 'Niemand zou ooit meer heroïne gebruiken.'

Ik legde een hand op haar schouders. 'Hij wordt heus wel weer beter. Dit stadium is het ergst, maar het gaat voorbij.'

Ze knikte maar had nog steeds tranen in haar ogen. Ik draaide me om naar Elizabeth. Ze had haar armen stijf rond haar borst geslagen en staarde naar Anis. We bleven nog een tijdje bij hem zitten, totdat hij het gevecht tegen de slaap verloor. Zelfs in zijn slaap kreunde hij en schokte zijn hele lichaam, soms zo heftig dat hij even bijkwam. Het was werkelijk afschuwelijk.

Toen we weer buiten stonden, stelde Elizabeth voor om te gaan kijken hoe het met de tweeling was. Zij deden het zelf omdat ze iets tegen ziekenhuizen hebben. Bovendien was hun visum verlopen, en ze waren als de dood dat ze geïdentificeerd en teruggestuurd zouden worden. Ik had het ze afgeraden, maar ik had ze wel een kalmerend middel gegeven van een vriend van een vriend.

Toen we aankwamen, stond de deur van hun kamer wijdopen. De meisjes waren weg en de kamer zag eruit alsof er een bom was ontploft. Zelfs op de spiegel zat braaksel. Het stonk er zo erg dat ik ervan kokhalsde.

Nutan

Zeenat en ik werden kribbig en opvliegend. We snauwden naar elkaar. Op een dag beschuldigde ze me ervan dat ik geld van haar had gejat. 'Ik heb alleen twee kwartjes gepakt voor een broodje,' zei ik, maar ze geloofde me niet. Terecht. Ik had het geld wel gestolen.

We zagen er ook heel slecht uit. Toen Zeenat zich laatst bukte om haar slipje op te rapen, zag ik alle wervels van haar ruggengraat door haar huid prikken. Soms had ik het gevoel dat ze me met haat in haar ogen aankeek. Toch wist ik dat ze van me hield. Als ze niet van me hield, zou ze niet telkens zorgen dat er genoeg geld was voor ons allebei. Ik wist niet hoe ze eraan kwam nu Anis er niet was. Was ze gaan stelen? Ze hield echt van me. Het kwam gewoon door die jaloerse drug. Er bleef geen ruimte voor een andere liefde over.

Bruce

Het was vier uur 's ochtends. Elk korreltje coke was op, en Ricky had net een laatste lijntje van de bovenkant van de televisie geschraapt. Hij en Maggie wilden meer, ze werden helemaal gek. Ze belden iedereen op, maar niemand had wat, of anders wilden ze niet verkopen. Toen kreeg Ricky een idee.

'Als we nou gewoon een paar slaappillen fijnstampen en dat snuiven?'

Hij had gehoord dat het een goede high gaf. Maggie was er helemaal voor in. Ze was compleet wanhopig, lijkbleek en met zwarte kringen onder verwilderde ogen. Door haar besefte ik dat cocaïne ook heel erg kan zijn. Bovendien had ze een zweer aan de zijkant van haar pols die ze meestal verborg met haar andere hand, maar als ze flink high was vergat ze dat. Het was een dik paars geval, echt smerig. Al het gif dat ze in haar lichaam stopte hoopte zich op in die ene bult. Ricky had er ook een, een heel erge. Op zijn arm.

Ik was moe en wilde naar huis. Ik had om een uur een afspraak met de bank, en ik wist dat het een slecht-nieuws-gesprek zou worden. Ik stond al een tijdje rood. Ik wilde Elizabeth naar huis brengen en niet snuiven, naar huis en dan naar bed met een paar slaappillen en tot twaalf uur slapen. Maar Elizabeth wilde op Maggie wachten.

Ricky rende de trap op en kwam terug met een handje rohypnol. We hielpen bij het verpulveren. Maggie mocht het eerste lijntje, en Ricky, altijd even gulzig, snoof een hele berg op. Er was nog een beetje over, en Ricky bood het Elizabeth aan, maar die wilde niet. Ze hield niet van dingen waar ze het effect niet van kende, ze wilde altijd weten waar ze aan toe was. Ricky snoof het laatste beetje ook.

Maggie reageerde het eerst. Ze klom op de salontafel, ging op de punten van haar tenen staan en strekte haar armen boven haar hoofd, als een balletdanseres die een pirouette ging maken. Alleen boog zij zich naar achteren en liet zich vallen. Ricky was snel genoeg om haar op te vangen. Hij begon te lachen. 'Alles oké, Bella?' vroeg hij. Ze keek hem aan en glimlachte heel merkwaardig.

Ricky zette Maggie neer, en zodra hij haar losliet liep ze naar het raam. Ze deed het open en begon eruit te klimmen. We stoven allemaal naar haar toe en trokken haar weer naar binnen.

'Ben je nou helemaal gek geworden?'

'Ik wil vliegen,' legde Maggie met glinsterende ogen uit. 'Beth kan het, weet je,' vervolgde ze tegen mij. 'Ze heeft het al eerder gedaan. Je stapt gewoon uit het raam en dan vlieg je. Zo vrij als een vogeltje.'

We sleurden haar terug naar de bank. Opeens begon Ricky gek te doen, hij haalde dwangmatig zijn hand door zijn haar en knipperde heel snel met zijn ogen. Ik wist wat er aan de hand was. Hij werd hyper. Maggie liep naar hem toe, hij greep haar beet en ze begonnen elkaar als gekken te zoenen, tongen, tanden, smakgeluiden.

'Zullen we gaan?' zei ik tegen Elizabeth.

Maar even plotseling duwde Ricky Maggie weg, en hij begon heen en weer te lopen als een gestoord dier. 'Laten we iets doen. We bouwen een feest. Nee, een orgie. Muziek!' riep hij. Hij greep zijn gitaar, sloeg hem stuk tegen de muur en hervatte dat krankzinnige lopen. 'Waar is de coca? Kom, we bestellen coca. Waar is de telefoon?' Hij zag er vreselijk uit.

Maggie trok haar truitje uit en waaierde zichzelf koelte toe met haar handen. 'Jezus, het is hier bloedheet,' klaagde ze.

Ik begon me zorgen te maken, en zag dat Elizabeth net zo gespannen was als ik.

'Hé, ik weet wat!' riep Ricky, en zomaar opeens sleurde hij Elizabeth ruw van de bank en trok haar slanke lichaam tegen zich aan. 'Wat zou de spinnenvrouw ervan zeggen, mijn kleine Elizabeth, als wij met elkaar neuken? Zullen we? Nu. Hier. Zullen we?'

'Hou op, Ricky,' zei Elizabeth vastberaden. Ze probeerde hem met beide handen weg te duwen, maar hij verstevigde zijn greep.

Ik voelde me letterlijk ziek.

'We zijn in het paradijs,' zei hij, en met zijn hand in een ijzeren greep rond haar nek begon hij haar te zoenen. Ik kon zien dat hij probeerde haar lippen van elkaar te krijgen. Ze verzette zich maar was niet tegen hem opgewassen.

'Hé!' zei ik, maar met zijn vrije hand schoof hij haar rok omhoog. Toen kreeg ik een rood waas voor ogen en stormde naar ze toe. 'Hé, Ricky!' brulde ik.

Zijn hoofd kwam omhoog en ik gaf hem een vuistslag onder zijn kin, zó hard dat hij op slag bewusteloos was. Hij viel achterover op zijn rug. Elizabeth hurkte naast hem neer.

'Hij ging te ver,' zei ik bij wijze van uitleg. Elizabeth zei niets.

Opeens riep een raar klein stemmetjes Maggies naam, en toen we omkeken, zagen we dat ze helemaal in elkaar gedoken in een hoekje zat en haar eigen naam riep. Het was een akelig, griezelig geluid. 'Maaaggieee, Maaaggieee.'

Elizabeth ging naar haar toe. 'Wat is er, Maggie?' vroeg ze zacht.

'Je begrijpt het niet.'

'Wat niet?' hoorde ik Elizabeth vragen.

'Laat maar. Leer me maar gewoon vliegen. Ik vertrouw je. Jij bent de enige die ik kan vertrouwen. Je laat me toch niet vallen, hè?' Moeizaam kwam ze overeind en keek ons glazig aan. 'Ik ben duizelig. Help me, Beth, help me.'

'Ik blijf bij haar tot dat spul is uitgewerkt,' zei Elizabeth tegen me.

Ik durfde haar niet met Ricky alleen te laten. 'Dan blijf ik ook hier.'

'Fijn,' zei ze. Haar stem klonk verstikt, maar ze keek me niet aan.

Anis

Ik ging Maggie ophalen. Ze woonde op de negende verdieping van een lelijk flatgebouw, zo hoog dat je de wind kon horen huilen. Het leek wel of je in een vuurtoren was die vervaarlijk dicht bij een afgrond stond.

De flat zelf was helemaal uitgewoond, maar de ongelofelijke hoeveelheid boeken die ze had maakte het toch nog gezellig. Haar huiskamer was net een bibliotheek, met rijen en rijen boeken op planken, en stapels en nog eens stapels boeken overal waar je keek. Haar twee katten, een lapjeskat en een witte, bewogen zich met verbazend gemak tussen al die torens door. Er waren boeken over poëzie, geschiedenis, kunst, filosofie en ontelbare werken van bekende schrijvers.

'Ik wist niet dat je ook dingen deed die niet slecht zijn voor je gezondheid.' Ik ging op de versleten bank zitten en pakte een boek over Freud. 'Wat schrijven ze over hem?'

'Dat hij een seksueel gefrustreerde bedrieger was die van zijn hele leven nooit één enkele patiënt heeft genezen. Kijk, Jung, dat is een heel ander verhaal. Meer jouw type. Hij was in een vorig leven een Tibetaanse lama.'

'Jíj gelooft in reïncarnatie?' barstte ik uit.

'Ik ben katholiek, Anis. Ik geloof in het Laatste Oordeel.'

De lapjeskat kwam naar me toe en ik aaide haar kop.

'Lilly is een schat van een kat, maar Wellington is een ijdele, egoïstische nachtmerrie. Ja toch?' zei ze, en ze glimlachte teder naar de witte kat.

'Heb je al die boeken gelezen?'

'Ja, en *De tovenaar van Oz* ook.'

We lachten allebei.

'Hier, deze zijn voor jou.' Ze drukte me een paar prachtig gebonden boeken over filosofie in handen.

'O!' riep ik verbaasd. 'Bedankt. Ik zal ze lezen en vertellen wat ik ervan vond als ik ze teruggeef.'

'Je hoeft ze niet terug te geven. Ze zijn voor jou.' Ze begon haar balletschoenen aan te trekken.

'Waarom draag je altijd balletschoenen?'

'Toe, Anis, andere vraag.'

'Oké, waarom gebruik je drugs?'

'Ik denk omdat ik iemand ben die snel verslaafd raakt, en misschien omdat ik een doodswens heb.'

'Zelfmoord?'

'En dan eeuwig branden in de hel? Nee, ik wacht wel. Bovendien heb ik er de moed niet voor.'

Ik staarde haar aan. Hier in de vuurtoren was ze niet meer iemand die alleen maar op zoek is naar meer drugs. Ze begon zichtbaar te worden voor mijn kunstenaarsoog, een verbijsterend schepsel. Eigenlijk was ze op een verlepte, bleke manier heel erg mooi. Ik vroeg of ze voor me wilde poseren.

'Waarom niet?' zei ze schouderophalend.

'Nu?'

'Best.'

Ik nam haar mee naar mijn huis.

'Mag ik je zonder je balletschoenen schilderen?' vroeg ik.

Eerst aarzelde ze, maar toen deed ze de schoenen uit terwijl ik naar haar keek. Haar voeten waren spookachtig wit, de randen roze en teer. Ze wriemelde met haar tenen. In mijn ogen was ze opeens een kind. Ik kreeg een idee. Ik begon kleuren te mengen, en zij liep op haar blote voeten door de kamer en keek naar mijn schilderijen. Ik begon haar aardig te vinden, vond het zelfs prettig dat ze rondliep en mijn doeken bekeek. Zeenat had totaal geen belangstelling voor mijn werk, maar Maggie had een goed oog voor techniek. Feilloos haalde ze de beste werken eruit.

Haar oog viel op het onvoltooide schilderij van Swathi, weggestopt achter alle andere. Het doek dat ik onaf had weggezet op de dag dat haar tante belde om te vertellen dat ze dood was. Maggie haalde het tevoorschijn.

'O, Anis,' fluisterde ze, en ze sloeg een hand voor haar mond. Ze ging er op haar hurken voor zitten en bestudeerde het. Toen ze zich naar me omdraaide, zag ik angst in haar ogen, alsof ze al wist wat mijn antwoord op haar vraag zou zijn. 'Waar is ze nu?'

'Dood,' zei ik kortaf.

Maggie keek van mij naar het schilderij. 'Waarom maak je haar niet af? Ze heeft het koud en ze wacht erop. Ik ruik verdriet. Het hare en het jouwe.'

Haar blote voeten kwamen te dichtbij. Als een kind brak ze door mijn muren heen.

'Zullen we beginnen?' stelde ik voor.

'Waar wil je me hebben?'

Ik ging naar mijn slaapkamer, en onder in een la die ik nooit gebruikte vond ik wat ik zocht. Ik stofte het boek af en gaf het aan Maggie. 'Lees dit terwijl ik je schilder.'

Ze pakte het boek van me aan. *'Dharma?'*

'Plicht,' legde ik uit. 'Elk levend wezen heeft een heilige plicht. Of je nou leraar bent of vader, moeder, blad, dier, architect of courtisane, iedereen heeft een eigen plicht.' Ik keek niet op van mijn doek, maar voelde dat ze het boek opensloeg bij de boekenlegger.

Ernstig begon ze te lezen. '"De *dharma* van een courtisane is het ontvangen van geld voor het schenken van genot. Het is haar plicht om haar lippen met rode schellak te verven, om haar ogen te versieren met lampzwart en haar borsten in te smeren met saffraan totdat ze gloeien. Zonder liefde zullen vele tijgers haar grot binnengaan, en ze moet hen allemaal als eerbiedwaardige gasten behandelen. Midden op de dag parfumeert ze haar voorhoofd en loopt ze door dezelfde straat als de man die haar de avond tevoren als een paard heeft bereden, maar in het felle licht van de dag vertrekt zijn gezicht wellicht van weerzin. Dan is het haar plicht om hem te vergeven."'

Ze viel stil. Ik keek haar niet aan en vertelde haar een oud verhaal dat ik ooit van mijn grootvader had gehoord.

'Toen de koning van de oude stad Takskashila zijn koninklijke astroloog vroeg waarom zijn stad door aanhoudende droogte werd getroffen, kreeg hij een onverwacht antwoord. "Het celibaat is een giftige slang waar Vruchtbaarheid alleen vanuit de verte naar wil kijken." De droogte werd veroorzaakt door de spirituele hitte die de mediterende asceten in de wouden van de koning met hun onophoudelijke gebeden uitstraalden. De oplossing was simpel. "Nodig uit heel India courtisanes uit en laat hen doen wat courtisanes doen. Dan zal het gaan regenen." De koning nodigde de courtisanes uit, en het ging inderdaad regenen.'

Ik was klaar met mijn verhaal, en Maggie ging verder met voorlezen.

'"Noch de bruidspalankijn noch de regen van rijst zal haar deel zijn, en toch kan de prostituee trots zijn op de essentiële aard van haar rol – zelfs het feest van de grote godin Durga Ma kan niet beginnen zonder een beetje aarde uit haar tuin. En zo komen ze naar haar toe, de edellieden in hun prachtige dracht, met een slinger van jasmijn rond hun linkerpols. En haar handen, rood geverfd met henna, pakken haar enkelbelletjes. Ze moet voor hen dansen, keer op keer, dan zal de man die in vervoering raakt van haar sierlijke bewegingen haar misschien een danseres noemen."'

Van achter mijn ezel keek ik naar de balletschoenen die bij de deur op de grond lagen. Ik zag dat er tranen over haar wangen liepen, maar ik was nog niet klaar met mijn schilderij. 'Ga door,' zei ik. Om haar hart en ziel te kunnen zien, moest ik haar beledigen.

'"In vroeger tijden was ze een adellijke genezeres en een hogepriesteres die geld verdiende voor de tempel waar ze woonde. Ze wist dat haar *dharma* dezelfde was als die van de lotus. Ze moest leven in slijm, haar onderlichaam voortdurend in contact met het onreine, en toch mocht geen druppel van de modder of het vuil haar huid bezoedelen. Is het niet zo dat de stille modder ook haar geheimen verhult? Wie durft de reinheid van de lotus te betwijfelen? Niet de modder."'

Maggies tranen drupten op de bladzijden van het boek. Ik had naar haar toe moeten gaan om haar te troosten, maar ik kon het niet. Met het licht achter haar en haar glinsterende tranen leidde de kwast in mijn hand een eigen leven. Als zoon, minnaar, broer en vriend had ik gefaald in mijn *dharma*. Alleen de plicht als kunstenaar was nog over. Verdriet is natuurlijk en mooi in het oog van de kunstenaar. Ik weet niet hoelang ik bezig ben geweest met het schilderen van de huilende courtisane. Het leek wel of ze een hele rivier van tranen huilde.

Nu lijkt het onbegrijpelijk, maar die dag was het volmaakt natuurlijk. Het was goed dat ze hopeloos huilde om de onreine lotus, het deed er niet toe dat haar arme hart gebroken was. Ik moest de tranen van de courtisane schilderen. Pas toen ik mijn kwast eindelijk weglegde, ging ik naar haar toe en sloeg mijn armen om haar heen.

'Ssst,' zei ik, en zomaar opeens hield ze op. Heel lang bleef ik haar vasthouden, totdat ze helemaal vertrouwd aanvoelde. Als een teruggevonden zusje.

Bruce

'Hallo, Maggie,' zei ik, en ik liet me naast haar op de bank ploffen.

Ze bladerde verveeld in een of ander tijdschrift. 'Hallo, Bruce.'

'Waar is iedereen?' vroeg ik losjes.

'Elizabeth bakt een taart,' zei ze.

'Wát?'

'Ja, grappig, hè? Ze houdt van bakken.' Van opzij keek ze me aan. 'En van kinderen.'

Het was eruit voor ik het wist. 'Waarom noemt Elizabeth mij De Denker?'

Ze draaide haar hoofd naar me opzij en grijnsde breed. Ze grijnsde zoals alleen Maggie kon grijnzen, en ik wist dat ze alles tegen me kon zeggen en ik het haar niet kwalijk zou nemen.

'Op sommige plaatsen in Ierland noemen ze je altijd precies het tegenovergestelde van wat je bent.'

'Mooi is dat,' zei ik.

'Ze meent het niet, hoor.'

'Zullen we ergens iets gaan drinken?'

'Oké,' zei ze, en schoot overeind. Ze keek op me neer. 'Waar wacht je nog op?'

Ik nam haar mee naar Ashley. Het was gezellig en we sloegen het ene glas na het andere achterover. Ik weet niet hoe dronken zij was, maar ik was behoorlijk teut.

'Weet je, de mensen die de grootste behoefte hebben aan bescherming nemen de gemeenste waakhonden.'

'Wat bedoel je?' Ik zei toch dat ik dronken was.

'Laat maar. Hou je van Beth?'

'Ja, ik hou van haar,' verklaarde ik ernstig.

'Beloof je me dat je met haar zult trouwen?'

'Ik beloof het.'

Ze knikte langzaam. 'Mooi. En niet vergeten, hoor. Je hebt het beloofd.'

'Ga je Elizabeth ook laten beloven dat ze met mij trouwt?'

'Maak jij je nou maar nergens druk om. Laat Beth maar aan mij over, ik regel het wel. Ben je van plan om het op de Afrikaanse manier te doen? Je weet wel, dan dansen bruid en bruidegom van blijdschap door de kerk.'

'Ik weet niet of dat wel mag in een Engelse kerk.'

'Ze wil drie kinderen.'

'Klinkt goed.'

'Ik moet je iets over haar vertellen.' Ze klonk opeens bijna nuchter.

Ik draaide mijn hoofd naar haar opzij. 'Wat dan?'

Ze sloeg haar ogen neer en haar antwoord klonk nogal mysterieus. 'Nee, ze vertelt het je zelf wel als het zover is. Bovendien is het niet belangrijk. Zij denkt van wel, maar dat is het niet. Je zult het zelf zien.'

Ashley werkte de drinkers de deur uit.

'Is het dan al sluitingstijd?'

'Ja man, het is vier uur 's ochtends.'

We gingen met Ashley mee naar boven. Daar had hij veertig verschillende soorten whisky. Ik probeerde ze allemaal en ging onder zeil op de bank, terwijl Maggie en Ashley doorgingen met drinken en over homorechten discussieerden.

Elizabeth

Vandaag kwam Anis met een schrijfster naar Ricky's huis. Ze heeft een boek geschreven en is op zoek naar materiaal voor haar tweede. Ze droeg een oude spijkerbroek en een blauwe slobbertrui. Het was echt geen gezicht... behalve haar schoenen, die waren zilverachtig grijs met zachtroze. Ze zag me ernaar kijken en grijnsde.

'Zijn ze niet prachtig?' vroeg ze. 'Ik heb ze op maat laten maken. Het is zalmhuid. Ik heb zelfs bijpassende handschoenen.'

'Ik heb je boek gelezen,' zei ik.

Ze was verbaasd. 'Vond je het mooi?' De gretigheid waarmee

ze het vroeg was tegelijk kinderachtig en innemend. Ze wilde horen dat ik het goed vond. Ik had er spijt van dat ik het ter sprake had gebracht.

'Ik heb het niet helemaal uitgelezen. Het is een goed boek, maar ik heb liever wat meer intellectuele literatuur, minder commercieel.'

'Dus je vond het te commercieel?' zei ze met een glimlach.

'Misschien...'

Onverwacht raakte ze mijn hand aan. 'Je hebt vast niet het koude hart van een recensent die elke vorm van emotie als commercieel bestempelt. Schrijvers zijn verlegen, gevoelige mensen. Door onze onzekerheid keren we ons af van de wrede buitenwereld, om te leven in de pagina's die we creëren. Heb je dan liever kille redelijkheid die alleen een beroep doet op je intellect?'

Daar had ik niet van terug. Gelukkig bracht Anis haar een groot glas whisky. Ze was verbijsterend snel dronken. Haar opschrijfboekje verdween in haar tas en ze begon door te zagen over een recensent die haar boek de grond in had geboord. Ze verpestte mijn high en ik wilde eigenlijk tegen haar zeggen dat ze haar mond moest houden, maar ze droeg heel gul vier briefjes van vijftig bij aan de coke, terwijl ze niet eens gebruikte. Nou, toen heb ik maar gezegd dat alle recensenten gesjeesde schrijvers zijn en dat ze alleen hun frustraties afreageren.

Ze knikte in slowmotion. 'Weet je, ik vind je heel aardig en ik voel me vreselijk beroerd.' Wankel kwam ze overeind, en ze zag er doodziek uit. Ze strompelde in de richting van de deur. 'Moet naar huis.'

Op deze manier krijgt ze nooit een verhaal. Ze kan ons tempo gewoon niet bijhouden. Ricky keek toe, een geamuseerde, lichtelijk neerbuigende glimlach op zijn gezicht. Maggie liep met Anis en haar mee naar de deur. Maggie en zij wisselden telefoonnummers uit. Wat zag Maggie nou in iemand die zo saai is? Ik vroeg haar waarom ze haar nummer had gegeven. 'Ik had medelijden met haar,' zei ze. 'Iemand zoals zij kan nooit een geloofwaardig verhaal over seks, drugs en rock-'n'-roll schrijven als ze geen hulp krijgt.'

Ik gaf haar een opgerold bankbiljet aan en haalde mijn schouders op.

De deur ging open en er kwamen Italiaanse vrienden van Ricky binnen met een mand verse *porcini* die ze die avond hadden geplukt. Ricky was in extase. Hij dook de keuken in en maakte een werkelijk hemelse pasta met de verse paddestoelen. Toen we met z'n allen aan tafel zaten te eten, zei een van de Italianen: 'Alleen de hoeren ontbreken nog.'

Ricky keek naar Maggie. 'Wil je wat bijverdienen, Maggie?' Haylee lachte, het kreng. Ik was zo kwaad dat ik hem wilde slaan. Maggie staarde Ricky alleen maar aan, maar ik wist dat ze vanbinnen bloedde.

'Waarom doe je het zelf niet, Ricky? Dan maak je jezelf tenminste een keer nuttig.' Ik schoof mijn stoel naar achteren.

'Ooo, scherpe nagels!' kirde Haylee, en Ricky lachte schaterend.

Ik nam Maggie bij de hand. 'Kom op, we gaan.'

Maggie was heel stil in de taxi onderweg naar Tramp. Hoewel de mollah lid was, gebruikte ik nooit zijn naam om binnen te komen, omdat hij mijn gangen dan kon nagaan. Ik kende betere manieren. Er stond een man van een jaar of veertig in de rij om binnen te komen. Ik ging naar hem toe en vroeg hem, zonder te koketteren: 'Mogen we met jou mee naar binnen?'

Hij grijnsde breed. 'Natuurlijk,' zei hij. Het was een Amerikaan, aardige vent. Hij nam ons mee naar binnen, trakteerde op drankjes en was zelfs bereid om de drugs te financieren, maar niemand had iets te koop, zelfs de Italiaanse obers niet. In het eetgedeelte zat een groep Arabieren die zo te zien high waren, maar hun wereldje was te klein, ik kon het niet riskeren.

Maggie was inmiddels radeloos, dus gingen we naar haar huis. Ze liet zich op de bank vallen, en de katten kropen tegen haar aan. Plotseling sprong ze overeind, en het volgende moment kroop ze op handen en knieën over de grond.

'Kijk,' zei ze, en heel zorgvuldig plukte ze witte dingetjes van het kleed. Cocaïne. Genoeg voor een lijntje. 'Wil jij ook?'

'Jakkes,' zei ik, 'nee, bedankt. Getver, Maggie, er zit kattenhaar in.' Maar het kon haar niet schelen, ze snoof het toch. Ik keek naar haar en voelde me diep ellendig.

Anis

Maggie deed open en ze nam me bij de hand. 'Kom, ik wil je iets laten zien.' Haar stem trilde een beetje. Ze deed de deur van haar slaapkamer open. 'Kijk.'

De muren waren geheel met schilderijen behangen, het waren er zeker dertig of veertig. Allemaal van dezelfde hand. De stijl was onmiskenbaar.

'Vind je ze mooi?' vroeg ze met een bang en meisjesachtig fluisterstemmetje.

Ze liet mijn hand los, en ik liep de kamer in om de doeken beter te bekijken. Het was net een droom, zelfs de haartjes in mijn nek kwamen overeind. De schilderijen raakten iets in me. Het was alsof ze stemmen hadden, onzichtbare handen. Dit meisje schilderde uit haar hart. Ze schilderde geen boosheid, ze schilderde pijn. En toch wist ze ook vreugde door haar opvallende kleuren te mengen.

Het was museumkwaliteit. Je hebt geen idee wat een verbijsterende vondst het was. Een goedkoop hoertje zonder schildersopleiding dat moeiteloos deze adembenemende meesterwerken creëerde.

Toen ik me ten slotte naar haar omdraaide, zag ik dat ze heel gespannen op mijn reactie wachtte.

'Vind je ze mooi?' herhaalde ze, maar nu op onverschillige toon. Ze bereidde zich voor op een negatief commentaar.

'Je bent niet slecht,' zei ik. Waarom vertelde ik haar niet hoe briljant en verbluffend getalenteerd ze was? Nee, niet omdat ik jaloers was, maar omdat ik bang was. Haar werk was zó goed, ik wilde het niet verknallen. Ik bedacht dat ik het zonder dat zij het wist aan mijn galeriehouder zou laten zien, zodat hij een expositie kon organiseren. Ik wilde een ster van haar maken. Waar ik bang voor was? Dat ze haar hele verzameling op zou snuiven en nog afgezet zou worden ook.

Haar ingehouden adem ontsnapte in een diepe zucht. Zwijgend liep ze naar een schilderij van een heel bleek meisje in een sprookjesachtige omgeving. Ze stond half weggedraaid, en je zag de tere vleugels van een libel op haar rug. Ik wist meteen dat dit meisje Maggie was. Voorzichtig haalde ze het schilderij van de muur. 'Wil je het hebben?' vroeg ze.

Ik pakte het van haar aan, maar kon geen woord uitbrengen. Het was een veel te groot cadeau.

'Ik zie vormen,' legde ze uit.

Ik keek naar het prachtige licht, de vrolijke penseelstreken, de overhangende rotswand en de diepblauwe lucht, de vertederende onschuld van het meisje, en er kwam onwillekeurig een gedachte bij me op. Hoe was dit prachtige kind in de prostitutie beland?

Ik tilde mijn hoofd op om haar aan te kijken, en het was alsof ze mijn gedachten kon raden. Gekwetst opende ze de deur, en ik verliet haar paradijs.

Nutan

Een beetje heroïne gescoord, maar het was troep. Hoe kunnen mensen zo gemeen zijn? Kan het ze dan niet schelen dat ze ellende veroorzaken?

Ik weet het niet zeker, want ik hou het niet meer bij, maar het voelt alsof we de dosis heel snel hebben verhoogd. Het gaat niet goed met ons. Dat komt doordat we de hele tijd in die donkere, stinkende kamer zitten. Laatst bood een van de eigenaars van de snackbar me geld aan voor seks. Ik keek hem kwaad aan, en hij zei: 'O, sorry, ik dacht dat je je zus was.'

Ik had per ongeluk in mijn huid gespoten, en mijn hand was zo opgezet dat bewegen pijn deed. Ik walg van viezigheid, en toch lig ik de hele dag tussen smerige lakens, hulpeloos en waardeloos. Ik heb me al heel lang niet meer gewassen of gedoucht. Ik zou schaamte moeten voelen, en toch lig ik op mijn zus te wachten, wetend dat ze mij de grootste bloemenkrans zal geven.

Zeenat

Er waren oranje en bruine bladeren in het park. De dagen werden korter. Voorbijgangers haastten zich over de trottoirs. Ik benijdde hen. Zij hadden het warm in hun jassen. Hun kou kwam niet van binnen uit. Het grootste vuur maakt geen verschil als de kou van binnen uit komt.

Ricky

Ik belde mijn broer en vertelde hem dat ik een nieuw restaurant wilde kopen. Of hij mijn erfenis voor me kon verkopen? Ik had een ton nodig. Mijn broer zweeg geschokt. O ja, vergeten. Land verkoop je niet, dat moet altijd in de familie blijven.

'Kun je me dan uitkopen?' opperde ik.

Maar hij zei dat hij net wijnranken had geplant en dat die pas over twee jaar iets zouden opleveren. Ik vroeg of hij dan in elk geval iets kon lenen bij de bank, de helft of zo. Hij zei dat hij het zou proberen.

'Wanneer?' vroeg ik. 'Er is haast bij.'

'Een week,' beloofde hij.

'Oké dan. Doe de groeten aan mama en papa. Zorg dat dit niet aan mijn neus voorbij gaat.'

Het geld – God zegen mijn broer – was er binnen een week. Ik betaalde twee verschillende deurwaarders en begon toen te feesten. Twee weken later was het geld al op, dus verkocht ik mijn Rolex, voor vijfduizend. Een dag later kwam er een brief; de bank zou beslag leggen op mijn huis als er geen groot bedrag werd betaald. Ik ben even vergeten hoeveel. Ik moest contact met ze opnemen.

'*Va funculo*,' zei ik, en belde een opkoper. De inboedel was honderdduizenden ponden waard. Geef me een prijs voor de hele handel. De eikel keek naar mijn ongeschoren gezicht en wreef over zijn kin. 'Tienduizend?' Uiteindelijk werd het vijftien. De bank mocht dat klotehuis hebben. Ik had het toch niet meer nodig.

Ik stond in mijn lege huis, en opeens was er een pijnlijk gevoel van verlies. Een echo van kinderstemmen, een vrouw die riep: '*A tavola*, het eten is klaar.'

Sentimentele shit. Ik ging weg zonder het licht uit te doen of de deur af te sluiten. Onderweg naar de tempel belde ik mijn dealer.

'Hoeveel?' vroeg hij.

'Veel,' zei ik.

Anis

Het stormde zo hard dat de wind door de straten floot. Ik stond voor het raam en keek naar de regen die tegen de ruit sloeg. Waarschijnlijk was er een zekering doorgeslagen, want we hadden geen elektriciteit, maar ik kon het niet opbrengen om in de meterkast te duiken en het probleem te verhelpen. Zeenat had kaarsen gevonden. Volgens mij had ze de hele doos gebruikt, want het huis leek wel een gotische filmset. Het kaarslicht veranderde Zeenat in een exotische vreemde. Ik had het gevoel dat we in een Balinese tempel waren en elkaar voor het eerst ontmoetten.

Ze zat op haar knieën op de grond. Buiten bliksemde het, en ik weet nog hoe ze eruitzag in dat helle witte licht. Ik schrok van wat ik zag. Ze was niet langer het kleine bruine vogeltje dat ik in het begin had geschilderd, ze was een felle, meedogenloze roofvogel geworden.

En terwijl ik naar haar keek, moest ik aan Maggie denken. O, Maggie, het spijt me dat ik je aan het huilen heb gemaakt, maar ik zag je als een voltooid schilderij, en dat beeld was zo mooi. Wacht maar af, ik heb een verrassing voor je in petto. Je leven kan nu elk moment een droom worden.

Nutan

Ik droomde dat ik dood was. Ik lag op een marmeren plaat. Ik had het koud, zo koud, en er stonden geesten om me heen.

Ricky

Toen Elizabeth belde om me te vertellen dat Maggie dood was, dat ze uit het raam van haar flat op de negende verdieping was gevallen, wist ik meteen dat ze was gesprongen. Dat meisje was niet helemaal lekker, ze was op zoek naar de dood.

'Waarschijnlijk had ze rohypnol gesnoven en probeerde ze te vliegen,' zei Elizabeth.

Ze had natuurlijk gelijk. De spin. Die maakte het paradijs gevaarlijk. Was het een waarschuwing? Of een verzoek om meer?

Ik herinner me nog steeds niets van die nacht. Ik weet nog dat ik Maggie tegenhield toen ze wilde vliegen, maar de rest is weg. Denk je eens in, ik heb mijn gitaar tegen de muur geramd, en ik weet het niet eens meer. Erger nog, ze hebben me verteld dat ik op mijn kin ben gevallen en knock-out ging.

Elizabeth

In de stilte van de nacht had het nieuws van Maggies dood een vreemd effect op me. Enerzijds maakte het me blij om te weten dat ze ergens is waar je niets meer nodig hebt. Heb ik zelf niet ook naar de dood verlangd? Mijn zus heeft me laten weten dat

het er koud en donker is, maar toch had het een zekere aantrekkingskracht.

Anderzijds had ik verdriet om haar zoals een moeder die haar
liefste kind verliest. En tegelijk miste ik haar als een kind dat om
haar dode moeder huilt.

Ik weet nog dat ze me de bloedende wond in haar hart liet zien
op de avond dat die rat haar had gedumpt. Waarom liet ze zich
toch zo geduldig misbruiken? Doe me alsjeblieft een plezier, en
luister naar haar verhaal. Lang is het niet.

Ze was de dochter van een tippelaarster. Ze woonden in een
groezelige kamer waar het zelfs in de zomer koud was. Haar
moeder tippelde in de achterafstraatjes. Soms was ze onvoorzichtig en kwam ze met blauwe plekken thuis, maar meestal ging
het goed.

Toen begonnen de vrouwen in de buurt te protesteren, en ze
moest de mannen bij haar thuis laten komen. En Maggie zag al
die verloederde kerels bovenkomen, en ze hoorde de smerige geluiden die ze maakten.

Maggie was zeven toen haar moeder Klaus, haar pooier, erop
betrapte dat hij zijn handen over de benen van haar dochter
streek terwijl zij hem zat voor te lezen. Toen hij weg was, zei ze
tegen Maggie: 'Laat je nooit meer door hem aanraken.' Maar
het leven ging door zoals voorheen. Maggie sliep op de bank en
zij in het bed.

Op een nacht deed Maggie haar ogen open en zag ze hem
naast de bank staan. In het donker kon ze zijn gezicht niet zien,
maar ze kon hem wel ruiken, vreemd en beklemmend. Ze wilde
gillen, maar kon het niet. Als verlamd lag ze op de bank. Er kwamen alleen zachte kreuntjes uit haar mond, half gesmoord door
de verstikkende geur.

Opeens dook haar moeder op. Ze had twee jaar op zo'n soort
moment gewacht. Ze schoot hem in zijn rug, en hij zakte boven
op Maggie in elkaar. Haar moeder trok haar onder hem vandaan en zat rustig te wachten totdat de politie haar kwam arres-
teren. De kinderbescherming ontfermde zich over Maggie – ze
had een grootmoeder in Ierland, maar die was gek verklaard en
kon niet voor haar zorgen.

Soms schreef Maggie haar moeder in de gevangenis. Haar
moeder zei dat ze er geen spijt van had, dat ze het precies zo zou
doen als ze het over mocht doen. Maggie vond dat ware liefde.
Ik niet. In mijn ogen heeft die moeder de grootste fout van haar

leven gemaakt, want ze heeft haar dochter niet kunnen beschermen.

Ik denk wel eens aan Maggies moeder. Zittend in haar cel, gevoed, gekleed en beschut leest ze in alle rust de leugens van haar dochter. Er is niemand om haar te vertellen dat haar offer voor niets was geweest.

Anis

Ik was kapot van het nieuws van Maggies dood. Het was zo onverwacht dat het onwerkelijk leek, niet echt kon zijn. Ik keek naar mijn half voltooide schilderij van de huilende courtisane en begon aan alles te twijfelen: haar spontane lach, de eerste keer dat ze voor me poseerde en ik haar aan het huilen had gemaakt, de schatten aan de muren van haar sjofele flat. O, wat zonde.

Maar erger nog was het gevoel dat ik verantwoordelijk was, schuldig. Ik had haar die dag meteen moeten vertellen hoe fantastisch haar werk was. Wat harteloos en aanmatigend van me om haar niet uit haar nachtmerrie te bevrijden. Ze zou de prostitutie misschien vaarwel hebben gezegd, misschien zelfs de drugs. In elk geval had ze een schilderij kunnen verkopen, zodat ze geen verpulverde slaappillen hoefde te snuiven. Het had alles kunnen veranderen.

Worstelend met schuldgevoelens vroeg ik Elizabeth de reservesleutel van Maggies flat. Ik voelde me op een vreemde manier aangetrokken tot de tastbare overblijfselen van haar leven: haar flat, haar boeken, haar kennis. Het was avond toen ik haar deur openmaakte, en ik ging naar binnen met het opwindende gevoel dat ik iets van groot belang kon ontdekken.

Haar boeken waren overal: Freud hier, Nietzsche daar, Voltaire op de vensterbank en Shakespeare in de boekenkast. Ik opende het raam waaruit ze was gevallen en een koude windvlaag blies naar binnen. Losse papieren waaiden van de tafel. Ik liet het raam op een kier open en stak het elektrische nephaardvuur aan. Al snel was het warm en gezellig in de kleine kamer. Ik stelde me voor dat ze in een nachtjapon voor het vuur zat, haar voeten op het versleten voetenbankje, de lapjeskat op haar schoot. Terwijl ze met haar ene hand de kat aaide, hield ze in de andere een opengeslagen boek. De vlammen van het nepvuur hulden haar geboeide gezicht in een warme gloed. Toen meende ik haar aanwezigheid te voelen.

De ware reden voor mijn komst was nieuwsgierigheid naar een onvoltooid schilderij waar ze ooit iets over had laten vallen, haar geheim. Ik ging naar haar slaapkamer, en opnieuw kon ik nauwelijks geloven wat ik zag. Eenenveertig schilderijen, die als geesten tegen me fluisterden. Ik hing het schilderij van het onschuldige meisje dat ze me had gegeven terug en ging op het bed zitten, genietend van de pure schoonheid om me heen.

Ik ging op zoek, in laden en kasten, totdat ik tussen haar avondjurken de ruwe structuur van canvas voelde. Welke geheimen konden de doden me vertellen? Ik haalde het eruit en mijn adem stokte. Een gouden jongen glimlachte. Een kwart van het gezicht was nog onaf, en in zijn handen hield hij een kat, de verdrietigste kat die ik ooit had gezien. De snoet was oud en afgetobd, het vel hing over schonkige schouders, en de halfgesloten, eigenaardig menselijke ogen waren poelen van lijden. Toch had ik nog nooit zoiets moois gezien. Het mooie kind vervaagde, maar de zielige kat leefde voort.

Vergeleken bij dit schilderij, 'Jongen en kat' getiteld, was mijn 'Huilende courtisane' inferieur broddelwerk. Haar schilderij leefde, precies zoals ze het had bedoeld. En het zou altijd blijven leven. Ik wilde het hebben. En waarom ook niet? Als ik het schilderij van het libellenkind ruilde tegen de jongen met de kat... De waarde was beduidend minder, dus ik deed Maggies erfgenamen niets te kort.

Ik ging terug naar mijn auto om mijn schetsboek en potloden te halen. Zittend aan de eettafel begon ik te schetsen: het haar, de armen, de benen, de balletschoenen, maar niet haar gezicht. Ik kon het niet. Er stond een foto van haar op een bijzettafeltje, genomen in een nachtclub. Ik staarde er heel lang naar. Het was geen slechte foto, maar het portret had iets ongrijpbaars, alsof de echte Maggie zich verborg. Ik legde mijn schetsboek neer en liep naar het raam. Beneden zag ik lichten, auto's, mensen.

De wind streek door mijn haar. Die dag moest ook zij op het randje zijn geklommen. Voor ik wist wat ik deed, was ik naar buiten geklommen en hield mezelf in evenwicht op het randje. Die vervloekte Ricky, had hij haar maar niet met rohypnol kennis laten maken. Ze was katholiek, ze zou niet zijn gesprongen. 'Ik heb er de moed niet voor,' had ze gezegd. En ik geloofde haar. De dood moet haar bij de enkels hebben gegrepen.

Ik balanceerde op één voet. Had ik er de moed voor? Een sterke windvlaag, en bijna verloor ik mijn evenwicht. Onmiddellijk klampten mijn handen, mijn benen en hersenen zich aan overleven vast, en trillend klom ik weer naar binnen. Zij was gesprongen, maar ik had er de moed niet voor.

Ik had het koud, dus deed ik het raam dicht en kroop in haar bed. Het kussen rook naar parfum, licht en bloemig. Ik deed het bedlampje uit en lag uren wakker in het donker. Verwachtte dat ze terug zou komen. Tegen de ochtend dommelde ik in, en ik zag haar op haar hurken zitten tussen dorre bladeren, met de maan die op haar gezicht scheen. Met haar handen ging ze door de krakende bladeren, en ze glimlachte op een prachtige en vreemde manier. 'Luister naar de aarde,' fluisterde ze, 'kauwend op alles wat we vandaag hebben begraven.'

Toen ik wakker werd, scheen de zon op de schilderijen. Het effect was prachtig, maar ik schrok toen ik ging zitten en mezelf in een spiegel zag. Even dacht ik dat het een vreemde was. Wat een raar meisje was Maggie geweest. Ze keek in de spiegel zodra ze wakker werd. De spiegel hing scheef. Ik hing hem recht, en erachter vond ik Maggies dagboek.

Ik sloeg het in leer gebonden boek open, en het eerste waar mijn oog op viel was:

Hierbij nodig ik u uit voor Maggie MacFaddens begrafenis.

Met een klap sloeg ik het dagboek dicht. Wat was die angst? Opeens voelde ik me een indringer in Maggies huis. De prachtige schilderijen kregen vijandige ogen. Ik had helemaal geen toestemming om Maggies gedachten te lezen. Ik belde Elizabeth. Er viel een eindeloos lange stilte, en toen slaakte ze een gesmoorde zucht. 'Ik ben er over een halfuur.'

Ik nam het dagboek mee naar de keuken en ging op een stoel zitten wachten. Op de vensterbank krioelden mieren rond een klodder jam. Ze verdwenen in een gat in de muur. De bel ging. Ik liet Elizabeth binnen.

'Ik heb ontbijt meegenomen,' kondigde ze aan, en ze liep langs me heen naar de keuken. Haar haar was wit in het ochtendlicht. Ze was zonder enige twijfel bijzonder mooi, maar ik had haar nooit willen schilderen; haar schoonheid was te kil en te hard. Kijk maar hoe ze Bruce laat lijden. Ze zette een raam open. Nu pas rook ik de muffe lucht die de katten hadden achtergelaten. Ze glimlachte naar me, maar ik glimlachte niet terug.

Uit papieren zakjes haalde ze croissants en twee bekers koffie, en uit haar tas kleine pakjes boter en aardbeienjam. 'Suiker?'

Ik knikte. Ze leegde een suikerzakje in een van de bekertjes, pakte borden en messen, en in de zonovergoten stilte begonnen we aan ons eerste gezamenlijke ontbijt. Ze smeerde boter op haar croissant, en ik deed hetzelfde. Ze waren nog warm.

Ik voelde me op mijn gemak met haar, alsof we goede vrienden waren. Nogal vreemd als je bedenkt dat ik een hekel aan haar had. Toen we klaar waren, strooide ze de kruimels van onze borden op de vensterbank. Zij en de mieren kenden elkaar nog van vroeger. Ik hield het dagboek omhoog.

'Als het knopje jong is, klampt het zich vast aan de boom, maar als het heeft gebloeid, valt het gewillig in een uitgestoken hand. Maggie nam afscheid van je toen ze je haar schilderij van het meisje gaf. Het was haar dierbaarste bezit. Ze heeft me eens verteld dat ze op die plek ooit gelukkig was.' Elizabeth keek me aan, dit keer zonder te glimlachen. 'Ze heeft me ook verteld dat ze je boeken heeft gegeven, boeken waar ze erg van hield.' Ze wees op het dagboek in mijn hand. 'Maar niet dat.'

Ik staarde haar aan. Wat zei ze? Dat Maggie wist dat ze dood zou gaan? Dat ze was gesprongen? Dat Maggie het onkatholieke had gedaan? Dat de kleine Maggie de moed had gehad waar het mij aan ontbrak?

'Maar ze heeft me verteld dat ze katholiek was...'

'Ach, Anis, Maggie beweerde wel dat ze van Nietzsches werk hield, maar het enige wat ze ooit citeerde, was het afgezaagde "de laatste christen stierf aan het kruis".'

'En de rohypnol dan?'

'Wat is daarmee? Ze wist toch precies welk effect die troep op haar had?'

Opeens voelde ik me verraden. Maggie was eruit gestapt. Letterlijk. Ze was een genie en had haar *dharma* niet vervuld.

Toen vertelde Elizabeth me een telkens terugkerende nachtmerrie die Maggie de laatste twee jaar van haar leven had geplaagd, soms wel vier keer per week en altijd in kleur. In de droom zat ze vast op een openbaar toilet. Alles was besmeurd met uitwerpselen, de vloer waarop ze stond, de muren, de wastafels, de spiegels, zelfs het plafond. In haar wanhopige pogingen om weg te komen, raakte ze soms iets aan. Toen verscheen haar moeder, en zij was ook helemaal bruin. In haar uitgestrekte hand bood ze Maggie een partje geschilde appel aan. Het was zo smerig dat Maggie altijd misselijk wakker werd.

De Maggie die ik kende, verdween snel uit het zicht in de achteruitkijkspiegel. 'Weet jij wat er in haar dagboek staat?' vroeg ik. 'Nee, maar ik weet zeker dat er allerlei dingen in staan die niet voor onze ogen zijn bedoeld. Ik vind dat we het moeten verbranden, voor Maggie.'

Langzaam schoof ik het dagboek naar Elizabeth toe. Ze haalde de leren kaft eraf, en we verbrandden het dagboek in de gootsteen, een paar pagina's tegelijk. Daarna verlieten we de flat met de stapels oude boeken, de trieste, briljante schilderijen en de wind die onvermoeibaar huilde.

Toen we naar mijn auto liepen, wist ik opeens waarom ik Maggies gezicht niet had kunnen tekenen. Ik had geweigerd haar te zien, haar te zien zoals ze werkelijk was. Ik had geprobeerd haar onsmakelijke kanten uit te vlakken en haar motieven op mijn eigen manier te interpreteren.

Ze was een prostituee, en dat vond ik een weerzinwekkende gedachte. Ik zag het lichaam van een prostituee als een beerput vol gif. Elke dag stroomden er grote hoeveelheden zaad en andere afzichtelijke lichaamssappen naar binnen. En door met een prostituee om te gaan, raakte je zelf ook vervuild. Hoewel ik had gedaan alsof het niet zo was, had ik haar toch beschouwd als een andere soort dan ik ben. Zelfs haar talent had haar geen waarde gegeven. Vandaar dat ze me de vorige avond haar gezicht had geweigerd. Ze wist hoe schijnheilig ik was. Wat was het verstandig van haar geweest om mij niet te vertrouwen.

Vreemd, om compassie te leren in de keuken van een overleden vrouw. Lachwekkend dat de koude, harde Elizabeth het me had geleerd. Had ik dan alle boodschappers die God me stuurde verkeerd begrepen? Nog steeds had ik niet geleerd om een herinnering te koesteren. Ik, die de mooiste herinneringen aan Maggie had. Bijna had ik iets waardevols kapotgemaakt. Alweer.

Toen ik thuiskwam, vond ik Zeenat in mijn bed.

Teder streelde ik haar haar. Het was ongewassen. Er was me nog iets opgevallen. Haar huid leefde niet meer. De subtiele geur van bloemen die haar huid vroeger uitwasemde was weg. In de vermiljoenkleurige blaadjes van deze lotus sliep een cobra. Als ik hem niet wekte, zou hij dan wegglibberen terwijl ik sliep?

'Ik hou van je,' fluisterde ik triest.

Ze deed haar ogen niet open, maar er speelde een glimlachje om haar mond. 'Ik heb wat voor je bewaard,' mompelde ze.

'Dank je wel,' zei ik.

Bruce

Ik nam Elizabeth mee uit voor de lunch om over Maggie te praten. Ik had Maggie dingen beloofd, en ik wilde mijn belofte nakomen. We hadden net iets te drinken besteld toen haar mobieltje ging. Ze stond op, liep bij me vandaan en antwoordde in het Arabisch. Toen ze terugkwam, zei ze dat ze meteen weg moest.

'Best, ga maar,' zei ik kil, ziedend van jaloezie.

'Sorry,' zei ze, en gehaast liep ze naar de deur. Ik keek haar na toen ze in een taxi stapte.

'Wordt dat een lunch voor één persoon, meneer?' informeerde een stem.

'Nee, het wordt helemaal geen lunch.'

Ik liet wat geld achter op het tafeltje en reed naar Elizabeths huis. Ik parkeerde een eind verderop in de straat en wachtte af. Na ongeveer een uur stopte er een witte limousine voor de deur. Vijf minuten later kwam ze naar buiten. Ze had haar haar opgestoken in een gladde chignon en droeg een lange witte jurk met nepdiamantjes langs de hals. Toen ze de trap af kwam, tilde ze de zoom van haar jurk op en kon ik zien dat ze platte witte sandalen droeg. Die smeerlap was natuurlijk kleiner dan zij. Een enorme kerel sprong uit de auto om het portier voor haar open te houden. De lange slee reed weg. Ik was misselijk. Het ging om geld.

Ze deed het voor het geld.

Toch had ik haar nooit met geld zien smijten. Ze had rekeningen bij allerlei peperdure winkels, maar nooit contant geld. De Arabier was gewiekst. Luxe, maar alleen als je van mij blijft. Ik zag haar voor me in het Ritz Hotel, zoals ze door de lobby liep in haar misplaatste avondjurk. Wat mankeerde die man? Wist hij dan niet dat Europese vrouwen overdag geen trouwjurken dragen? Iedereen in dat hotel wist natuurlijk wat ze kwam doen. Ze zouden grinniken en smiespelen: 'Daar heb je de hoer.'

Ik wachtte. Drie uur bleef ik op haar wachten.

Toen de limo stopte, ging er een steek door mijn buik. De kolos sprong uit de auto, hield het portier voor haar open. Ze keek hem niet eens aan, bedankte hem niet. De elegante chignon was weg, haar haar weer schouderlang. Ik wachtte nog even voordat ik aanbelde.

'Ja?' zei ze.

'Ik wil je zien.'

'Niet nu, Bruce. Misschien morgen bij Ricky. Dag.'

'Wacht!' zei ik. 'Wat heb je gegeten?' Ik staarde naar de zwarte mond van de intercom.

'Lam, Iers lam,' zei ze uiteindelijk vermoeid.

'Je hoeft dit niet te doen. Trouw met me.' Ik was helemaal niet van plan geweest dat te zeggen. En zij had niet verwacht het te horen, te oordelen aan de geschrokken stilte uit de intercom. 'Ik heb het Maggie beloofd,' voegde ik eraan toe. Slap, maar het was wel waar. Het was wat ik wilde. Ik wilde samen met haar oud worden. De stilte duurde voort.

'Ik ben te duur voor je, Bruce,' zei ze wreed.

'Wat? Wil je dan je hele leven hoer blijven?' barstte ik uit.

'Ik ben wat je zegt. Wat maakt dat jou?' vroeg ze ijzig, en zonder op antwoord te wachten schakelde ze de intercom uit. Ik hield mijn vinger op haar bel totdat de portier opdoemde aan de andere kant van de glazen deur.

'Alles naar wens, meneer?'

Verwaande kwast. 'Ja, alles is naar wens,' zei ik, en liep met grote passen weg.

Elizabeth

Ik heb een keer gekeken naar een klein meisje dat aan de overkant woont. Na een flinke plensbui kwam ze naar buiten in haar kaplaarzen. Eerst stapte ze behoedzaam om de plassen heen, maar al snel liep ze er dwars doorheen. Toen dat niet leuk meer was, begon ze in het water op en neer te springen, net zo lang totdat haar kleren kletsnat waren. Maar zelfs dat was niet genoeg. Ze deed haar kaplaarzen uit en vulde ze met regenwater. Met afgunst sloeg ik haar gade, jaloers op haar plezier in het stout en ongehoorzaam zijn. Het was geweldig. Ooit heb ik zelf ook kaplaarzen gehad. Ooit, toen ik klein was en wist hoe fijn het voelt om ongehoorzaam te zijn. Voordat ik mezelf verkocht.

Bruce

Ik was een beetje depri. Ik voelde me verslagen door de Arabier. Ik bracht de nacht door met Ricky en een Filippijns hoertje. We hadden meerdere flessen cognac gedronken, de coke was bijna op en Ricky begon rusteloos te worden. Hij wilde meer gaan halen en ik gaf hem wat geld, hoewel ik zelf niet meer wilde. Maggies plotselinge dood had alles veranderd. De lol was eraf. Ik zat daar alleen omdat ik niks beters te doen had. In Ricky's gezelschap voelde ik me steeds smeriger. Ik moet in slaap zijn gevallen toen hij weg was, want ik werd wakker toen Haylee zachtjes in mijn oor blies. Even dacht ik dat ik droomde.

'Hallo,' snorde ze als een poes.

'Wat doe jij hier?' vroeg ik slaperig. Ik knipperde met mijn ogen en keek op mijn horloge. Het was bijna vijf uur. Ricky was kennelijk 'vergeten' om terug te komen met het spul.

'Ik kom net van een feest. Ik dacht dat hier misschien nog iemand wakker zou zijn.' Ze keek naar de Filippijnse, nog steeds bewusteloos van alle drank.

'Nee, er is hier geen coke. Ricky is twee uur geleden weggegaan om nieuwe te halen. Hij zal wel ergens zijn blijven hangen.'

'Ach, dan maar drank.' Ze schonk ons allebei een flinke bel cognac in, drukte me een glas in de hand en kwam tegenover me zitten.

'Wil je een spannend roddeltje horen?'

'Oké.'

'Ricky is met Zeenat naar bed geweest.'

'Wát?'

'Ja, ze rende hier huilend weg. Je weet met welke shit ze tegenwoordig bezig is, nou, ik durf te wedden dat het door de schuldgevoelens komt. Dat komt ervan als je je eigen zus bedriegt.'

'Weet Nutan het?'

'Volgens mij niet.' Ze liet haar stem dalen. 'Niemand weet het. Alleen jij en ik.'

Anis

Ik pikte Maggies grootmoeder direct uit de menigte. Het was een zenuwachtige, roze, haast bovenaardse vrouw met een rood hoedje. Misschien had ik haar geest gezien op een van Maggies doeken. Ze hield een aftandse handtas tegen haar middenrif geklemd.

'Hallo, Helen. Ik ben Anis.'

'O.' Geschrokken blauwe ogen keken me aan.

Ik voerde haar mee naar buiten en nam haar mee naar het lijkenhuis. We praatten niet met elkaar.

Nadat ze het lichaam had geïdentificeerd kwam ze knipperend naar buiten. 'Er was helemaal niets aan haar te zien,' zei ze verwonderd. 'Jij bent niet haar vriend, hè?'

O, dat. 'Nee, ik ben alleen een kennis.'

'O, dan is het goed.'

Haar kleindochter was dood, maar wat mannen betreft had ze tenminste een goede smaak.

'Zullen we ergens gaan lunchen?' stelde ik voor.

'Nee hoor, bedankt. Ik moet weer terug.'

'Nu meteen al?'

'Aye, ik heb een pan frambozenjam gemaakt en die moet nog in potten. Bovendien moet ik de vossen voeren.'

'Er is een hele verzameling schilderijen van Maggie. Ik durf te zeggen dat ze een hoop geld waard zijn. Wil je er niet even naar kijken?'

Ze rilde. 'Nee, nee, jij mag ze hebben.'

'Je begrijpt het niet. Ze zijn honderdduizenden ponden waard.'

Haar ogen werden groot van verbazing. Ze beet op haar onderlip, likte die toen onzeker. 'Misschien zou je dan zo vriendelijk willen zijn om ze voor me te verkopen.'

Wat een naïviteit, dat ze een volslagen vreemde vertrouwde. Stel je voor dat Ricky haar van het vliegveld had gehaald.

'Natuurlijk.' Ik kon nog meer doen.

'Bedankt.' Ze glimlachte een beetje verloren, en ik voelde de behoefte om haar te troosten.

'Het was een ongeluk,' zei ik.

'O ja, ja. Natuurlijk.' Ze keek me met haar lichte, verwonderde ogen vriendelijk aan. Ze begreep het leven niet. Het leek haar niet te raken, en in plaats daarvan riep zij telkens weer: 'Pak me dan, als je kan!' Ik dacht aan mijn eigen grootmoeder. De mensen dachten dat Helen gek was, maar ze kon wel met vossen praten.

'Ze gilde de hele dag door toen ze...' Abrupt brak Helen haar zin af, en ze fronste haar wenkbrauwen. 'Nee, wacht. Het was mijn eigen dochter die dat deed. Maggie was juist heel zoet, niemand had ooit zo'n lief kind gezien. O, hoe kon ik dat nou vergeten?' klaagde ze met een klein stemmetje. Haar mond trilde, en grote tranen hingen aan de punten van haar bleke wimpers, rolden toen over haar wangen. 'Ik heb haar moeder zoveel gegeven. Er was niet genoeg over voor Maggie.'

Plotseling hielden de tranen op. 'Weet jij hoe ze de kost ver-diende?'

Ik bleef strak voor me uit kijken naar het verkeer. 'Ze danste, maar ze had kunstschilder moeten worden. Ze kon prachtig schilderen.'

'Ik heb erover gelezen, weet je, de psychopathologie van pros-titutie. Ze schrijven het toe aan een onbewust verlangen om ver-waarlozing te wreken.'

Toen keek ik wel opzij. Opeens zag ze er niet meer zo klein en verloren uit.

'Toen ze klein was, trok ze vaak al haar kleren uit en dan ging ze in haar blootje voor het raam aan de straat staan. Raar, vind je niet, dat ik het niet heb begrepen.'

Ik zette Helen af en belde mijn kunsthandelaar om hem te ver-tellen dat ik een werkelijk geniale schilder had ontdekt. Dat ik alleen maar kon dromen van de manier waarop zij schilderde.

'Geweldig,' zei hij. 'Wanneer kan ik haar ontmoeten?'

Toen vertelde ik hem dat ze een dode prostituee was.

De smeerlap smakte met zijn lippen. 'O, wat hou ik toch veel van je.'

Nutan

We werden steeds stiekemer en achterbakser met elkaar, en de doses werden steeds groter, met kortere tussenpozen. We ver-stopten ons voor elkaar als duidelijk was wat de ander aan het doen was. Nooit meer zouden we zo blij en onschuldig zijn als vroeger.

Soms wachtte ik totdat ze in slaap was gevallen, en als ik heel zeker wist dat ze sliep, sloop ik op mijn tenen de kamer uit. Op een dag draaide ze met een ruk haar hoofd opzij toen ik de deur opendeed.

'Waar ga je naartoe?' vroeg ze met een hoog, verontwaardigd stemmetje.

'Een frisse neus halen,' loog ik. Ze bleef me nog even aankij-ken, en ik stond verstijfd in de deuropening – een crimineel. Ze moet hebben geweten dat ik loog, maar als een geslagen hond legde ze haar hoofd weer neer.

Ik ging naar buiten, zonder me schuldig te voelen. Ik kocht wat bij de dealer in onze buurt, alleen was het zoals gewoonlijk niet genoeg om te delen, dus kon ik er niet mee naar onze kamer. Bij gebrek aan beter sloot ik mezelf op in een wc op Victoria Station.

De opluchting... o, de opluchting... De opluchting was zo immens dat ik niet kon stoppen. Dosis na dosis. Een paar keer probeerde iemand de deur, en dan riep ik: 'Bezet!' Ik vergat het bestaan van mijn zus. Ze wachtte op me in onze kamer, te ziek om op te staan. Ze kon doodvallen. Ze moest zelf maar zien dat ze scoorde. Toen ik opstond, voelde ik me zo licht in het hoofd dat ik weer moest gaan zitten. Mijn spijkerbroek was nat. De vloer was nat van de pis. Ik haatte mezelf.

Ik ben een junk, en ik kan het niet meer ontkennen.

Zeenat

Ik weet nog dat we dansten en bloemen strooiden over de toeschouwers die in een kring om ons heen zaten. Boven ons een sterrenhemel en een volle maan. De wuivende palmen vormden ons decor. Kleine lampjes gloeiden langs de paden naar het podium. In de verte tekende zich het dak van de tempel af. Wat was het mooi, misschien nog mooier dan wanneer het een echt theater was geweest. Een zwerm duiven vloog over, en de fluitjes en belletjes aan hun nek en poten maakten een verrukkelijk tinkelend geluid. Tussen de benen van de kinderen zaten katten met hongerige paarse ogen naar de vogels in de lucht te kijken.

Wat was die herinnering vluchtig en ver weg. Het was een andere wereld. Wij waren toen anders. We zongen als we ons wasten in de rivier.

Ricky

Ik belde mijn broer, vertelde hem dat ik een aandeel kon kopen in weer een ander restaurant, een zaak met honderdvijftig plaatsen dit keer.

Hij was onder de indruk van mijn imperium. 'Wordt dat nu je twaalfde restaurant?'

'*Si, si,* waarom investeer je zelf niet ook wat geld? Het is een geweldig goede deal. Je moet investeren om geld binnen te krijgen. Wil je meedoen?'

'Tja, dat is een beetje lastig op dit moment,' zei hij aarzelend. 'Je weet dat we net allemaal nieuwe wijnranken hebben geplant...'

'Neem dan een hypotheek op je huis. Dit is een prachtkans, die mag je gewoon niet laten lopen. Ze hebben een geweldig systeem in dit land, weet je. Investeerders hebben voorrang op schuldeisers, dus als het echt helemaal misgaat, ben je de eerste die z'n geld terugkrijgt.'

'Echt waar?'

'Gegarandeerd. Je kunt gewoon niet verliezen.'

'Nou, als jij denkt...'

'Wanneer kun je het geld sturen?'

'Over een paar weken, maar ik moet eerst...'

'Ja, ja, vraag dan aan onze neef bij de bank of hij er vaart achter wil zetten. Er is haast bij,' drong ik aan. 'Het is echt een buitenkans. Zorg dat je niet te laat bent.'

Hij wenste me succes. Trouwens, zag hij Francesca en de kinderen wel eens?

Af en toe. Ze woonden op een boerderij niet zo ver bij hem vandaan. Hij had gehoord dat Francesca afspraken had gemaakt met de boeren en om het jaar hun hele olijvenoogst zou opkopen. Op die manier had zij een constante aanvoer en hadden zij genoeg voor eigen gebruik. Hij vertelde dat ze een of andere speciale pers uit Toscane had geïnstalleerd en tegenwoordig haar eigen olijfolie bottelde. Ze kwam nooit op bezoek bij onze ouders, maar vanaf zijn trekker onderweg naar het land zag hij de kinderen regelmatig. Ze zagen er gebruind en gelukkig uit, klommen in amandelbomen en renden zorgeloos tussen de olijfbomen door.

Op dat moment nam ik me voor om écht eens orde op zaken te stellen, op te houden met de coca en mijn kinderen en Francesca terug te halen.

Binnenkort. Heel binnenkort. Ik kan ophouden wanneer ik maar wil.

Bruce

Mijn vader was in het laatste stadium van kanker. Het kwam niet als een verrassing, want we wisten al een tijd dat hij langzaam doodging. Ik was dan ook verbaasd over het holle gevoel in mijn binnenste. De oude leeuw was me dierbaar geworden.

Ik belde aan bij Elizabeth. Ze luisterde naar me terwijl ik een heel verhaal hield over toen ik zes was en op een trap klom om bij de geheime bergplaats van mijn vader te kunnen. Daar lag één enkel beduimeld blootblaadje, in zwart-wit nota bene. Door de jaren heen was me slechts één foto bijgebleven: een blond meisje, met haar armen en benen wijd uit elkaar in een schuur en strootjes die hier en daar aan haar lichaam kleefden. Ik kreeg tranen in mijn ogen als ik dacht aan mijn vader, die verlekkerd naar dat blaadje keek. Wat waren zijn verboden pleziertjes onschuldig geweest.

'Nu ik erover nadenk, ze leek een beetje op jou,' zei ik.

Losgeraakte zilveren haren omlijstten haar gezicht. Ik verschoof en legde mijn hoofd tegen haar borst. Een platinablonde lok streek langs mijn wang, en ik draaide mijn hoofd naar links en vond haar lippen. Misschien dat ze zich een beetje verzette in mijn armen, maar ze was zo warm, en ik verlangde zo enorm naar haar dat het juist wel fijn was. En toen staakte ze haar verzet en beantwoordde mijn kus. Het was prachtig. Ik kon het niet geloven. Mijn handen trokken aan het shirt dat in haar spijkerbroek was gestopt. Zonder enige waarschuwing verstijfde ze. Ik liet het shirt los. Verward keek ze me aan.

'Nee,' zei ze ruw.

Ik maakte me van haar los. 'Wat is er?'

'Sorry, ik ben al sinds de lunch aan de wodka,' zei ze uiterst kil, maar haar gezicht was lijkwit en haar ogen stonden geschrokken.

'Wat mankeert jou in godsnaam?' snauwde ik.

'Sorry, het was een vergissing.'

'Wat is er met je?' riep ik vertwijfeld. 'Het is geen vastentijd, dus je kunt geen boete doen.'

'Ga nou maar weg. Alsjeblieft.' Dit keer trilde haar stem.

Ik was door het dolle heen. Ik wilde haar slaan, haar in stukken breken, haar om genade laten smeken. En toch hield ik van haar. Haar ogen waren als olievlekken op mijn pad; hoe zorgvuldig ik ook probeerde ze te ontwijken, telkens gleed ik uit, telkens viel ik.

'Wees maar niet bang, ik ga al.' Ik keek naar haar, naar het witte gezicht. 'Je bent een ontzettend doortrapt secreet, of anders de grootste lafaard die ik ooit heb gekend. Maar hoe je het ook bekijkt, het is een slechte show, Lizzie.' Haar handen waren tot vuisten gebald, de knokkels wit. 'Ricky had gelijk. Achter jou aan zitten is net zoiets als suiker in zee strooien, het is tijdverspilling. En zal ik je nog iets vertellen? Ik geef het op.' Dat laatste zei ik heel zacht. Ik sloeg de deur niet achter me dicht en had het geduld niet om op de lift te wachten. Ik stormde de trap af.

Ik had woedend moeten zijn, maar de boosheid was even snel weggezakt als opgekomen, en ik voelde me verpletterd. Shit. Wat een ontzettende klotezooi. Zelfs mijn financiën verkeerden in een deplorabele staat. Ik verwaarloosde mijn salons en de zaken gingen slecht. Alles was veranderd na Maggies dood. Ik moest zorgen dat ik mijn leven weer op de rails kreeg, anders zou ik alles kwijtraken. Eerst had ik een vakantie in de zon nodig om na te denken, om in m'n eentje langs het strand te lopen en exotische dingen te eten en misschien naar bed te gaan met een paar meiden die ik niet kende.

Ik voelde me vreselijk. Ik ging Paddy opzoeken. Hij lag languit onder zijn wrak.

'Hé, Paddy!' riep ik.

'Wat doe jij hier?' Zijn hoofd kwam onder de zijkant vandaan. Hij had aan één blik op mijn gezicht genoeg en concludeerde filosofisch: 'Ze houden ons allemaal voor de gek.'

Op dat moment voelde ik me zo rot dat ik wel wilde huilen.

'Wat vind je, zullen we een potje biljarten en klinken op de nieuwe dag?' stelde hij met een scheve grijns voor.

Volgens mij hebben we heel lang zitten drinken. Ik vertelde Paddy van mijn vader, en het blonde meisje in de schuur, het hooi dat aan haar lichaam plakte, maar Elizabeth kwam niet ter sprake, de mooie vrouw die mijn liefde niet wilde. We wisselden zo vaak van pub dat ik de tel kwijtraakte; ik weet niet meer op hoeveel krukken we hebben gezeten, hoeveel glazen we hebben gedronken, in hoeveel stinkende urinoirs we hebben gewaterd, op hoeveel net schoongeveegde tafeltjes ik mijn ellebogen heb laten rusten. Ik weet alleen nog dat het huilen me nader stond dan het lachen.

Was dit liefde? Was dit nou wat iedereen altijd zo geweldig noemde? De vreselijke pijn die onafgebroken aan je knaagt, hoeveel je ook drinkt, hoeveel je ook snuift?

Een jong meisje kwam met ons flirten. Tegen die tijd was het zonneklaar dat onze poging om lol te maken op een complete mislukking was uitgelopen.

'Vinden jullie me niet knap?' vroeg ze koket.

Maak het jezelf niet zo moeilijk en stel me een andere vraag, wilde ik zeggen. Ze was best wel knap, maar ze was geen IJskoningin. Mijn IJskoningin smolt als een schilderij van Dali.

'Neem jij haar maar,' zei ik tegen Paddy, en ik stond op om weg te gaan.

'Blijf, dan is ze voor ons allebei,' protesteerde Paddy.

'Nee,' zei ik, 'ik breng het niet op.'

November 2000

Ricky

De manager van Villa Ricci, de etterbak, doet sinds een tijdje de la van de kassa op slot als hij naar huis gaat. Hij heeft tegen het personeel gezegd dat hij het zat is om 's ochtends binnen te komen en dan geen cent in de kassa te vinden omdat ik er de avond ervoor alles uit heb gehaald. Ik snap niet waarom hij opeens in paniek is. Ik had nog wel keurig een briefje voor hem neergelegd om hem te vragen of hij zijn eigen geld wilde gebruiken totdat de eerste klanten hadden betaald.

Bruce

Ik ging naar de Bahama's. Er waren meer dan genoeg tenten waar het nachtleven bruiste, maar het interesseerde me niet. Ik had er behoefte aan om alleen te zijn en lag meestal in de zon bij het zwembad. Op de eerste dag kwam er een mooi meisje in een groene bikini op een stoel vlak bij de mijne liggen. Ze had zo'n lichaam dat je nog maar zelden ziet, grote borsten, een smalle taille en brede heupen. De manier waarop ze naar me keek deed me aan Elizabeth denken. Ik lag achterover, deed mijn ogen dicht en was blij dat ze niet naar me had gelachen, want ik wilde haar niet. Ik had mijn buik vol van rokkenjagen. Ze konden allemaal de pest krijgen met hun goedkope gekoketteer.

Ik kon 's nachts niet slapen, dus dan liep ik naar het strand en ging in een ondiepe kuil in het zand liggen om naar de motorgeluiden van boten in de verte te luisteren, en naar het ruisende water. Het was rond de tijd van volle maan, dus kwam de zee heel hoog en klonken de golven vol en overladen.

In het zachte duister sloot ik mijn ogen en ging er een geheime deur open. Elizabeth kwam door de deur en we dansten op

'Somethin' Stupid' van Robbie Williams en Nicole Kidman. Maar het liep altijd hetzelfde af. Ik werd boos op haar. Ik snapte haar werkelijk niet. Op een gegeven moment voelde ik gewoon dat zij net zo naar mij verlangde als ik naar haar. Soms dacht ik aan wat Maggie had gezegd: 'Ik moet je iets vertellen over Beth.'

Vlak voor het aanbreken van de dag gingen de lichten in de eetzaal van het hotel aan, en dan kwam ik overeind en liep erheen. Als ik dichterbij kwam, hoorde ik het rinkelen van bestek; de tafels werden gedekt voor het ontbijt. Dat geluid stelde me gerust – er waren nog meer mensen wakker, het leven ging door.

Op een gegeven moment nodigde een groep Australische lolbroeken me uit voor hun 'barbi'. Ze zopen als tempeliers, vraten zich vol aan meters worst en voordeelverpakkingen hamburgers uit de plaatselijke supermarkt, en daarna werden ze allemaal knetterstoned. Iemand bood me een perfect gerolde joint aan, maar ik moest het aanbod afslaan. Ik kan niet tegen wiet. Er waren meisjes voor het grijpen, maar het waren van die stevige tantes, niet mijn smaak. Bovendien had ik geen condoom bij me, en ik verdom het om zonder bescherming met zo'n meisje naar bed te gaan. Ik kende ze nog van vroeger. Het waren jonge rugzaktoeristen op wereldreis, en die neuken zich suf. Ik voelde me oud en afgetakeld in hun gezelschap en lag liever in mijn kuil op het strand.

Toen ik terugkwam van mijn vakantie ging ik aan het werk en zette alles op alles om mijn salons weer even bloeiend te krijgen als voordat ik afdwaalde. Dat lukte gelukkig. Zoals mijn vader vroeger vaak zei: 'Het zweet op je gezicht is brood op de plank.'

Hij is trouwens overleden. Heel rustig. Alleen mijn moeder heeft gehuild, en niet meer dan een beetje. Wat herinner ik me van hem? Zittend op mijn hurken bij zijn haast doorschijnende voeten om zijn teennagels te knippen omdat hij het zelf niet meer kon. Ach ja, en zijn ogen natuurlijk. Die zal ik nooit vergeten, denk ik. Zijn koude, harde ogen, gesloten.

Ik had besloten om nooit meer terug te gaan naar de tempel van de spin. Maggies dood had er een smet op geworpen. Op een gegeven moment stond er een boodschap van Ricky op mijn antwoordapparaat – hij was op zoek naar coke en klonk doorgedraaid. En Haylee belde een keer om me uit te nodigen voor een feest. Ik belde ze niet terug. En dat was dat.

Als ik uit was geweest en diep in de nacht naar huis ging, reed ik soms door Mayfair, maar ik zag haar nooit. In clubs keek ik uit naar platinablonde hoofden, maar het hare was er nooit bij. Een keer ben ik naar de voordeur van haar appartementencomplex gegaan en heb ik naar haar bel staan staren totdat die bekakte bal van een portier kwam informeren: 'Alles naar wens, meneer?' Vaak, vooral als ik wat op had, verlangde ik naar de grijze ogen van mijn kat, maar ik was niet van plan om achter haar aan te blijven zitten en telkens mijn neus te stoten. Sommige dingen moet je gewoon laten gaan.

Ik ging uit met de jongens en was een paar keer ladderzat, maar meestal werkte ik gewoon, en geleidelijk begon ik te herstellen. Ik dacht steeds minder vaak aan haar. Na een hele tijd kon ik zelfs met andere meisjes naar bed. Het was alleen seks, maar het was een begin. Hoewel er ook momenten waren dat ik mijn ogen sloot en deed alsof zij het was, in mijn handen, in mijn mond, zo dichtbij, zo heerlijk dichtbij.

Nutan

Ik droomde van mijn zus. Ik was in een raar, donker hol, een soort grot, waar een vrouw in het zwart zich over een kookpot boog. 'Kijk eens wat ik voor je lieve zusje heb klaargemaakt!' krijste ze, en lachte kakelend. Toen ik verward en geschrokken in bed ging zitten, zag ik Zeenat aan het voeteneinde naar me staan kijken. Ik knipperde van schrik. Ze zag er vreselijk uit, ongewassen en onverzorgd. Ik had niet beseft hoe snel het bergafwaarts was gegaan. Ik zei haar naam op hetzelfde moment dat ze haar eigen naam uitsprak. En toen pas drong de akelige waarheid tot me door.

Ergens die nacht had mijn zus de spiegel verplaatst. Ik keek naar mijn eigen spiegelbeeld. Als een opgejaagd dier staarde ik naar mezelf. Weerzinwekkend, en tegelijk fascinerend. De donkere kringen, de slappe oogleden, de huid waar de botten doorheen staken. Kijk! Half mens, half beest was ik. Maar ik begon me te schamen en sloeg mijn ogen neer. De spiegel is een gevaarlijk ding, alleen oprecht in het gezelschap van leugenaars.

Mijn zus was de deur al uit om te scoren. Geen make-up of nagellak, en al vóór het ontbijt, vóór het tandenpoetsen. Ze deed een elastiekje in haar haar en snelde weg in de richting van het station. Ik had zweren op mijn benen. Afwezig voelde ik eraan, en ik vroeg me af wanneer ze terug zou komen. Het was ijskoud buiten, maar ik zou de kou moeten trotseren als ze niet snel terugkwam. Ook ik had het al voor het ontbijt nodig, voor het tandenpoetsen. Ik ging op zoek naar een sigaret. Het eerste trekje maakte me meestal draaierig, maar dan hielden mijn handen tenminste op met trillen. Ik liet me terugvallen op het bed en probeerde onder de dunne dekens een beetje warmte te vinden. Liggend onder groezelig beddengoed met vlekken keek ik om me heen.

Het was onvoorstelbaar smerig in onze kamer. Er lag bedorven eten onder de bedden, het kleed zat onder een dikke laag vuil en er zaten spetters braaksel op de groezelige muren. Overal lagen vieze kleren, en de wastafel was gebarsten en goor. Er zaten bloedspetters in en omheen. Verbijsterend, maar ik walgde er niet eens van.

Ik kon me er gewoon niet druk om maken. Ik wist dat er een rat in onze kamer zat; hij was verhuisd uit de snackbar beneden ons. Er zaten genoeg restjes in de dozen van het afhaaleten die we lieten slingeren. Er hing een monsterlijke stank in die kamer.

Ik keek op mijn horloge. Ik wist waar ze was, deed alleen maar alsof ik het niet wist. Ik maakte mezelf wijs dat ze stal uit winkels, maar ik wist heel goed waar het geld vandaan kwam.

Voor anderen had ik geen enkel gevoel meer. Ik deed alleen aardig omdat ik dan wat meer van ze kon lospeuteren. *Heb je wat, man?*

De gedachten, wat wogen ze zwaar in mijn hoofd. Ik ging zitten en legde mijn hoofd in mijn handen. Waar bleef ze nou? Ik hoorde een geluid op de trap en sprong uit bed. De godin met het elixer dat alles doet vergeten kwam eraan. De deur ging open. Daar was ze. Ongewassen en onverzorgd. Grappig, we zagen er precies hetzelfde uit.

Anis

Heroïne maakt liefde en hartstocht compleet kapot. Als er nog een andere persoon bestaat, dan alleen als partner bij het eeuwige scoren. Eten, drinken en paren is voor dieren. Door de onnodige complicaties en de lichamelijke afhankelijkheid wordt het leven een last.

We geven het verlangen naar al het andere op in ruil voor die ene wurgende behoefte, dat ene monsterlijke moment van verlossing. We nemen genoegen met ingevallen wangen, een glimlach zonder warmte of hoop, en botten die door de huid prikken. We eten haast niet meer. We vinden het allemaal even fantastisch. Het enige wat we willen, is van slapen naar slapen gaan.

Bruce

Ik kreeg een uitnodiging voor de expositie van Maggies werk, en hoewel ik wist dat Elizabeth er zou zijn, kon ik niet wegblijven. Ik probeerde te versmelten met groepjes beschaafde mensen die goedkope lauwe champagne dronken. Van veraf zag ik Anis en de tweeling. Aan Anis was het niet zo duidelijk te zien, want hij zag er goed uit in een zwart pak en een wit overhemd, maar de meisjes waren broodmager, met armen en benen als luciferhoutjes.

En toen liep Elizabeth naar ze toe. Ze was heel eenvoudig gekleed, in het zwart, en ik vond dat ze er nooit mooier had uitgezien – en ook nooit onbereikbaarder. Anis zei iets in haar oor, en ze legde een hand op zijn arm en knikte. Het was een intiem en vertrouwd gebaar. Met hem had ze dus nog steeds contact. Zo te zien waren ze goed bevriend geraakt. Anis en de tweeling liepen verder, en ik zag dat Elizabeths zoekende blik snel door de ruimte ging. Zocht ze mij? In haar eentje zag ze er hulpeloos uit, net een kind.

Ik hield nog steeds van haar. Alleen al door haar even van veraf te zien, werd alle vooruitgang die ik had geboekt tenietgedaan. Ik deed een stap in haar richting. Mensen veranderen. Misschien was zij veranderd. Maar toen kwam er net een man naar haar toe, en met haar prachtige grijze ogen keek ze hem aan. Ik herkende dezelfde kille blik waarmee ze mij altijd op afstand had gehouden. Ik zette mijn glas neer en vertrok. Er is niets veranderd. Ik hou mezelf voor de gek.

Ricky

Fuck, dit keer heb ik echt een fantastisch goede prijs voor dat restaurant gekregen, 90.000 pond. Het is echt een gewoonte geworden. Maar ja, het is dan ook zo makkelijk. Je geeft er een op, en opeens is alles weer dik in orde. Ik moet een paar schulden aflossen, maar de rest is helemaal *pour moi*. Van zoveel geld kan ik het een hele tijd uitzingen. Nog steeds geen reden voor paniek. Ik heb er nog twee, en die verkoop ik echt niet.

Nutan

Het begon me op te vallen dat mijn gezicht in de loop van de middag een ziekelijk gele kleur kreeg. Zeenat had dat niet. Waarschijnlijk omdat ze zich opmaakte. Elke middag. Ik zat op het bed naar haar te kijken. De felrode lippenstift hielp natuurlijk ook.

Zeenat

Make-up. Die verbergt alles: angst, trots, schaamte, jaloezie. Alles.

Anis

Ik was ongelofelijk moe en had honger, maar zelfs de gedachte aan eten maakte me misselijk. Het was nog niet helemaal donker, en ik bedacht dat ik misschien toch een bordje mosselen in witte wijn binnen zou kunnen houden, dus ging ik de deur uit naar Spago. Ik was net de hoek om gegaan bij de Barclays bank toen er uit het niets opeens een figuur opdook. Haar met klitten en donkere kringen onder koortsachtig glinsterende ogen. Een heroïnehoertje. Vreemd, in die nette wijk.

'Pijpen voor een tientje,' bood ze nerveus aan.

Ik versnelde mijn pas. Ze kwam niet achter me aan, maar opeens wilden mijn voeten niet verder. Als verdoofd bleef ik staan, en ze rende naar me toe.

'We kunnen naar een steegje gaan,' drong ze aan. Haar ogen bewogen wild in de kassen, en haar handen, zwart van het vuil, schokten.

Ik haalde een briefje van twintig uit mijn portefeuille. Ze mocht me niet aanraken. Ik moest het haar zó aangeven dat haar huid de mijne niet zou raken. Ze griste het biljet uit mijn handen en holde weg op haar magere benen. Een kille klauw sloot zich rond mijn maag. Ik wankelde twee passen haar achteren en bleef staan, geleund tegen de muur van iemands tuin. Zweetdruppels parelden op mijn voorhoofd. Mensen liepen langs. Niemand wist het. *Dat ze me had aangeraakt.* Haar huid was ijskoud. Waarom liet ik me door haar bezoedelen?

Ze was de toekomst.

Nutan

Ik kan niet meer lachen of glimlachen. Ik ben jaloers op mensen met een gewoon leven. Moet je ze zien, ze halen geld uit de muur, betalen met pasjes, lopen achter supermarktkarren vol eten, of ze staan op de bushalte te wachten om naar huis en hun keurige gezinnetjes te gaan.

Zij zijn clean. Zij wachten niet op hun volgende shot.

Ik voelde niets toen ze me sloeg, keer op keer. Haar gezicht was vertrokken en wreed, en toch voelde ik de klappen niet. Nu, achteraf, kan ik bedenken dat het geen harde klappen kunnen zijn geweest. Arm ding, ze had er de kracht niet voor. Ik weet nog dat ik op de grond zakte.

Ze trok aan mijn haar. 'Hou op!' waarschuwde ze me. 'Hou op me te bespioneren!' Wat was haar glimlachende gezicht opeens boos. Toen gooide ze een pakje naar me toe. Mijn handen lagen nog rond mijn hoofd toen ik beneden op straat het tikken van haar hoge hakken hoorde. Ik werd helemaal slap vanbinnen. Het was niet nodig om haar te bespioneren. Ik wist het al. Ik had het steeds geweten. Met een aansteker verhitte ik het spul op een lepel en spoot. Ik zakte in elkaar tegen de muur, in het vuil. Natuurlijk wist ik wat ze deed.

Anis

Op de vijftiende dag van de maand stralen het hoofd en het haar van een vrouw een grote seksuele energie uit. Als je met je vingers door het haar gaat of voorzichtig water of olie op haar hoofd druppelt, verspreidt de energie zich naar de rest van haar lichaam.

Ik raakte Zeenats lippen aan. Ach, wat een rode lippen. Ik weet nog dat je schrok als je onverwachts rood zag. Zeenat, Zeenat. Wat vind je ervan, zullen we overnieuw beginnen?

Nutan

Mijn zus ziet er smerig en grijs uit, en toch geven mannen haar geld.

Anis

Ik zat in de keuken naar Fashion TV te kijken – zonder geluid, want dat leidt alleen maar af – en genoot van de zelfverzekerde, elegante manier van lopen van vrouwen op hun mooist. Vroeger wiegden de fotomodellen overdreven met hun heupen, zoals een als vrouw verklede man, maar in de loop der jaren zijn ze zich anders gaan bewegen, sekslozer, een beetje als kamelen in het zand. De bel ging. Ricky kwam de gang in, groot en gezet. Hij stonk naar verschaalde tabak.

'Alles oké, Bello?' Zijn stem was te luid. 'Jezus, wat is het hier warm.'

Snel nam ik hem mee naar de keuken, en deed de deur achter me dicht.

'*Mama mia,* moet je die *putanas* zien. Kauwen ze kauwgom in hun gat of zo?'

Ik keek naar de prachtige schepsels op het scherm. De vuilak. Hij verpestte alles. 'Heb je geld nodig?' vroeg ik.

Hij ging met een hand door vettig geel haar. De luie, roekeloze mond ging open. 'Ja,' gaf hij toe. 'Gewoon totdat het geld uit Italië er is,' loog de mond.

Zo ging het altijd. Hij liep met me mee naar de kamer en wachtte totdat ik de deur dicht had gedaan. Dan pakte ik mijn chequeboek. Vanuit mijn ooghoeken zag ik dat hij naar een portret van Zeenat liep. Het was heel stil in de kamer, alleen het krassen van mijn pen was hoorbaar. Ik tekende de cheque.

'Ik wist niet dat je Nutan had geschilderd.' De stem had een neerbuigende ondertoon.

'Dat is Zeenat,' corrigeerde ik hem.

Snel keek hij me aan. Een blik, sluw en vals, gleed over zijn gezicht. Hij deed alsof hij lachte om die lelijke blik te verhullen. Alsof ik zijn geheim niet kende. Alsof we het nog over Nutan hadden. Hij stak zijn armen omhoog en zei spottend: 'Hé, ik ben heus niet jaloers, hoor.'

Ik keek hem aan en besefte dat ik hem oprecht heel diep verachtte. Die man had geen ziel. Er woekerde iets onherstelbaar lelijks in zijn binnenste. Goedheid en schoonheid in alle vormen ergerden en verveelden hem. Hij wilde schade aanrichten, hij was erop uit om alles kapot te maken. Hij deed het moedwillig.

Ik gaf hem de cheque, en hij controleerde of alles netjes was ingevuld. Dan zou de dealer er niet moeilijk over doen.

Ik wilde hem weg hebben, dus zei ik verder niets. De volgende keer, als het bloed in mijn aderen wat minder verhit was, zou ik tegen hem zeggen dat mijn geld op was. Ik had al heel lang niets meer verkocht, en teerde helemaal op de erfenis van mijn grootvader. Ik liep met hem mee naar de voordeur.

'*Ciao,*' zei hij vrolijk.

In de keuken ging de processie van mooie vrouwen nog steeds door, maar ik was niet meer in de stemming en kon me niet meer op de soepel bewegende lichamen concentreren.

Zachtjes deed ik de slaapkamerdeur open.

Zeenat sliep. Ik wist waarom Ricky haar niet had herkend op mijn doek. Ze was niet zoals ik haar schilderde. Ik tilde de deken op en keek naar haar ineengedoken vorm. Ze was vreselijk, afschuwelijk mager, een ademend skelet. Ik liet me op de rand van het bed zakken en steunde met mijn hoofd in mijn handen. Slap en verslagen bleef ik zitten totdat een verkleumde hand heel stil in mijn overhemd werd geschoven.

Ze had het altijd koud.

Zelfs met de verwarming op de hoogste stand voelde haar huid ijzig aan. Zelfs haar adem was koud. Ik begreep het niet. De koude vingers kropen dieper mijn overhemd in, en ze legde haar hand plat tegen mijn borst. Mijn adem stokte, maar ik liet haar begaan.

Hoewel ik wist wat er in mijn bed lag te wachten, draaide ik zwijgend mijn hoofd om haar aan te kijken.

Ricky

De hele nacht in de keuken zitten freebasen.

December 2000

Elizabeth

Vanuit een taxi ving ik een glimp op van Zeenat, die bij het raam van een café zat. Tegenover haar zat die schrijfster, Rani Manicka.

Zeenat

'Zeg maar Rani,' zei ze, en opende een prachtige zeshoekige zilveren doos, versierd met bloemen en blaadjes. Het ding deed me aan de kostbare erfstukken denken die mijn vader had verkocht om onze ondergang te bekostigen.

'Het is een antieke doos uit India. Zo namen mensen de ingrediënten om *paan* te maken mee,' legde ze uit. Zij gebruikte de doos als handtas. Ze haalde er een pakje sigaretten uit en bood me er een aan. Warme rook vulde mijn longen.

Ze had me tweehonderd pond beloofd voor mijn verhaal, en nog eens tweehonderd extra als het echt goed was. Ik keek haar aan en las nieuwsgierigheid in haar ogen.

'Klaar?' Ze zette de cassetterecorder aan. 'En denk erom, als je het te moeilijk vindt, spreek je gewoon je eigen taal, dan laat ik het vertalen.'

Ik had het geld nodig, dus maakte ik mijn verhaal zo mooi mogelijk.

Ik ben geboren in een rijsttuin. Overal waar je keek hadden mijn voorouders terrassen gemaakt op de berghellingen. Door het jaar heen veranderde de berg keer op keer, alsof hij verschillende kostuums aantrok. Eerst was de berg zo groen als een zure appel, dan stond hij in bloei, teer en blauw, en tot slot omhulde hij zich met een wuivende mantel van goud. Maar het mooist vond ik het als de terrassen blank stonden en de blauwe lucht weerspiegelden; dan zaten er eenden die de waterslakken aten.

Kleine jongetjes galoppeerden op grote waterbuffels langs de rijstvelden, en wij vingen libellen met lange stokken die we insmeerden met kleverig plantensap. We moeten er honderden hebben gegeten, gefrituurd in kokosolie. En als we dorst hadden, plukten we een groene kokosnoot.

Onder een enorme *flame tree* stond het altaar van de Dewi Sri, onze rijstgodin. In november, als de boom felrode pluimen had, was het de mooiste plek in het hele dorp. Je had dat rode tapijt moeten zien. De rijstgodin is zo geliefd dat de vrouwen haar zelfs in de oogsttijd geen lange messen laten zien. In plaats daarvan verbergen ze kleine messen in hun hand, *ani-ani*, en snijden ze de aren stuk voor stuk. Vaak zat ik in de bamboebosjes als de velden goud waren en hoorde ik de rijstgodin haar lieflijk ruisende lied zingen. 's Avonds, als de goden de terrassen naar hun eigen verblijven op de heuvels hebben beklommen, haalden de vrouwen het voedsel dat ze 's ochtends hebben geofferd uit de tempeltjes, want goden doen zich alleen tegoed aan geuren.

De planten zijn goudkleurig en rijp in deze tijd van het jaar. Hier is het koud. Zo koud. Er is geen evenwicht. Er is niet één tempel waar wierook brandt om de goden uit te nodigen. Niemand laat een kokosnoot branden om de demonen op afstand te houden, dus zijn de demonen in de huizen gaan wonen. Op aardedonkere nachten steken de mannen op Bali gedroogde bladeren van de bananenboom aan, en die zwieren ze rond om kwade geesten te verdrijven. Maar hier ben ik zelfs midden in de nacht niet bang voor de Engelse duisternis. Er zijn altijd straatlantaarns die de straten verlichten, en het kwaad huist hier toch binnenshuis.

Besmeurd met zonden en rillend in mijn eigen zweet loop ik rond te midden van de dode zielen in deze stad. Alleen heroïne houdt me warm. Het was verkeerd om weg te gaan bij de rijstgodin en haar velden. Ik heb eens een meisje gekend dat met haar slippers in haar hand bij de put zat. Haar lange haar zat in de war en ze glimlachte altijd. Ik denk dat mijn zus toen van me hield.

Nutan vindt me edelmoedig omdat ik in m'n eentje voor de heroïne zorg, zodat zij geen smerige bloem zoals ik hoeft te worden en de hele dag in ons groezelige bed kan liggen, slapend noch wakend. Ze denkt dat ik me voor haar opoffer, maar ze weet niet dat ik door schuldgevoelens word gedreven. Daarom gaf ik haar vroeger al de langere bloemenslinger, de grotere vlieger, de dikkere plak cake. Verteerd door schuldgevoelens over mijn hebzucht strafte ik mezelf door haar te geven wat ik zelf begeerde.

Vaak wenste ik haar mislukkingen toe, maar als er dan iets misging, voelde ik me vreselijk en probeerde het goed te maken door haar liefde te geven, haar aan te moedigen, voor haar te doen wat ze maar wilde...

Ze weet niet dat ik er in stilte altijd naar streef om beter te zijn dan zij, en dat ik haar mislukkingen af en toe nodig heb. Jongere broertjes of zusjes zijn als de staart van een dier; ze zijn opgegroeid in de schaduw van de kop en lijken onderdanig, maar in het geheim proberen ze de arrogantie van de kop altijd te ondermijnen. Zal ik het mezelf ooit vergeven dat ik haar het eerste shot zelf heb toegediend?

Waarom heb ik mijn zus heroïne gegeven?

Misschien kon ik het op dat moment gewoon niet verdragen dat ze vanaf haar hogere en o zo zuivere plaats op me neerkeek. Ik moest haar bij me hebben, waar ik was. We hebben altijd alleen maar elkaar gehad. Ibu had alleen oog voor onze vader, onze vader werd verblind door zijn passie voor Nenek, en Nenek hield van niets en niemand zoveel als van Ibu. Vandaar dat wij alleen elkaar hadden. Of misschien is het nog simpeler. Misschien was ik zoals de koppensnellers over wie Nenek ons vroeger vertelde. Het was niet genoeg om een vreemde te doden. Het hoofd moest een naam hebben voordat het aan de muur gehangen kon worden. Alleen dan was de wraak zoet. Ik ben altijd jaloers op haar geweest. Op dat bijzondere licht binnen in haar, het licht dat ik niet heb. Daarom wilde Ricky haar en niet mij.

Waarom ben ik met Ricky naar bed geweest?

Heeft zij het je nooit verteld? Wat van haar is, is van mij, en omgekeerd. Nee, natuurlijk niet, grapje. Ik weet niet waarom, eerlijk waar. Ik zou kunnen zeggen dat hij zich aan me heeft opgedrongen, maar de daad was allang daarvoor een feit. Hij liet alleen een droom van me in vervulling gaan. Ik weet zelfs niet waarom ik hem nog steeds wil. Op Bali zouden we zeggen dat Ricky het karakter heeft van een *tunggak semi*, bloemstengel, zelfingenomen, arrogant en egoïstisch. Elke Balinees leert verachting voor gebrek aan verfijning van gedrag, uiterlijk of gevoelens. Grof zijn staat gelijk aan slecht zijn, maar ik vond het onweerstaanbaar. Om te bedenken dat ik mijn zus heb bedrogen voor die zwarte tong. Ik kan mijn eigen gekte niet begrijpen.

Ik heb haar bedrogen, en om te vergeten ben ik naar Anna gegaan om een naald in mijn arm te steken. Het spul voert me mee naar een zachte plek. Het is een verrukkelijke kalmte, die weliswaar niet echt bestaat, maar als ik er ben kom ik los uit mijn eigen lichaam. Alle momenten zonder heroïne tellen niet. Het zijn tussenpozen; ik ben dan niet eens een mens, alleen een dier dat wanhopig op zoek is naar de volgende dosis.

Anis is gul, en niet alleen met geld of drugs. Hij is gul van geest. Ik herinner me hem nog heel goed van onze eerste ontmoeting; hij was ongeschoren en droeg een zwarte coltrui. Ik weet nog wat Elizabeth zei: 'Anis is weggelopen uit een roman van Ernest Hemingway.' Ze heeft gelijk. Hij is edelmoedig en nobel, vergevingsgezind als een kind. Hij koestert nooit wrok en houdt innig veel van me, maar ik hou hem voor de gek. Arme Anis. Verraderlijke Zeenat.

Hij weet niet hoe weinig het kost om dat lichaam van mij te bezitten. Als hij me 's nachts tegen zou komen op straat! Of misschien is dat wel eens gebeurd... Misschien weet hij het wel, maar het ligt in zijn aard om te vergeven, om desondanks te beminnen. Ik vind het een leuk idee dat een figuur uit een boek van Hemingway verliefd op me is geworden.

Nenek zei vroeger altijd dat menselijke wezens elke zonde die ze begaan registreren, in hun hersenen, in hun tong, en zonder het zelf te merken in de lijnen van hun handpalmen. Vroeger bestudeerde ze onze handen, alsof ze in de lijnen onze zonden kon lezen. Als we iets stouts hadden gedaan, waren we als de dood dat ze ons de hand zou willen lezen.

Nu zou ik haar mijn handen al helemaal niet meer kunnen laten zien.

Ik keek laatst in de spiegel en zag iets grappigs. In mijn ogen zag ik een glinstering, half uitgedoofd maar toch nog brandend, een glinstering die me heel erg aan mijn grootmoeder deed denken. Dezelfde donkere ogen. Al die jaren geleden moet mijn moeder het ook hebben gezien, toen ze met haar vingers over onze ogen, neus en mond streek, en loog. *Het is maar goed dat jullie allebei het gezicht van jullie vader hebben.* Arme Ibu.

Ik heb het altijd geweten van Nenek en mijn vader. Niet omdat ik haar een keer *madu* hoorde noemen, honing, een woord dat meestal voor een maintenee werd gebruikt. Nee, ik wist het vanwege mijn moeders gedrag, zoals ze mijn vader altijd met argus-

ogen volgde als Nenek in de buurt was. Ze had Neneks man af-
gepakt, en kwam tot de ontdekking dat het niet genoeg was. Niet
omdat ze ondankbaar was, maar omdat mijn vader zijn liefde
voor Nenek nooit opgaf. Nenek had alles wat Ibu wilde: adembenemende schoonheid, kracht, voeten, mijn zus en ik. Als we 's
nachts wakker werden en bang waren, mochten we van haar
nooit bij Ibu in bed kruipen. Ik weet dat ze het deed om mijn fragiele moeder te beschermen, maar ongewild sneed ze Ibu af.

Heb ik nu genoeg verteld voor die extra tweehonderd pond?
Nee, maar wel bijna, zeg je. Of ik bang ben voor de dood?

Nee, ik verlang nooit naar de dood. Zelfs niet op de achter-
bank van een auto, als een vreemde man zijn stinkende adem in
mijn gezicht hijgt. Ik heb de dood evenmin nodig om overal een
einde aan te maken. Dag en nacht, dat allesverterende verlangen, het gaat alleen maar over meer heroïne. En ik hou van het
gevaar.

Is het zo genoeg, is dit al vierhonderd pond waard? Zo nee,
dan geef me je gewoon die twee. Ik vertel je de rest een andere
keer wel. Ik moet zo weg. Er wacht iemand op me.

Is dit écht de laatste vraag? Wat moet ik je over Anis vertellen?

Op Bali schudden de vrouwen rijstkorrels heen en weer op
een grote ronde mand om vuil en vliesjes te verwijderen. De
vliesjes waaien weg in de wind. Op dezelfde manier scheiden
verzet en conflicten het zuivere en het mooie van het grove en het
vervuilde. Anis is het enige goede dat ik heb overgehouden aan
mijn tijd in de grote ronde mand. Hij is een vermomde *dewa*.

Het is natuurlijk duidelijk dat ik zo snel mogelijk terug moet
naar Nenek, zodat ze me van mijn verslaving kan genezen. Ik
heb gezien dat ze andere verslaafden genas, ze gaf hun kruiden
te drinken waardoor hun braaksel in een boog uit hun mond
spoot. Jullie hebben er een woord voor.

O ja, projectielbraken. Wat een grappig woord…

Nenek gaat Anis ook genezen. En dan worden we gelukkig. In
mijn land gebruiken we het woord *enten,* het betekent kortston-
dig wakker worden en dan weer verder slapen. Zo zien wij het
leven, als een vluchtig moment van wakker zijn. Het moment
dat ik een verslaafde en een hoertje ben, is alleen een offer aan de
tijd. Het gaat voorbij. Ik hoef me niet schuldig te voelen.

Ik zal beter worden, en dan zal ik gelukkig zijn. Ik zal de godin van de dood ontmoeten bij de bocht in de rivier, maar pas als
Anis en ik onze kleinkinderen hebben gezien.

Ik hield mijn mond en keek veelbetekenend naar de deur, en de schrijfster was zo aardig om haar cassetterecorder uit te zetten. Ze gaf me een stapel bankbiljetten, te dik voor tweehonderd pond. Mijn verhaal heeft vierhonderd pond opgeleverd. Ik moet nu zo snel mogelijk naar Nutan. Ik zie haar blije gezicht al voor me. We gaan samen naar Anna. Er valt heel wat te vieren. Het is bijna Kerstmis.

Nutan

We zaten allemaal onderuitgezakt in het donker voor de televisie. Soms denk ik wel eens dat het daarom zo lang duurde voordat we beseften dat ze blauw was geworden, dat het niet goed met haar ging.

Ik weet nog dat ik Zeenat een naald in haar arm zag steken, en ik herinner me zelfs nog dat haar ogen naar achteren rolden terwijl ze langzaam op de grond zakte. Snel, snel, geef die spuit aan mij. De warme deken. Kijk eens hoe zacht ze op de hare viel. Nu ik nog. De rest hing achterover en keek naar Slangenkop, die een spuit vulde. Hij keek naar mij. Ja, mijn beurt.

Hij stapte over Zeenat heen en hurkte naast mij neer om me in te spuiten. Hij wist dat ik te high was om het zelf te kunnen doen. Ik weet niet hoelang ik daar heb gezeten, verrukkelijk warm, starend naar de beeldbuis, maar op een gegeven moment was er een beweging die mijn aandacht trok. Met tegenzin draaide ik mijn hoofd opzij.

En ik zag Anis – waar kwam hij nou vandaan? – die zich over... Zeenat boog.

'Jezus, Anna, help me!' riep hij, zijn stem merkwaardig schril en bang. 'We moeten haar op haar zij leggen.'

'Laat iemand het licht aandoen.'

'De lamp is stuk.'

'Kom, help me!'

'Hou haar vast, hou haar omhoog.'

Door halfgesloten ogen zag ik dat ze haar op haar zij legden en haar schouder schudden.

'Kom op, Zeenat, adem nou alsjeblieft,' smeekte Anis.

Zeenat heeft heroïne eens beschreven als bruine oogschaduw. Soms proberen andere verslaafden je brokjes bruine oogschaduw te verkopen die ze bij Boots hebben gejat. Anna was de eerste die ons ervoor waarschuwde. 'Het is een nachtmerrie als je dat spul spuit,' zei ze.

Mijn armen en benen voelden zwaar als lood. Ik probeerde haar aan te raken, maar mijn arm was in brons gegoten. Hé, wilde ik zeggen, ze heeft te veel gehad, dat is al eens eerder gebeurd, maar ze komt wel weer bij. Breng haar alsjeblieft niet naar een dokter, dan halen ze haar bij me weg. Maar ik kon mijn tong niet bewegen. De vierhonderd pond van die schrijfster. We hadden het geld allemaal uitgegeven.

Iemand vond een zaklantaarn en ze schenen in haar gezicht. Haar lippen waren donkerblauw. Iedereen begon tegelijkertijd te gillen. Toen werd ik bang. Ik had haar gewaarschuwd: 'Als iemand je het brood van de dood aanbiedt, eet het dan niet.' Anna begon haar te slaan, maar Anis duwde haar ruw opzij en probeerde mond-op-mondbeademing. Niets.

'Jezus, ze ademt nog steeds niet!' riep Anis ongelovig uit.

'Een ambulance, we moeten een ambulance bellen!' krijste Anna.

Zeenats ogen waren helemaal naar achteren gerold, je zag alleen nog het wit, en daaraan wist ik dat het dit keer anders was. Ik was verlamd, zelfs mijn tong was te stijf om te gillen. Later zou ik haar gaan zoeken. Nu moest ik haar even laten gaan, maar ze zou heus wel weer bovenkomen.

Tranen liepen over Anis' gezicht en hij nam haar lichaam in zijn armen. 'Nee, nee,' kermde hij, 'nee, niet weer, alsjeblieft...'

Anna was lijkwit, behalve haar mond, dat was een zwart gat. 'Kút, néé, dit kan gewoon niet.'

Een jongen die ik niet goed kende staarde me glazig aan, en zijn mond bewoog zonder dat er geluid uit kwam.

Slangenkop maakte zich stilletjes uit de voeten. Ik wist wat hij dacht – de logica van een verslaafde – dat het geen zin had als iedereen met het lijk wordt betrapt.

Toen was ik weg. Weggezweefd op een wolk.

Ricky

Met Kerstmis zat ik in m'n eentje in de keuken, en er stond geen kalkoen op het vuur. Het wordt steeds erger. O, de paranoia!

Bruce

Mijn zus en ik vonden dat mijn moeder haar eerste Kerstmis zonder pa niet alleen moest zijn, dus spraken we af dat zij eerste kerstdag bij haar zou zijn en ik tweede. Ze maakte een enorme kalkoen klaar, veel te groot voor ons tweeën. Na het eten gaven we elkaar cadeautjes. Een gouden armbandje voor haar en een trui voor mij. Ik deed haar de armband om. Hij stond mooi, zelfs met de levervlekken op haar hand.

'Nu jij,' zei ze. 'Pas je nieuwe trui.'

Hij was te klein. 'Het geeft niet,' zei ik. 'Ik ga naar de winkel en dan ruil ik hem voor een grotere maat.' En toen begonnen mijn moeders lippen te trillen, en het volgende moment snikte ze in een zakdoek.

'Weet je,' zei ze, 'je vader wilde altijd dat ik heel hoge hakken droeg, maar dat wilde ik niet. Ik vond het ordinair. Ik was bang voor wat de andere dames uit de straat zouden zeggen. Ik besef nu pas dat het verkeerd van me was. Ik had wel hoge hakken moeten dragen. In elk geval één keer, gewoon om hem een plezier te doen.'

'Toe mam, huil nou niet,' suste ik. 'Hij heeft je heus met hoge hakken gezien. Ik durf zelfs te zweren dat ze wel vijftien centimeter hoog waren.' Haar ogen stonden nog steeds vol tranen. 'Dat weet ik,' vervolgde ik, 'want als een man van een vrouw houdt, komt ze voor in zijn dromen en doet ze alle dingen die hij graag wil.'

Nutan

Toen ik wakker werd, wist ik direct dat ze weg was. Het was nooit bij me opgekomen dat ze me alleen zou laten. We deden altijd alles samen.

Alles deed pijn, mijn hele lichaam. Elke beweging was een marteling. Het deed zelfs pijn als mijn huid langs mijn kleren streek. Het was niet te harden. Ik had een shot nodig. Anis was nog steeds op het politiebureau. Ik was er zo erg aan toe dat ik niet eens goed kon focussen. Eén shot, dat was genoeg, maar ik had geen geld. Ik was zo wanhopig dat ik geen moment langer kon wachten. Nu Zeenat er niet meer was, moest ik mijn eigen spul scoren. Ik bezat nog maar één ding van waarde.

Maar dat is heel kostbaar. Je moeder heeft het voor je ge-
maakt.

Ja, maar ik koop wel een andere als ik weer op Bali ben. Ze
zijn overal te koop.

Ze heeft er maanden en maanden aan gewerkt. Weet je niet
meer wat ze heeft gezegd? Het was voor je trouwen.

Ik koop wel een andere.

Het is een onvervangbaar stuk. Je moeder is dood.

Het is gewoon een lap stof. Ik heb nog andere dingen die van
haar zijn geweest.

Het kostbare brokaat lag helemaal onder in mijn koffer.

Je moeder heeft het speciaal voor jou gemaakt.

Rot op en laat me met rust. Het is gewoon een lap stof.

Ik propte de doek in een plastic tas en ging ermee naar de pub
aan het eind van de straat. Het was lunchtijd, en ik kon vast wel
iemand vinden die mijn erfstuk wilde kopen. Ik dacht dat ik er
wel vijftig pond voor zou kunnen krijgen. De eigenlijke waarde
was veel groter; ik had gezien dat ze in de toeristenboetieks in
Seminyak voor honderden ponden werden verkocht. Het was
donker en koel in de pub. Het snot liep uit mijn neus. Er was een
vrouw in een mooie rok. Ik ging naar haar toe.

'Wilt u misschien een traditionele zijden doek met goudborduursel van Bali kopen?' Met de rug van mijn hand veegde ik
mijn neus af. Ze zag natuurlijk aan me dat er iets niet in orde was.
Misschien dacht ze zelfs wel dat ik mijn brokaat had gestolen.

'Laat maar eens zien,' zei ze.

Ik haalde de lap uit het plastic zakje. Zelfs in het halfdonker
kon je zien wat een schitterend stuk het was. Haar ogen lichtten
op. Het snot bleef uit mijn neus lopen. Ik moest heel snel scoren.
Ze pakte de lap van me aan en zocht naar foutjes. Die waren er
niet. Ze keek op. En haar ogen... ik zal haar ogen nooit vergeten. Sluw en hebberig.

'Hoeveel?' vroeg ze.

'Vijftig pond.'

'Een tientje.'

Ongelovig keek ik haar aan. 'Het is goudbrokaat! Dat is honderden waard.'

'Gestolen,' zei ze met een minachtend lachje.

'Mijn moeder heeft het gemaakt,' protesteerde ik.

Zwijgend keek ze me aan.

'Geef me twintig,' smeekte ik.

'Het spijt me, ik heb maar tien pond bij me.' Het speet dat wijf helemaal niet. Ik keek om me heen, maar er zaten geen andere vrouwen in de pub, alleen mannen. En ik had de tijd niet om het ergens anders te proberen.

'Geef me dat tientje dan maar.'

Ze deed haar portefeuille open. Het geld puilde eruit. Ze trok er een tientje uit en stak het me toe. Toen ik wegliep naar de deur, hoorde ik dat de man met wie ze samen was haar complimenteerde met haar 'koopje'.

Ibu had die doek voor me gemaakt. Ik wilde teruggaan en dat lullige tientje in haar gezicht smijten, maar ik had mijn shot nodig. Hard nodig. Het was niet meer dan een lap stof.

Als de politie Anis laat gaat, kan ik misschien naar hem gaan. Hij heeft vast wel wat in huis.

Ricky

De kok heeft me vandaag laten zitten. Zijn cheque was niet gedekt. Voor de tweede keer. Een ezel stoot zich in het gemeen... Schiet op, ga ook maar in de rij staan, eikel. De leveranciers accepteren alleen nog contante betaling. Ratten zijn het. De man van het linnengoed wil niet leveren, de schijterd. Jarenlang heeft hij goed aan me verdiend, en nu het even wat minder gaat, is hij meteen vertrokken. Hij kan de kolere krijgen. Als ik mijn shit weer op orde heb, zorg ik ervoor dat hij nooit meer een cent aan me verdient.

Een van de restaurants zit in de shit, de verliezen lopen op. Ik was er gisteravond. Zelfs de drank stonk naar verlies. Op dit moment is het klote. Zwaar klote.

Nutan

Ik ging terug naar onze kamer, nat en smerig, en door en door koud. Ik kan me niet eens herinneren dat ik door de regen ben gelopen. Halverwege de trap hoorde ik stemmen. Ik wist niet wat ik ervan moest denken, ik was zo in de war. Misschien was het politie, maar het bleken de eigenaars van de snackbar te zijn, onze huisbazen. Vloekend en tierend doorzochten ze onze spullen, totdat ze mij in de deuropening zagen staan.

'Wat doen jullie?' vroeg ik angstig.

Schuldbewust sprongen ze overeind, maar ze waren rood van kwaadheid. 'Het is hier een zwijnenstal!' gilde een van de twee, degene die me geld voor seks had aangeboden. 'Denk maar niet dat we niet weten wat hier gebeurt.' En met de punt van zijn schoen wees hij op een spuit. 'Smerige junks!' krijste hij hysterisch. 'Waar blijft de huur?'

Verward keek ik hem aan. 'Mijn zus is gisteren overleden.'

Geschrokken deed hij een stap naar achteren, alsof mijn nieuws besmettelijk was. Ja, het meisje dat je betaalde voor seks, wilde ik zeggen, maar ik was te moe. Het werd stil.

'Als je nu niet meteen de huur betaalt, moet je eruit.'

'En de borg dan? En mijn spullen?'

'Borg!' tierde hij verontwaardigd. 'Kijk eens naar die puinhoop. Wie betaalt de schade? Rot op!'

Ik draaide me om en liep de trap af. Ik wist niet wat ik moest doen. Ze was dood. Ik had niets meer. Niets behalve het volgende shot.

'Hé!' schreeuwde de man, en hij smeet twee paspoorten achter me aan.

Ik raapte ze op en strompelde weg. Ik had niets meer, behalve de oude trui en de spijkerbroek die ik droeg. Ik had een shot nodig, dus stal ik een fles whisky uit de Sainsbury's en die verkocht ik aan een slijter. Ik kocht twee zakjes, stal een lepel uit een café, een citroen van een groenteman, en spoot ergens achter een kerk. Op het kerkhof, om precies te zijn.

Ik moet uren op iemands graf hebben gelegen. Wat moest ik anders doen? Waar kon ik naartoe? Ik dacht dat ik gek zou worden. Anis zat waarschijnlijk nog op het bureau. Het begon donker te worden, en ik had het zo koud dat ik klappertandde. Nooit eerder had ik me zo alleen gevoeld.

Ik stond op en liep naar Anis' huis. Er brandde geen licht. Ik sloeg een ruitje in en maakte de deur open. Ik wist waar zijn spul lag. Zodra ik had gespoten, zakten de ondraaglijke gevoelens weg. Maar ik moest blijven spuiten, anders zouden ze zo weer terug zijn. Onverdraaglijk, onoverkomelijk. Ze was dood, snap je.

Ik had haar in haar gezicht moeten slaan, ik had de naald uit haar hand moeten slaan toen ze mij haar eigen dood aanbood. Ik vervloekte mezelf. Ik had haar in de steek gelaten, ik liet haar alleen terwijl ik zelf uitging met Ricky en mijn nieuwe vrienden, dronk en snoof. En dat terwijl ze me nooit iets had misdaan.

Ik weet wel waarom ze het deed. We waren ons leven lang één geweest, en zij probeerde een individu te zijn. Nu was het te laat om weer een onafscheidelijke tweeling te zijn.

Ik dacht aan zelfmoord toen ik in de spiegel in de badkamer mijn gezicht zag. Ik zag mezelf doodgaan. Een blauwe mond. Geen ademhaling. Doordat ik had gezien dat zij doodging, werd ik achtervolgd door mijn eigen dood. Ik overwoog een overdosis. Ik had nooit geweten wat eenzaamheid was. Alleen ben ik zonder symmetrie. Lelijk. Een helft. Wie ben ik?

Nenek wist het. 'Droom van Ibu,' had ze tegen Zeenat gezegd. Ze zal niet verbaasd zijn als ik haar het nieuws vertel.

Ricky

Het werd zo erg dat iedereen geld van me wilde. Iedereen hijgde in mijn nek. Mijn personeel deed alsof ik niet de eigenaar was. De eigenaar komt nooit meer, zeiden ze tegen mannen in pakken terwijl ik koffie stond te drinken aan de bar. Zit waarschijnlijk in Italië. Ik keek niet eens om.

Op een dag kwam ik het restaurant binnen en werd ik geroepen door een mooie vrouw. '*Ciao*, Ricky!' In een reflex draaide ik me om en glimlachte naar haar. '*Si*, Bella,' zei ik.

Het volgende moment stonden twee mannen in polyester pakken op van een tafeltje aan het raam en kreeg ik een dagvaarding onder mijn neus. Ze gingen met zijn drieën weer weg. Zonder de glimlach had ze een harde rotkop.

Nutan

Het was nog donker toen ik wakker werd, mijn borst verstopt en zwaar door de angstige voorgevoelens. Waar was ik? Hoge ramen en een erker? O, bij Anis. Dan was ik veilig. Had ik alleen maar gedroomd dat ik alles kwijt was? Ik wist het niet meer.

Had mijn droom me gewaarschuwd voor mijn zus?

Mijn droom… mijn droom… O nee… Als een bezetene begon ik te bidden.

O, machtige geesten, welkom in mijn huis.
Vergeef me als ik jullie kwaad heb gedaan.
Aanvaard mijn offer. Vergeef me.

Ik was Nenek, zoals ze al die jaren geleden bad en smeekte en huilde, zoals ze de geesten vroeg om Ibu in leven te laten. Dat zou ik ook doen.

Neem niet wat niet van jullie is.
Laat het kind bij mij,
laat haar nog een dag leven.
Zeg haar naam niet, niet 's nachts.
Niet vannacht.

Ik hoorde een geluid in de woonkamer en liep op mijn tenen door de gang. Was er een schaduw die me volgde? Rillend en doodsbang bleef ik in de deuropening staan. Anis zat met gebogen schouders op de grond, starend naar een leeg schilderslinnen. Hij draaide zich om toen hij me hoorde.

Kijk eens wat de boze geesten met zijn gezicht hebben gedaan! Zijn mond was verscheurd, zijn ogen waren zwarte poelen van verdriet. Wat was het? Waarom werd ik bang?

'Zeenat,' fluisterde ik.

Er kwam geen geluid uit het masker van verdriet.

Hij pakte een spuit die naast hem lag en stak zijn hand naar me uit. Ik onderdrukte een snik en strompelde naar hem toe.

Ik griste hem de spuit uit handen, maar ik trilde te erg en kon geen ader vinden. Anis deed het voor me, teder en heel zorgvuldig. *Het is niet eng. Ik doe het wel voor je.*

Anis

Ik kwam vandaag mijn keuken binnen en daar zat Nutan, met doorgesneden polsen. Ze staarde naar het bloed dat uit haar armen op de grond drupte.

'Nee, niet doen!' riep ik. Ik liet me naast haar op mijn knieën vallen en drukte de wonden dicht.

'Je begrijpt het niet,' zei ze. 'Ik geef voedsel aan de geesten. Ze hebben honger en zijn ongelukkig.'

Ik was zo verbaasd dat ik haar bloedende polsen losliet. In gedachten hoorde ik de stem van mijn grootmoeder. 'Hoor je het? Het is de aarde die bloed wil.' Misschien is bloed dat op de aarde druppelt vergeten wijsheid. Brachten alle grote beschavingen in de oudheid geen menselijke offers om te kunnen voortbestaan?

Logisch, dacht ik terwijl ik haar polsen verbond. De aarde moet ook eten.

Nutan

Mannen in het zwart liepen over het scherm. Het was een modeshow van Issey Miyake, ergens in een pakhuis of zo. Waarom zette Anis het geluid uit? Het effect was spookachtig.

Ik kwam de keuken binnen, en Anis draaide zich naar me om.

'Ik heb van haar gedroomd,' zei ik. 'Ik droomde dat ze zei: "Niet doen."' Ik stak mijn arm uit voor een shot. 'En terwijl ik doodging, zei ze tegen mij: "Ik dacht ook dat jij als eerste aan de beurt zou zijn."'

Ik knielde aan zijn voeten en raakte zijn gezicht aan. Mijn hand ging omlaag en gleed onder zijn shirt over zijn huid.

'Niet doen,' zei hij ruw. 'Maak niet kapot wat er over is.'

Ik was in de war en voelde me smerig. Ik wilde zijn waar zij was geweest. Ik wilde haar kunnen ruiken. Ze was zó echt dat de dood haar niet had vervaagd.

Anis zei dat de tijd haar langzaam zal uitwissen.

Elizabeth

Ik ging bij Anis langs. In zijn koelkast vond ik alleen zure melk, een beschimmeld stuk kaas en iets wat door bederf onherkenbaar was geworden. Gelukkig had ik erop gerekend en mijn eigen boodschappen meegenomen. Ik maakte ham met gestoofde kool, en we aten op kussens op de grond. Hij at met lange tanden, maar ik wachtte net zo lang tot hij alles op had. Toen verontschuldigde hij zich en ging naar zijn slaapkamer. Ik stond voor het raam en probeerde niet te denken aan wat hij deed. Toen hij terugkwam was er niets aan hem te zien. Ik glimlachte naar hem, maar hij glimlachte niet terug.

Hij liep naar de cd-speler, en de prachtige klanken van Moessorgski's 'Een nacht op de kale berg' vulden de kamer. Hij gebaarde dat ik weer op de kussens moest gaan zitten, nam mijn hand in de zijne en drukte zacht een kus op mijn handpalm. 'Dankjewel,' zei hij.

Toen begon hij te praten. Een paar keer ging hij naar de slaapkamer, en soms leek hij in slaap te vallen, maar dan knipperde hij met zijn ogen en praatte hij verder.

Hij vertelde me over een klein jongetje dat een smerig geheim had gestolen en een zware last was blijven dragen om zijn moeder te beschermen. Al die jaren met schuldgevoelens, terwijl het nergens voor nodig was geweest. Zijn moeder had het altijd geweten. Wat doen we de mensen die ons lief zijn toch vaak pijn! Ik was boos op een vrouw die ik helemaal niet kende. Maar dat kleine jongetje keek me verdrietig aan en zei dat zijn moeder niets te verwijten viel. Ze had haar *dharma* onberispelijk vervuld. Ze was een goede echtgenote geweest. En haar plicht als moeder dan?

'Ik ben net een vampier,' zei hij verbitterd. 'Ik vind leuke meisjes op donkere plaatsen en dan zuig ik het leven uit ze. Een Picasso minus het talent.' Hij lachte zonder humor. 'Ik ben net als de vreselijke spin die Ricky aanbidt, ik kruip rond, zwart en afzichtelijk, en lok mooie vrouwen in mijn web, ik haal ze over om hun kleren uit te trekken en dan maak ik ze kapot. Swathi, Maggie en nu Zeenat...'

'Hoe kun je dat nou zeggen!' riep ik uit. 'Swathi was al aan het doodgaan toen je haar leerde kennen. Je hebt haar laatste dagen juist bijzonder gemaakt. Het is een gave als je de muze van een groot kunstenaar kunt zijn. Ze werd zelfs verliefd op je. Is het soms jouw schuld dat je haar gevoelens niet kon beantwoorden? En Maggie, weet je wat zij over je heeft gezegd? Ze zei dat ze zich door jou wilde laten schilderen omdat jij dwars door mensen heen kijkt en de ziel vastlegt. Ze had nooit iemand gekend die dat kon. En voor het eerst vond ze zichzelf mooi door de ogen van een man. Daarom heeft ze je een schilderij gegeven, om je te bedanken. Ik heb niet eens werk van haar. Je mag jezelf geen verwijten maken, want je had een geweldige verrassing voor haar in petto. Jij kunt het niet helpen dat ze niet kon wachten. Ik hield van haar, en ik verwijt je niets.

Kijk naar me,' zei ik. Hij keek op, een schuldbewuste blik in zijn ogen. 'En wat Zeenat betreft mag je jezelf al helemaal geen verwijten maken. Ben je soms vergeten dat je de eerste blauwe plek op je arm aan haar te danken hebt? En toen jij wilde afkicken, heeft zij je weer op het slechte pad gebracht. Ze is er niet meer. Je moet haar loslaten.'

'Je begrijpt het niet,' fluisterde hij. 'Ik kan het niet.'

Nutan

Mijn zus zei: 'Ik heb wat spul. Kom naar onze oude kamer, dan nemen we het samen.' Ik werd wakker en begon me aan te kleden. Toen pas drong het tot me door. Je bent dood.

Ik moest weg bij Anis en mijn zus ophalen uit de koude kamer waar haar lichaam was opgebaard. Ik moest haar hoofd in mijn moeders schoot leggen. Daar hoorde ze thuis. Ik had haar nooit mee moeten nemen naar deze giftige wereld. Op ons kleine eiland waren we veilig. Ik moest terug, terug naar mijn grootmoeder.

Terwijl er bloemen worden uitgestrooid over haar kist, zal mijn vader spreken, de afstandelijke vreemde die zijn dochters in gevaar bracht om een geliefde te straffen. Met de stem die hij voor zijn aristocratische poppen gebruikt, zal hij hetzelfde zeggen als op de begrafenis van mijn moeder: 'We wachten op haar wedergeboorte op aarde. Misschien wordt ze wel mijn achterkleinkind.'

Ergens achter mijn oogleden kwam storm opzetten. Uiteindelijk ben ik niet zoals mijn aristocratische vader, weet je. Ik ben zoals mijn grootmoeder, met de smaak van aarde nog op mijn tong, niet in staat om een gebrek aan hartstocht voor te wenden. Hoe moet ik leven tot aan mijn eigen dood? Wat doe ik met de ondraaglijke afwezigheid als ik in het holst van de nacht wakker word en verlang naar haar warmte naast me in bed?

Wat ben ik een blinde python geweest! Per ongeluk heb ik een reusachtig schepsel opgeslokt, een schepsel dat verdriet heet. Ik weet niet hoelang het zal duren, maar laat me alsjeblieft met rust terwijl ik mijn maal verteer. Ik ben nu niet anders meer dan jij. Ook ik ben onuitsprekelijk alleen.

Anis

Er stond geen maan aan de hemel. Ik kon niet meer slapen. Mijn geweten lag dwars. Ik weet niet waarom ik nooit droomde van het moment dat ze dood in mijn armen lag, maar wakend liet het beeld me niet los. Je leest het vaak genoeg in de krant, een kind dat zijn ouders dood aantreft na een overdosis, of andersom, maar wat je leest komt zelfs niet in de buurt van het verschrikkelijke moment dat je zelf iemand aan een overdosis ziet sterven.

Ik heb de publiciteit niet gezocht. De kranten hebben zich als aasgieren op het nieuws gestort toen ze hoorden dat er een dode in Anis Ramji's armen had gelegen. Als gevolg daarvan steeg de prijs van mijn werk, en niet zo'n beetje ook. Waarschijnlijk rekenen ze erop dat ik over niet al te lange tijd een dode schilder zal zijn. En hier en daar zijn er vrouwen die mijn norse melancholie aantrekkelijk vinden.

Nog steeds veroordelen de doden me niet. Ze komt altijd stralend naar me toe. *'Wastan titiang 'e Zeenat'*. Mijn naam is Zeenat. Ze vraagt om *'gambar titiang,'* mijn schilderij. Geloof je me als ik je vertel dat ik haar soms ruik als ik wakker word?

Ricky

Ik verkocht aandelen in mijn restaurant aan mijn manager en kok. Niemand weet het behalve ik, maar er wordt beslag gelegd op het restaurant als de belastingdienst me failliet verklaart. Langer dan een paar dagen kan het niet meer duren.

De idioten liepen rond met waardeloze papieren, bespraken geestdriftig onder elkaar wat ze zouden veranderen. Ik hielp ze natuurlijk niet uit de droom. Het moet voor allebei een hele toer zijn geweest om twintigduizend pond bij elkaar te krijgen.

Over de manager voelde ik me niet schuldig; hij had het geld om te beginnen van mij gestolen.

De kok was een ander verhaal. Triest, maar wat kon ik doen? Hij had van het allereerste begin voor me gewerkt, hij was dik in de vijftig, en ik pikte het zuurverdiende geld voor zijn pensioen, maar ik had geen keus. Als ik de manager een aandeel aanbood, kon ik Franco niet buitensluiten. Hij was mijn dekmantel. Ik zou mijn trouwe kok toch zeker niet oplichten – stel je voor! Als ik mijn kok geen aandeel aanbood, zou mijn manager argwaan zijn gaan koesteren.

Maar in feite zijn het allemaal smoesjes. Ik had dat geld gewoon nodig. Ik klampte me aan strohalmen vast. Franco gaf me als eerste zijn cheque. Zelfs toen hij me met glanzende ogen dankbaar aankeek, voelde ik me niet schuldig. Ik ging met de cheque naar Paolo, en even later had ik het geld. Het leek heel veel. Ik dacht dat ik er een hele tijd mee zou kunnen doen, maar het is nu alweer op.

Januari 2001

Ricky

Hoeveel geef je voor een gouden Rolls-Royce?

Vijfduizend pond? Ben je nou helemaal van de ratten besnuffeld! Dat ding is pas drie jaar oud. Er mankeert niets aan.

Kom op, neem me niet in de zeik, je verkoopt hem voor minstens drie keer zoveel.

O, laat ook maar. Kun je dat rotding vandaag nog komen halen?

Ja, maar hoe laat kun je hier zijn? Ik heb haast.

Nutan

Ik deed wat Elizabeth me had gevraagd en belde om één uur precies bij haar aan. Toch duurde het een hele tijd voordat ze opendeed.

'Kom boven,' zei ze door de intercom.

Een man die zijn gezicht probeerde te verbergen stapte uit de lift. Toch herkende ik hem van de televisie. Hij was beroemd. Elizabeth deed open, en ik staarde haar geschrokken aan.

'Wat is er met jou gebeurd?' vroeg ik.

'Een ongelukje,' zei ze met dikke lippen. Voorzichtig, met een van pijn vertrokken gezicht, liet ze zich op een witte bank zakken. 'Het enige positieve van Mr. M is dat hij altijd goed spul achterlaat. Het ligt op de keukentafel. Wil jij het halen?'

Samen snoven we de coke, zittend op de bank. Ik mocht het laatste lijntje van haar hebben.

'Hier,' zei ze, en gaf me een envelop vol geld. 'Breng haar terug, terug naar Bali.'

Wat zit het leven toch raar in elkaar. Elizabeth was de laatste van wie ik hulp had verwacht. Ze deed altijd zo onvriendelijk.

313

Toch was ze een reddende engel. Om te zorgen dat Zeenat teruggebracht kon worden naar ons eiland had Elizabeth iets gedaan wat ze meer dan weerzinwekkend vond. Ik wist niet wat ik moest zeggen.

Ik liet me op mijn knieën vallen en opende mijn mond om haar te bedanken, maar ze legde me met een opgeheven hand en een kille stem het zwijgen op. 'Ga nu maar naar huis. Ik moet douchen, en slapen, en helen. Volgende week komt de mollah terug. Ik heb het niet voor jou gedaan. Ik deed het voor Zeenat.'

Het was me een raadsel waarom ze geen warmte wilde. Ze had duidelijk een warm hart, en toch wekte ze opzettelijk de indruk dat ze koud en gevoelloos was. Totaal in verwarring draaide ik me om naar de deur.

'Wacht,' zei ze. 'Laat het geld maar hier, dan regel ik het voor je.' Ze keek me aan, niet onvriendelijk maar wel vastbesloten. Ze had natuurlijk gelijk, ik was niet te vertrouwen. 'Heb je aan vijftig pond genoeg tot morgen?'

Ik knikte.

Buiten raakte mijn verlies me opeens als een mokerslag. De hand die mijn zus had gedood, had mij opengereten.

Ik nam de bus naar Vauxhall, liep naar een armoedig flatgebouw en drukte op de bel van nummer 77. Ik moest nog drie keer bellen voordat ik een nauwelijks verstaanbare stem hoorde.

'Mag ik boven komen?' vroeg ik.

De opener zoemde en ik duwde de deur open. Ik verlangde naar vergetelheid.

Bruce

Om halfvier 's nachts kreeg ik een sms'je van Haylee: *Ga naar Elizabeth. Ze fikst geld voor Nutan. Suc6*

Mijn hart klopte in mijn keel bij het vooruitzicht dat ik Elizabeth weer zou zien, hoewel ik waarschijnlijk te laat zou komen, gezien het feit dat Haylee het bericht had verstuurd. Maar misschien dat zelfs iemand als Haylee ware liefde kon herkennen en hoopte dat het goed zou komen. Misschien was het nog niet te laat. Toch voelde ik me verdrietig toen ik aanbelde. Waarom had ze het me niet gewoon gevraagd?

Ontdaan staarde ik naar de kapotte lip, en er brak iets binnen in me.

'Haylee heeft me op een krankzinnige reddingsmissie gestuurd,' zei ik. Ik hoorde zelf dat mijn stem trilde.
'Te laat,' zei ze opgewekt. 'Nutan heeft het haar zeker verteld. Maar Haylee verdient lof; ze heeft het in elk geval geprobeerd.'
Ik haalde een deken uit de slaapkamer en sloeg die zorgvuldig om haar magere lichaam heen. Ik kon wel huilen. Telkens versloeg ze me.
'Het is minder erg dan het eruitziet. Je bent een man. Je weet hoe het gaat. Geen penetratie, dus niks aan de hand,' grapte ze met haar kapotte lippen.
'Waarom?' vroeg ik.
'Ik moest het doen. Ik stond bij haar in het krijt. Toen ik hoorde dat ze heroïne gebruikte, was ik te onverschillig om haar in haar gezicht te slaan. Dat verwijt ik mezelf.'
'Waarom heb je mij niet gewoon om geld gevraagd?'
'De nood was nog niet hoog genoeg, denk ik.' Haar lachje klonk schamper.
'O, Elizabeth.'
'Waarom blijf je terugkomen? Ik heb zo mijn best gedaan om je weg te duwen. Ik heb zelfs in een restaurant de make-up van mijn gezicht gehaald om je te laten zien hoe lelijk ik kan zijn.'
Ongelovig staarde ik haar aan. 'Heb je het dáárom gedaan? Omdat je dacht dat je me kon afschrikken?'
'Nu je het zo zegt, klinkt het wel een beetje mal...'
'Een béétje?'
'Alles is een leugen, Bruce. Ik heb het verleden weggestopt in de hoop dat het dood zou gaan in het donker, maar het is alleen maar gaan etteren en zweren.'
Toen heeft ze me alles verteld, van de broer die de zee heeft meegenomen, van het wisselkind en haar terreur, en van de mannen die haar zo hard beetpakten dat hun vingers blauwe plekken achterlieten.
Het was bijna meer dan ik had gehoopt. Zo'n innige verbondenheid. Dat ze me al die intieme details toevertrouwde. Zelfs met de dikke lip was ze nog beeldschoon. Haar grijze ogen stonden niet hard en koud, maar vochtig en teder. Ik weet dat het een cliché is, maar ik hield zoveel van deze benaderbare, aaibare vrouw dat het pijn deed. Ik was bang voor het moment dat ze weer in haar kille, cynische zelf zou veranderen.
'Wil je nóg een bekentenis horen?'
'Wat dan?'

'Ik heb een hekel aan coke.'

'Wát?'

'Het is waar. Als ik het eerste lijntje zie, ben ik al bang voor het moment dat alles op is, voor de neerwaartse spiraal, de jacht op geld, om vijf uur 's ochtends bij wildvreemde mensen aankloppen. De wanhoop die alleen een lijntje kan verlichten.'

'Wil je stoppen?'

'Ja.'

'Ik ook,' zei ik.

'Meen je het?'

'Ja. Maggies dood heeft alles veranderd. Ik zie nu voor het eerst wat Ricky's tempel echt is: een smerig en vreselijk oord vol trieste en verdwaalde mensen. Niemand is gelukkig. Ze gieren van het lachen, maar vanbinnen zijn ze allemaal dood. Dat moet ook wel als je een spin verheerlijkt.'

'Weet je het echt heel zeker?' vroeg ze.

'Honderd procent. Ik weet niet eens meer wanneer ik mijn laatste lijntje heb genomen. En jij?'

'Ik ben nog nooit van mijn leven ergens zo zeker van geweest,' antwoordde ze beslist.

'Ik hou echt van je,' zei ik zacht.

'Echt? Is het echt waar?' Haar stem klonk triest, zo triest.

'Ja, ik hou écht van je.' Waarom vond ze dat toch zo moeilijk te geloven?

'Nou, als je het echt heel zeker weet…' Ze stond op en liep een eindje bij me vandaan. Toen ze zich omdraaide, was haar houding trots en uitdagend, glinsterden haar grijze ogen weer als diamanten. Er speelde een spottend lachje om haar lippen. 'En is dit de perfectie waar je al die tijd van hebt gedroomd?' Ze trok de ceintuur van haar ochtendjas los en liet het kledingstuk op de grond vallen. Eronder was ze naakt.

Ik staarde naar haar. Het bulderde in mijn oren en de tijd stond stil. 'O, mijn god!' hoorde ik mezelf zeggen.

Anis

Verwijtend staarde ik naar het lege doek in mijn huiskamer. Het wachtte op me, maar ik verdroeg de geur van verf niet eens meer.

Ik zag de zon opkomen. Zachtgele stralen streken over de houten vloer vol verfspetters. Kijkend naar het zonlicht dacht ik aan mijn grootvader, zoals hij in zijn huis op de heuvel met gekruiste benen in het zonnetje zat. Urenlang kon hij zo zitten, vibrerend op de klank van *Ohm.* 'Emoties verhinderen helderheid,' zei hij altijd. 'Mediteer, Anis, mediteer om diepere rust te vinden. Richt je blik op het spirituele oog in je voorhoofd en wacht op antwoord.' Zittend in het zonlicht voelde ik eindelijk compassie voor mijn vader. Wat moet zijn ziel geleden hebben onder de eindeloze leugens, de verlammende schuldgevoelens en zijn onverzoenlijke zoon. Ik dacht terug aan de laatste keer dat we elkaar hadden gezien, toen hij de binnenkant van zijn wang opvrat en ik hem met mijn verachting versloeg.

Mijn moeder heeft me wel eens verteld dat ik, toen ik drie was, zoveel van mijn vader hield dat ik als eerste door hem geknuffeld wilde worden als hij thuiskwam van zijn werk. Deed hij dat niet, dan rende ik naar buiten en plaste ik op zijn schoenen om het hem betaald te zetten. Zelfs toen al was mijn liefde wreed en veeleisend. Wie was ik nou helemaal dat ik me voor hem schaamde? Ik deed mijn ogen dicht.

Bruce

We staarden elkaar aan. Waren er uren verstreken? Ik voelde pijn, maar de hare was nog groter. Dus dit was wat Maggie me bijna had verteld, die keer toen we zo dronken waren geweest in Ashleys café. Er kwam nog een herinnering boven.

Vind je het niet fijn om zo'n volmaakte schoonheid te zijn?

Weet je dan niet dat de mens van nature kapot wil maken wat volmaakt is?

Vanaf haar borsten tot aan haar onderbuik was ze met afschuwelijke brandwonden overdekt. Ontzet ging mijn blik over het glimmende roze littekenweefsel.

'Geen enkele plastisch chirurg kan er iets aan doen,' fluisterde ze.

Als verdoofd kwam ik naar haar toe en ongelovig voelde ik aan de littekens. Alsof dit het zoveelste trucje was dat ze uithaalde om mij af te schrikken. Ze kromp ineen. Het was geen truc. Ik legde mijn hand plat op haar buik en liet mijn vingers over de gladde stukjes gaan, de ribbels, de witte plekken, de roze huid. Ik verkende elk plekje van de aangetaste huid, terwijl zij roer-

loos voor me stond. Het was afstotend. O, hoe wreed is het lot...
Ik, die perfectie aanbidt.

'Brand?'

'Zoutzuur.'

'Natuurlijk,' zei ik alsof ze net het juiste antwoord had gege-ven. Dat zo'n schoonheid zoveel schokkende onvolmaaktheid kon verbergen. 'De Arabier?'

'De Arabier,' bevestigde ze.

'Waarom?'

'Als je een bezit zelden gebruikt, moet je ervoor zorgen dat an-deren eraf blijven. Zelf ziet hij het nooit. Hij gebruikt me alleen alsof ik een jongen ben.'

'O.' Vanwaar die merkwaardige kalmte? Ze was onverwacht afstotend... en dat terwijl perfectie heilig voor me is...

Mijn knieën knikten, en ik begroef mijn gezicht tegen haar ge-tekende buik. Ik schrok van mijn eigen tranen; ik had sinds ik klein was niet meer gehuild. Ik dacht aan die keer dat we hadden gedanst, onze passen zo volmaakt op elkaar afgestemd alsof we al jaren danspartners waren, en toen hoorde ik Ricky's spotten-de stem: *Je valt op de mooiste vrouw die je ooit hebt gezien. Dat kun je toch geen liefde noemen? Jezus, je kent dat mens niet eens. Stel nou dat ze er niet zo uitzag? Stel nou dat ze niet zo'n godin was? Wat zou er dan met die liefde van jou gebeuren?*

Ze legde haar handen op mijn hoofd. Zachte handen, zonder littekens. Arme Elizabeth.

'Stil maar,' troostte ze.

Daardoor ging ik nog harder huilen.

Terwijl ze mijn hoofd bleef strelen, zei ze heel zacht. 'Ren... ren weg, Bruce. Ren nu het nog kan.'

Ik rook haar angst toen ik ging staan en in haar prachtige ogen keek. Ik bukte me om de gevallen ochtendjas op te rapen en drapeerde het kledingstuk zacht rond haar schouders.

'Ik dacht dat ik van je hield...'

Eén enkele traan ontsnapte en rolde over haar wang. Ik stak mijn hand uit en streek de traan weg.

'... maar nu weet ik het zeker. Ik hou van je, Elizabeth. Besef je dan niet dat je meer bent dan dit gezicht of dit lichaam? Nu hou ik meer van je dan ooit.'

Een onwillekeurige snik, luid en rauw, welde op uit haar keel.

'Als ik er ooit achter kom dat je liegt...'

Ik legde een vinger tegen haar mond. 'Ssst, stil.'

En mijn mond vond de hare in onze eerste echte kus. Deze hoefde ik niet te stelen. Voorzichtig. Haar mond was beschadigd. Onze gezichten waren nat, het was triest en zoet. Niet de overdonderende hartstocht waar ik van had gedroomd, maar ik zou die verdrietige en zoete kus voor niets ter wereld willen ruilen.

'Niet huilen,' suste ik. 'Huil alsjeblieft niet. Ik zal altijd van je blijven houden,' beloofde ik haar. 'Ik kan alleen maar meer van je gaan houden. Sinds wanneer weet jij dat je van mij houdt?'

'Sinds die keer dat je mijn koelkast opendeed en mijn kaviaar opat.'

'Zó lang al? En je hebt me al die tijd laten lijden.'

Ze maakte zich los uit mijn armen. 'We moeten hier weg,' kondigde ze aan, en ze nam me mee naar de slaapkamer.

Ik ging op het bed zitten. Mmm, ganzendons. Kon het echt waar zijn dat ze van mij was? Was ze echt de mijne? Snel kleedde ze zich aan, en toen haalde ze een oude koffer uit de kast.

'Was je al gepakt?' vroeg ik verbluft.

'Mijn handen durfden waar mijn hart te bang voor was.'

'Neem je verder niets mee? De dure kleren, de bontjassen, de juwelen...'

Langzaam keek ze om zich heen, en wijzend op allerlei verschillende voorwerpen zei ze: 'Dat is van hem. Dat is van hem. En dat. Dat ook... O ja, die is van mij.' En ze plukte een kaars uit een opzichtige gouden kandelaar. Glimlachend liep ze naar me toe. En toen dacht ze aan haar schilderij.

We gingen naar de keuken en bleven voor haar Chagall staan. Ze streelde de zwevende figuren bij wijze van afscheid. Haar ogen waren omfloerst.

Het scheermes en het spiegeltje lieten we achter als bewijs voor de mannen van de Arabier. Hij zou het begrijpen. Ze was gevallen. We deden de deur op slot en gooiden de sleutel door de brievenbus. Ik pakte de koffer van haar aan, en zij hield alleen de kaars nog vast. Samen liepen we naar beneden, en ik zag alle losstaande momenten als een vernuftig uitgedokterd plan.

Nutan

De luchthaven was heel groot en heel koud. De laatste keer dat ik er was geweest, had ik opwinding gevoeld, had ik me verheugd op het grote avontuur. Nu vormde Heathrow alleen het begin van een zware beproeving. Vijftien uur zonder shot. Ik had een klein beetje bij me, zodat ik vlak voor het instappen nog een laatste keer kon spuiten. Voor de vlucht had ik valium van Bruce.

'Is dit al uw bagage?'

'Ja,' zei ik. De enige dingen van belang waren de lepel en het citroenzuur; die had ik nodig voordat ik mijn hoofd in mijn grootmoeders schoot kon leggen. Ze zou me zeker vergeven en me genezen, zoals ze al vele anderen had genezen. Het was geen prettige behandeling, dat had ik zelf gezien, maar het werkte wel.

Ik vroeg Anis of hij de siroop van de vergetelheid wilde voor zijn pijn. Die kon mijn grootmoeder hem sturen. Uitdrukkingsloos keek hij me aan. 'Nee,' zei hij. 'De herinnering aan haar is me te dierbaar. Die wil ik niet opgeven.'

Ik wachtte tot aan het allerlaatste moment voordat ik in de toiletten mijn shot zette, en ging toen door de paspoortcontrole en de controle van mijn handbagage, en liep door lange grijze gangen naar Gate 33. De vrouw die mijn instapkaart aanpakte keek me een beetje raar aan. Ik had me moeten schamen, maar de heroïne gaf me steun. Ik liet me op een stoel in de wachtruimte vallen en dommelde in.

Een man in uniform maakte me wakker. 'U moet instappen. Bent u ziek?' vroeg hij, maar volgens mij wist hij het.

Ik strompelde naar mijn plaats en liet me slap zakken.

Zal ik je een geheim vertellen? Iets wat ik nog nooit aan iemand heb verteld... Je griezelt er misschien van, maar dat kan me niet schelen. Laat me je eerst vertellen wat ik van Anis heb gehoord. Als jongen las hij in een van zijn vaders boeken dat ene Ludovico Di Varthema in de zestiende eeuw van Perzië naar Java reisde en daar overal kannibalisme aantrof. De Javanen aten de zieken, de ouden en de zwakken. Ze brachten hun niet langer nuttige ouders en hun zieke broers en zussen naar de markt om ze als voedsel te verkopen, en van dat geld kochten ze zelf de ouden, de zieken en de zwakken van een andere familie. Toen de gechoqueerde Ludovico protesteerde, schudden ze zuchtend hun hoofd. 'O, jullie arme Perzen, waarom laten jullie zulk heerlijk vlees door de wormen opeten?'

In de nacht dat Ibu stierf, sneed Nenek een klein stukje huid uit mijn moeders nek en at dat op. Nee, ze at het niet omdat ze het lekker vond. Ze at het om mijn moeders magie in haar lichaam te houden.

Ik wist dát ze het had gedaan, maar toen pas begreep ik waaróm. Om dezelfde reden dat een man die een diamant vindt altijd zal proberen de steen te houden. Ze wilde het wezen van haar dochter bewaren. Ik wist dat ze ook een stukje van mijn zus zou opeten. We zouden het samen doen, want ik ben niet de aristocratische dochter van mijn vader. Mijn ware voorouders zijn de Bali Agas. We geloven mijn vader niet als hij zegt dat wedergeboorte de frustratie van de dood is.

'Rarisang,' zal mijn grootmoeder tegen me zeggen. 'Vervul je plicht.'

Maar nu moet ik eerst slapen. En als ik wakker word, begint de ellende.

Blijf dicht bij me.
Wees niet bang, vlucht niet weg.

Francesca

Ik keek op de klok boven de stenen haard. *Madonna,* het was al vijf uur. Ik ging staan en rekte me uit. Het was drie uur geleden dat de kinderen naar het huis van Nonna Delgado waren gegaan, waar ze die nacht zouden logeren. Ik had etiketten geschreven en de kurk van elke fles zorgvuldig vastgezet met touw, en de tijd was voorbijgevlogen zonder dat ik het had gemerkt. Het vuur was bijna uit, dus legde ik er een paar extra houtblokken op, en voldaan keek ik naar de tafel met de keurige rijen flessen. Francesca's eigen olijfolie extra vierge.

Ik snelde door de koude gang naar mijn slaapkamer. Volgend jaar wil ik verwarming laten aanleggen. Ik koos een leuke groene jurk uit de kast en ging naar de badkamer, waar ik een klein elektrisch kacheltje aandeed. Zittend op de rand van het bad warmde ik mijn handen. Het waren niet langer de zachte en tot in de puntjes gemanicuurde handen van Francesca Delgado, het waren de hardwerkende, eeltige handen van Francesca Sabella.

In de spiegel zag ik een voller en zachter gezicht, met lippen die weer hun natuurlijke vorm hadden. Als ik bedenk hoe ze eruitzagen, schud ik nog steeds verwonderd mijn hoofd. Ik kan me helemaal niet meer voorstellen dat ik slaafs het voorbeeld van andere ongelukkige vrouwen volgde. Mijn huid is nog steeds modieus bruin, maar niet langer van de zonnebank. De zon is mijn klok, ik sta op als de eerste stralen het land strelen, en ik werk door tot aan zonsondergang.

Mijn haar is niet langer een steil gordijn, ik heb weer rommelige krullen, met lichte strepen van de zon erin. Ik weet nog dat een beroemde kapper mijn haar een keer naturel heeft geknipt en gekleurd, en hoe mooi het was. Toen vond ik het vreselijk, maar nu ben ik anders.

Toen de badkamer een beetje was opgewarmd, liet ik water in de wastafel lopen en kleedde me uit. Mijn borsten zijn niet langer klein en puntig, maar voller en een beetje uitgezakt. Ik vind het niet erg. Ik heb er immers mijn kinderen mee gevoed. Mijn buik is glad en rond, mijn heupen zijn breed, en mijn dijen gespierd van het harde werken.

In korte tijd ben ik peervormig geworden, maar ik kan niet treuren om het superslanke en afgetrainde lichaam dat ik in Londen heb achtergelaten. Ik heb nu het lichaam van een vrouw, een sterke, vrolijke vrouw die een eigen leven heeft opgebouwd. Dit lichaam van mij voelt alles, terwijl ik nog niet zo lang geleden liep en zat en praatte zonder ook maar iets te voelen. Nu heb ik het lichaam van mijn moeder, mijn grootmoeder, en haar moeder daarvoor, een lichaam dat ik heb doorgegeven aan mijn dochters.

Eindelijk heb ik een rol voor mezelf gevonden. Ik vind het fijn om dingen die kapot zijn te maken, om mijn kinderen te beschermen, om de aarde te voeden en herinneringen levend te houden. En ik ben er trots op dat ik zoiets verrukkelijks in een fles kan maken.

Toen het lekker warm was in de badkamer, waste ik me met het ijskoude water en deed ik mijn jurk aan. Ik drapeerde een dikke bruine omslagdoek om me heen en stoof wat parfum in mijn haar. Uit het kastje onder de wastafel haalde ik een toilettas met make-up. Mijn leven draait hier niet meer om de lege plek naast me, en ik heb geen foundation en camouflagesticks en serums meer nodig. Een vleugje lippenstift en wat mascara en ik was klaar.

Ik ging terug naar de huiskamer en keek naar buiten, waar het begon te schemeren. Ik zag hem aankomen over het pad van de heuvel, met een bos veldbloemen in zijn hand. Hij lijkt in geen enkel opzicht op Ricky. Hij is stil en ernstig, en hij wil met me trouwen zodra mijn echtscheiding rond is. Snel smeerde ik een beetje crème op mijn handen.

Ik ga naar buiten en doe de deur op slot. Vroeger deed niemand hier zijn deur op slot, maar zelfs Ravanusa is veranderd. Soms steekt de naald van een injectiespuit in de schors van een olijfboom. Arme bomen! Ik heb een speciaal houten kistje waarin ik die naalden verzamel. In de grijze schemering loop ik naar de zwaaiende man toe, nieuwsgierig naar de dingen die komen gaan.

Nutan

Ik liet haar achter op het vliegveld en nam een taxi naar huis. Ik was te zwak en te ziek om de noodzakelijke dingen te regelen. De hobbelige rit omhoog de bergen in is nu een pijnlijk waas, maar ik weet nog wel dat ik in die taxi zat en verbijsterd naar buiten keek. Het was echt onvoorstelbaar, maar er was niets, helemaal niets veranderd. Ik weet niet wat ik verwacht had, maar in elk geval niet deze volmaakte onverschilligheid over de dood van mijn zus. Het was alsof de tijd had stilgestaan. Ongelofelijk dat deze wereld volstrekt gescheiden is van die andere. Was er echt een vol jaar verstreken?

Het begon te miezeren. Een jongen schuilde op de vervallen trap van een tempel, een fluwelen hibiscus achter zijn oor, en met zijn ene hand streelde hij afwezig een witte vechthaan. Af en toe pikte de vogel een stukje eten uit zijn mond. Bestond Ricky wel? En Anis? Als ze bestonden, begonnen ze nu al op te lossen.

Toen stopte de auto, en ik liet me eruit vallen. Als verdoofd liep ik langs de muur van ons erf; de trossen lichtgroene mango's die over de muur hingen begonnen geel te worden. Ik liep door de poort, de nissen zoals altijd vol met overgaven. Ik weet niet waarom, maar ik verstopte me achter de *aling aling* en gluurde naar ons erf. Misschien was ik bang, of misschien wilde ik het moment van de hereniging uitstellen, ik weet het niet. Ik weet wel dat ik het nooit zal vergeten, die eerste onopgemerkte blik op Nenek en mijn vader.

Mijn vader zat op zijn hurken bij de kooien van de vechthanen, zijn haar niet in de gebruikelijke knot maar los op zijn rug. Achter zijn oor droeg hij noch een rode hibiscus, noch een zwart met gele orchidee, zoals zijn gewoonte was. In zijn armen hield hij zijn favoriete haan. Maar zijn gezicht...

O god, als je zijn gezicht had kunnen zien! Het was alsof ik niet net iets meer dan een jaar was weggeweest, maar wel vijftig jaar, wel honderd. Hij was vel over been, de huid hing slap omlaag van zijn jukbeenderen en zijn kaken, en rond zijn mond had hij diepe rimpels. De ogen lagen diep in de kassen. Zijn kin en neus leken dichter bij elkaar te staan. Hij zag eruit zoals een van zijn leren wajangpoppen.

Ik wist meteen welke.

De vader van de krijger, die de koppensneller verslaat. Ik herinner me hem nog heel goed, verslagen en in het flakkerende licht. 'Je hebt het vlees van mijn zoon gegeten en zo ben je mijn zoon geworden,' fluisterde hij met de stem van mijn vader.

Ik bewoog mijn ogen en zag Nenek zitten op het houten trapje van haar kamer, een sigaret in haar mond. Ze was precies zoals ik haar in mijn dromen had gezien, wel honderd jaar oud, maar nog even sterk en mooi als altijd.

Roerloos zat ze op het trapje. Ze wachtte op me. Ik had haar niet verteld dat ik zou komen, en toch wist ze het. Ik was bang. Ik kon haar niet vertellen dat mijn zus er niet meer was.

Ik glipte langs de *aling aling*, en de krankzinnige raja was de eerste die zijn dochter zag. En wat deed hij?

Hij blèrde als een kind. Ik had hem nog nooit zo zien huilen, zelfs niet toen mijn moeder stierf. De vogel tegen zijn borst was vergeten, hij snotterde en er droop speeksel uit zijn openstaande mond. In eerste instantie was ik stomverbaasd over zijn verdriet. Ik had het niet voor mogelijk gehouden. Hij die zo afstandelijk en kil was. Toen besefte ik dat ik niets voelde. Mijn verschrompelde hart gaf hem de schuld. Hij had de gevleugelde vos mee naar huis genomen, hij had zijn eigen dochters in gevaar gebracht, uit wraak op zijn geliefde.

Ik draaide me van hem om en wankelde naar mijn grootmoeder toe. Geknield aan haar voeten begroef ik mijn hoofd in haar schoot. Haar geur. O, haar geur. Wat deed het een pijn.

Ze tilde mijn hoofd op. Raakte mijn magere gezicht aan. 'Vanaf de dag van je geboorte heb ik geweten dat dit moment zou komen. Ik heb mijn best gedaan. Alles heb ik geprobeerd om de hand van het lot stil te leggen. Al mijn magie en al mijn kracht mochten niet baten. Weet je dat ik hem een keer heb gezien, jouw geelharige moordenaar? Ja, het lot had hem naar dit eiland gestuurd, naar dit dorp. Jij en Zeenat waren nog klein, maar zelfs toen probeerde hij jullie al aan te raken. Ik heb jullie weggetrokken, en dacht dat het me was gelukt om de toekomst te veranderen, maar nee... Je zocht hem, is het niet? Het is niet jouw schuld. Het was je lot. Zo moest het zijn. Het lot is niet in zand geschreven, maar in marmer gebeiteld.'

Ze glimlachte traag en triest. 'Het geeft niet, ik zal je genezen. Ik weet hoe ik je beter moet maken.' En toen legde ze een hand op mijn voorhoofd, heerlijk koel en troostend. De rust zorgde voor een moment van helderheid, en opeens stond ik oog in oog met wat ik in het diepst van mijn hart altijd had geweten. Ik herinnerde me die keer dat Nenek heimelijk naar me had gekeken. Daarom had ik, en nooit mijn zus, de bleke slang gezien. Daarom was hij naar me toe gekomen in Londen, het was de oorzaak van mijn mysterieuze hoofdpijn, en de cryptische woorden... het ontwaken van de ruggengraat... mijn erfenis.

Ik was haar erfgename.

De opvolgster.

Ze keek me aan en zei: 'In een droom heb ik je gezien, niet broos, gewond, of schuldig, maar moedig en stralend. Onder je voeten zwol de aarde op, en op je hoofd droeg je de kroon van een legendarische *balian*. Je roem zal zo groot zijn dat mensen uit alle windstreken naar je toe zullen komen. Jouw kennis is veel groter dan de mijne ooit is geweest. Sla niet op de vlucht, wees niet bang voor de toekomst. Ik heb gezien wat er voor je in het verschiet ligt, en het is prachtig.' En omdat ze de waarheid sprak, klonk haar stem krachtig en zelfverzekerd.

Ricky

Ik wist dat het voorbij was, zelfs al voordat ik binnen was. Het is er compleet verlaten. Alle lachende mensen zijn weg, opgelost alsof ze nooit hebben bestaan. De muffe stank is vreselijk. Eerder was het me nooit opgevallen, de gescheurde gordijnen, de brandgaten van sigaretten in de bank, hoe goor het hoogpolige tapijt is geworden. Vroeger was het een leuk huis, met felblauwe vloerbedekking en geometrische vormen op de gordijnen. In mijn hebzucht heb ik het huis op mijn naam laten zetten, zodat ik een beetje kon rotzooien met de hypotheek.

De bank kan er morgen al beslag op laten leggen, maar vandaag is het nog steeds van mij. Ik zou de televisie kunnen verkopen. Paolo geeft er misschien vijftig pond voor. Dat is een gram.

Als ik de cd-speler en de magnetron er ook bij doe, kan ik er honderd voor vragen. En dat is twee gram. Terwijl ik bedacht hoe ik honderd pond bij elkaar kon krijgen, kreeg ik opeens een idee. Een lumineus idee. Ik liep naar de televisie en maakte hem open met een schroevendraaier. En ja hoor, in de naad aan de bovenkant zat genoeg coke voor een lekker dikke streep. Jarenlang waren er beetjes poeder in die kier gestoven, in afwachting van deze dag.

Zorgvuldig schraapte ik het poeder bij elkaar. Een deel was zo oud dat het bruin was. Dat klinkt jou misschien smerig in de oren, maar mij maakt het niet uit. Er zijn maar weinig dingen waar ik vies van ben. Vroeger op school heb ik op een vrijdag een keer een varkenskarbonade in mijn lessenaar laten liggen, en toen ik 's maandags de klep opendeed, krioelde het er van de maden. De jongen naast me rende gillend het klaslokaal uit, maar ik had nergens last van en ging gewoon op zijn plek zitten.

Lachwekkend natuurlijk, maar er zat niet eens een bankbiljet in mijn portemonnee om op te rollen. Gaf ook niet, ik vond een rietje in de keuken. Snel snoof ik het lijntje naar binnen en liet me achterovervallen op de bank.

Wat kan het me ook schelen. Het is het allemaal waard geweest.

Ze kunnen allemaal de kolere krijgen. Ik heb ze toch niet nodig.

'Wolken zijn gedachten. Prent ze in je geheugen,' zei Maggie vroeger vaak. Mal mens. Uit het raam gevlogen.

Heb ik je wel eens verteld van die keer dat Haylee haar trui voor me uittrok?

'*O la Madonna,*' zei ik.

Ze glimlachte. 'Wacht, ik ben nog niet klaar.' Ze draaide zich om en stroopte haar spijkerbroek omlaag. En ik kon het niet helpen. Ik moest erin bijten, zó mooi waren haar billen. *Che bella?* Was het gisteren? Het voelt als gisteren.

En Francesca. Een kind was ze, helemaal alleen in een leeg veld, met blauwe libellen die om haar heen zwermden. Zo vasthoudend in het plukken van de bloemblaadjes.

'Hij houdt van me, hij houdt niet van me.' O, die prachtige jaren. Waar zijn ze gebleven?

Tegenwoordig maakt ze een of andere bijzondere olijfolie. Ik ben haar altijd als een kind blijven zien. Nooit gedacht dat ze nog eens op eigen benen zou leren staan in deze grote slechte we-

reld. Maar we koesteren geen wrok, hè, Francesca?
Ik weet nog hoe ze lachte op Bali. Wat was ze toen gelukkig.
De herinneringen zijn als golven, de ene na de andere komen ze
aangerold. Maar ik ben bang voor de grote jongens, die zijn zwart en
boos. Nog even en ik word erdoor overspoeld, maar geen zorgen, de coke kan nu elk moment gaan werken. De golven slaan
erop stuk. Hé, waar ga je naartoe? Kom terug. Ik ben nog niet klaar met
mijn verhaal. Ik sta heus wel weer op uit de as, wacht maar af.
De spinnengodin weeft nog steeds aan haar web. En ze heeft nog
steeds verrassingen in petto. Wrede. Wriemelende schoonheden
die ik uit haar web zal plukken. Misschien geef ik haar hun nietsvermoedende zieltjes, misschien ook niet. Een mensenleven is waardeloos. Luister, blijf
nog even, dan mag jij over hun lot beslissen. Je wilt geen meisjes. Oké, dan niet. Ik heb meer.
Blijf nou! Even nog. Ben je de Corsicaanse heks soms vergeten? 'Hij zal een fenomeen worden,' zei ze.
Ik ben nog niet klaar. Van niets tot niets. Je vergist je. Ik word
heus wel weer rijk, en dan kom je terug, ja toch? Om een grammetje te stelen, een pondje te nemen. Alle mooie vrouwen komen terug.
Heb ik je ooit van Morocco verteld? Nee, niet het land, het
meisje. Bijna indigo, met een lichaam zo hard en glanzend als geboend hout. Misschien roerden mijn Moorse voorouders zich in
mijn bloed; hoe dan ook, in het rode licht van de club verlangde
ik naar de aanraking van een zwarte huid.
Het is waar wat ze over zwarte meisjes zeggen.
Als je er één hebt gehad, verbleken de anderen een beetje. Hun
huid is niet alleen zachter dan die van elk ander ras, maar in het
donker ruiken ze naar muskus en seks. En dan natuurlijk de manier waarop ze reageren. *Dio bono,* ze neuken als beesten. Ze
hoeven niet eerst dronken te zijn voordat ze geil worden, en ze
spelden je 's ochtends als ze wakker worden geen smoesjes op de
mouw: 'Normaal gesproken doe ik dit nooit...' Zonder enige
schaamte voor hun seksualiteit gaan ze de deur uit, op zoek naar
bevrediging, een tandenborstel in hun tas. Daarom zijn ze onvergetelijk in bed.
En blonde mannen werken als een magneet op ze. Haar glimlach lichtte op in het donker. 'Kom je hier vaak?' vroeg ze.

'Niet echt, nee.'

Ik nam haar mee naar huis. Ze had extensions tot aan haar middel en billen om voor te sterven, hoog en stevig. De geur van muskus was zondig sterk. Ze trok haar witte jurk uit. Ik greep haar beet en hoorde het scheuren van stof. Ik hield haar slipje in mijn hand.

'Rund!' zei ze met haar armen over elkaar geslagen. 'Daar heb ik tweehonderd pond voor betaald.' Ze zei het met een volmaakt uitgestreken gezicht.

Brutale slet. Ik keek naar het kanten gevalletje van goedkoop polyester en bedacht dat mijn moeder afgedongen zou hebben tot vijf van die dingen voor 3000 lira, ongeveer vijf pond. Ik grijnsde naar haar. Het was een test.

Italianen vangen vogels door zaadjes op hun balkon te strooien in de hoop dat de diertjes te zwaar worden om weg te vliegen. Ik heb het nooit geprobeerd, maar het klinkt goed. Geef een beetje, neem de hele handel.

'Oké, ik betaal je ervoor,' zei ik, en ze kwam naar me toe, fit als een atlete. En dit is de waarheid: ze gaf me waar voor mijn geld. Het is de beste tweehonderd pond die ik ooit heb uitgegeven. Honger is geen lolletje. Ze had wel voor tweehonderd pond zaadjes van me gegeten.

Ach, ik hou van alle vogels die neerstrijken op mijn balkon.

Met de verachting in hun ogen kan ik wel omgaan. Het is hun schild. Hoe moeten ze het dagelijkse zelfbedrog anders volhouden? Ik ben het eens met de smerigste en zondermeer bewonderenswaardigste romanfiguur die Mario Puzo ooit heeft geschapen: 'Je moet medelijden hebben met die meisjes, ze werken. Ik speel een spel.'

Kom, blijf nog even. Wat kan het nou voor kwaad? Ik maak wel een lekker bordje pasta klaar. *Penne all'arrabbiata,* hou je daarvan? Het wordt zo donker, en dan steken we gezellig een paar kaarsen aan. Er is misschien geen stroom. Ik ben een tovenaar. Bij kaarslicht spin ik mijn magie, adembenemende magie. Je zult versteld staan. Ik zweer het je, je hebt het niet allemaal al eerder gehoord. Het wordt goed, heel goed. Ze is nog niet klaar, de spinnengodin. Ik heb nog een paar verrassingen achter de hand gehouden. Dit kan het einde niet zijn.

Kom, je laat je glas toch niet omgekeerd op tafel staan. We bezatten ons samen aan het verbodene. Wacht nog even. Alsjeblieft?

Ga nou niet weg...
Hé...
Ach, tot de volgende keer dan maar.

15 januari 2004

Lieve Nutan,

Je gelooft nooit wie ik vandaag zag! Ik heb je nog maar een paar dagen geleden geschreven, maar ik moet je dit gewoon vertellen. Het is echt bizar.

Eerst dacht ik dat het zomaar een zwerver was die in een vuilnisbak voor het metrostation graaide, maar opeens kwam hij me bekend voor. Hij had een grijzende rode baard, maar het haar dat onder zijn rastamuts uitstak was blond. Hij droeg een gescheurd en ongelofelijk smerig leren jack, en toen ik dichterbij kwam, hoorde ik hem mompelen bij zichzelf: 'Gek, gek, gek.'

Hij had een boterham gevonden en haalde met pikzwarte handen de twee helften van elkaar. Hij bestudeerde wat erop zat en hield het brood toen bij zijn neus om eraan te ruiken. En mijn adem stokte. Het kan hem niet zijn, dacht ik geschrokken, onmogelijk. Maar het was hem wél. Opeens tilde hij zijn hoofd op, en we keken elkaar aan.

Blauwe ogen, met niets erin. Toen begon hij te glimlachen. 'Ken ik jou ergens van?' vroeg hij.

Ik dacht dat het mijn haar was. Hij heeft het natuurlijk nog nooit in de natuurlijke kleur gezien, en ook nog nooit zo kort geknipt. Ik schudde mijn hoofd, maar zonder iets te zeggen.

'Heb je soms wat kleingeld voor me?' vroeg hij, zo te horen bij zijn volle verstand. Terwijl ik naar hem keek, begon hij sarcastisch te glimlachen, en ik besefte dat ik hem stompzinnig aangaapte. Ik grabbelde in mijn tas en viste er een briefje van tien pond uit. Hij griste het uit mijn hand. Ik draaide me om en liep snel het station binnen. Enerzijds voelde ik me gekwetst, maar ik *wist intuïtief dat ik hem geen helpende hand moest bieden. Hij is te gevaarlijk. Alles wat hij aanraakt maakt hij kapot.*

In gedachten zag ik voor me dat ik hem onze logeerkamer zou aanbieden, dat zijn handen langzaam onder de deken vandaan zouden komen om mijn kinderen bij de nek te grijpen. Dat ze wegkwijnden in zijn greep. Ik dacht aan mijn man, mijn kleintjes, ons huis. Dat zet ik echt niet op het spel, mijn nieuwe leven is me veel te dierbaar.

Eigenlijk had ik me het liefst achter een pilaar willen verschuilen om naar hem te kijken. Het schenkt een soort pervers genoegen om te zien dat iemand een spectaculaire val heeft gemaakt. Maar ik was te bang voor hem. Jij hebt wel eens gezegd dat hij nooit echt gevaarlijk kan zijn omdat er geen enkele waarheid is die hij voldoende aanbidt om zijn ziel eraan weg te geven. Maar toch... zelfs als smerige rasta, zelfs graaiend in vuilnisbakken, hangt er een soort spannende, gevaarlijke mist om hem heen.

Ik was al een eind bij hem vandaan toen ik hem hoorde roepen. 'Je kunt je wel verbergen, maar je kunt niet weglopen. De spin wacht, lui wiegend in de wind. De spin wacht op jou, Elizabeth.'

Ik verstijfde. Natuurlijk wist hij wie ik was. Ricky en ik zijn zielsverwanten, we zijn op een onverklaarbare manier met elkaar verbonden. We hebben allebei offers gebracht op het altaar van de spin, we hebben haar allebei lekkere hapjes gevoerd. Maar ze heeft ook ons leeggezogen. Gelukkig hunker ik al heel lang niet meer naar de giftige steekpenningen die ze als lokaas gebruikte.

Tegenwoordig ben ik beschermd. Ik ga naar de kerk. Ik heb een simpel en fijn leven, en ik ben vergeten hoe het is, de smaak van een lijntje coke, of wodka om zes uur 's ochtends, of de hand van een man van wie ik walg op mijn lichaam. Mij zal de spin nooit meer vangen in haar web.

Terwijl ik met de roltrap omlaagging, voelde ik Ricky's ogen op mijn rug. Hij zoekt nog steeds. Ik heb hem gewaarschuwd dat hij nooit zal vinden wat hij zoekt, maar hij geloofde me niet.

Veel liefs,
Elizabeth

Hoi Nutan, lieve schat,

Bruce en ik zijn net thuis van Anis' nieuwe expositie. Het is laat, de kleintjes slapen als een roos en Bruce ligt al in bed, maar ik moet je gewoon schrijven om te vertellen hoe het was. Het was zo bijzonder, Nutan. Hij is echt geniaal. Weet je nog dat hij sensualiteit gebruikt om verachting uit te drukken, en zonder een greintje vriendelijkheid? Nou, dat is verleden tijd.

De bezoekers keken elkaar van opzij aan om te zien of anderen dezelfde gevoelens hadden als zij. Technisch is hij altijd heel goed geweest, maar zijn verdriet heeft hem wijs gemaakt. En zijn wijsheid geeft hem inzicht. Elke penseelstreek was precíes goed, zo treffend dat ik tranen in mijn ogen kreeg.

Hij droeg een beige nehru-pak. Hij maakte een spirituele indruk, alsof hij een hogere betekenis heeft gevonden. Begrijp me niet verkeerd, hij gebruikt nog steeds. Ik weet nog goed wat hij een keer tegen me heeft gezegd: 'Een verslaafde ziet zijn pijn aan voor genot. Ik zit in een gevangenis, maar de deur staat wijdopen, de muren zijn gemaakt van suikerbrood, en de kettingen van gesuikerde krakelingen. Ik zal altijd een verslaafde blijven, Elizabeth, totdat je op een dag in de krant leest dat ik ben bezweken aan een overdosis.'

Het pronkstuk van de expositie is een prachtig schilderij met de titel Swathi. Een verdrietige vrouw met een iets geopende mond, alsof ze net iets wil gaan zeggen. Anis vertelde me dat hij het heeft geschilderd om een schuld terug te betalen.

Hij heeft ons allemaal geschilderd. Een hele zaal vol gebroken mensen. Je zult het zelf zien als je met Kerstmis hier bent. Maggie is er, fris en springlevend op een open plek in een bos, met allemaal witte bloemen. Vlinders zitten op haar handen en ze glimlacht geheimzinnig. Zij weet iets wat wij niet weten. Het is een mooi schilderij, maar ook angstaanjagend. Ze heeft altijd dood gewild.

Jij bent er ook. Je doet me denken aan een wild dier dat toevallig wordt getemd, maar terugkeert naar de wildernis. Je ogen gloeien en kijken heel alert. Je hebt de strikken van de jagers gezien. Uit je hele houding blijkt dat je elk moment weg kunt springen. Je laat je niet nog een keer vangen. Alleen je mond is *triest. Het maakte me verdrietig om jou door Anis' ogen te zien. Het mooiste werk vond ik een vreemd schilderij van Zeenat, dansend in een tempel. Ze heeft lange gouden nagels, en ze draagt schitterende kleren en een gouden hoofdtooi. De uitdrukking op haar gezicht is sereen, maar haar ogen zijn niet neergeslagen. Zonder verlegenheid kijkt ze je aan, met een vreemd licht in haar ogen. Het is natuurlijk een fantasie, maar je ziet en voelt zijn verlangen, waardoor de illusie ontstaat dat ze op de een of andere mysterieuze manier nog leeft, dat hij haar op een geheime plaats ontmoet en dat ze voor hem danst. Hoe kan hij haar anders zo gedetailleerd schilderen? Niet uit zijn geheugen.*

Bruce wilde het voor je kopen, maar het is niet te koop. 'Dit doek is van mij,' zei Anis met een afwezig en droevig glimlachje. Toen kwam Rani Manicka, die schrijfster, en Anis ging haar begroeten. Volgens mij hebben ze iets met elkaar. Ik zag dat hij met zijn duim over haar wang streek, en haar glimlach was nogal geheimzinnig.

Ze droeg lange handschoenen, dus ik kon niet zien of ze spuit, maar ik ben er vrij zeker van dat ze hetzelfde gebruikt als Anis. Ze zag er ouder uit, met rimpels bij haar mond, en zelfs als ze lacht twinkelen haar ogen niet. Haar onschuld is weg. Vroeger was ze open en nieuwsgierig, nu is haar uitdrukking gesloten en afstandelijk. Haar ogen deden me denken aan die van een nerveuze kat in het donker.

Ik ben naar haar toe gegaan toen ze bij het schilderij van Zeenat stond. 'Haar dood is met mijn geld betaald, weet je,' zei ze triest. Ze vertelde me dat ze is opgehouden met het boek over ons. Ze wil niet profiteren van Zeenats dood. Ik kon haar niet troosten. We hebben het even over jou gehad, en je krijgt de groeten van haar. Toen trok ze haar handschoenen omhoog en liep ze weg.

Een paar jaar geleden moest ze ons een cassetterecorder meegeven om het taaltje van de drugsgebruikers te leren, en nu dit. Treurig, vind je niet? Was Maggie maar nooit achter haar aan gegaan, de eerste keer dat ze bij Ricky kwam.

Er was een schilderij van Ricky met getatoeëerde tranen onder zijn ene oog. Hij zag eruit als een god of een wraakengel. Ik heb Anis niet verteld dat ik hem heb gezien met een rastamuts en een boterham uit de vuilnis. Anis is veel te lief, hij zou hem gaan zoeken en proberen hem te helpen, terwijl Ricky hem lachend kapot zou maken. Anis heeft Bruce heel speels geschilderd.

Er is ook een schilderij van mij, een Iers kind. Uit de verte zag ik niet dat ik het was, maar van dichtbij moest ik mezelf beschermen tegen mijn eigen verdriet. Ik zweer het je, in mijn hoofd kon ik mijn moeder een oud Keltisch liedje horen zingen. Anis is echt briljant, zijn kunstenaarsoog zag al wie ik was voordat ik hem kende. Hij betrapt ons allemaal op de leugens die we verkopen.

Haylee houdt een tros druiven in haar hand, en haar porseleinen gezicht kijkt je van opzij aan – je weet wel, de uitdagende blik waarmee ze mannen gek maakt. Maar haar mond, wat hij met haar mond heeft gedaan! Het is net een gezwollen wond. Toch is het een fantastisch schilderij. De spontane allure in de grote blauwe ogen en de overrijpe mond.

In een witleren broekpak stond ze een hele tijd naar het doek van zichzelf te kijken. Ik dacht dat ze woedend zou zijn, maar ze draaide zich opzij naar Anis en zei: 'Wat een slimme jongen ben jij! Maar waarom die idiote mond?' Toen sloeg ze haar oogleden half neer en tuitte ze haar lippen in een perfect pruilmondje. 'Ik heb wat spul,' zei ze het volgende moment met glinsterende ogen, helemaal de Haylee van vroeger. 'Lijntje?'

Het was een raar moment van déjà vu. 'Ik heb wat spul. Lijntje?' *O, de opwinding die er door me heen ging als iemand dat vroeger tegen me zei. Anis pakte zijn wijnglas, drukte een kus op haar voorhoofd en liep weg met de woorden: 'Geen stoute dingen doen, hoor!' Voor hem was het niet het goede vergif.*

'Zullen we?' zei Haylee. 'Net als vroeger?'

Ik keek naar Bruce. Wat ik in zijn ogen zag, zag hij in de mijne. Dezelfde vraag.

'Zullen we?' vroeg ik. We wisselden een blik van verstandhouding en knikten tegelijk. We keken haar allebei aan, deze mooie Mara die probeerde ons te verleiden. Een dakini *in wit leer.*

'Nee, dank je, Haylee,' zei Bruce.

Even keek ze beteuterd, maar het volgende moment knipoogde ze alweer. 'Dan is er meer voor mij,' zei ze, en verdween tussen de mensen.

Ik keek naar Bruce. 'Voelde jij het?'

'Wat? Dat de aarde zes keer beefde toen ik mijn hand erop legde, omdat ik echt geen moment in de verleiding ben geweest? Reken maar dat ik het voelde!'

En hij sloeg zijn arm om me heen, en we lachten samen.

O, ik kijk net op de klok, en het is al drie uur! Wat ben ik toch een babbelkous. Ik moet nu echt naar bed, want het wordt morgen een lange dag. Ik wil je alleen nog even snel vertellen dat ik eindelijk een reactie kreeg, nadat ik al een jaar trouw je jamupillen slik. Bruce wilde laatst midden in de nacht opeens met me vrijen. 'Wat is dat toch voor parfum?' kreunde hij. 'Ik word er zo hitsig van.' Niet slecht na drie jaar huwelijk, hè? O, en weet je nog, de verpulverde wortel die je Bruce voor zijn verjaardag hebt gestuurd? Daar is vraag naar bij de sportschool. Er is misschien wat mee te verdienen.

Ik verheug me erop om je te zien. Doe mijn hartelijke groeten aan Nenek, en je veel liefs van Bruce.

Dikke zoen,
Elizabeth

11 mei 2004

Beste Rani,

Vanochtend vroeg liep ik mee in een tempelprocessie, een lange rij vrouwen in kanten bloesjes, hoge torens van offergaven op hun hoofd, die met hun voeten het stof wekten. In de ochtendkoelte liepen we langs de schitterende flame tree *met de rode pluimen, over paadjes die de goud met groene rijstvelden doorsnijden, en door naar het dorp, langs de reusachtige waringinboom met het gordijn van luchtwortels om zich heen.*

Ik blijf me erover verbazen. Eén enkele boom die een heel woud van varens en lianen voortbrengt. Niet zo lang geleden raakte een oude stenen demon verstrikt in de luchtwortels, die het beeld uiteindelijk verstikten en zelfs braken. Er bestond angst dat de boom alles op het dorpsplein zou verslinden, en de banjar, *de raad van dorpsoudsten, kwam bijeen om de kwestie te bespreken. Na urenlang overleg besloten ze dat er niets wordt gedaan.*

De waringin staat er al honderden jaren, met ontelbare gele linten om de stam geknoopt als teken dat het een heilige boom is. Het is beter om voor verval te kiezen dan te snijden in de heilige wortels. Ja, we zijn hier op Bali nu eenmaal excentriek. We aanvaarden dat verval gepaard gaat met wijsheid. Zoals de witte mieren hout vreten, en zoals papier verteert in het regenseizoen, zo is het goed dat de jaren de mens tot stof verpulveren...

335

Over een kronkelpad hoog tegen de berg liepen vrouwen van de bergstammen achter elkaar naar de markt. Ze verkopen biggetjes, die ze in hun armen houden alsof het baby's zijn, en ze troosten de bange dieren door ze aan hun droge borsten te laten sabbelen.

We brachten onze geurige bloemen naar de andere kant van het dorp, langs een muur van rode baksteen, en een trap op omhoog naar de tempel van Siwa, de god van de vernietiging. Door de poort kwamen we op de binnenplaats, waar we de offers van de vorige dag zorgvuldig vervingen door verse gele rijst, zoetigheid en fruit. Naast een komfoor met brandend sandelhout ging ik op mijn knieën zitten, en daar heb ik voor je gebeden.

Er zijn twee redenen dat ik je schrijf. In de eerste plaats om je de twee laatste brieven van Elizabeth te sturen, zodat je ze kunt opnemen in je boek. (Stuur ze alsjeblieft terug als je klaar bent. Alles van Elizabeth is me dierbaar.) In de tweede plaats omdat mijn grootmoeder je twee glazen advies wil geven.

Ze is wijs – je noemde haar ooit 'een buitengewone vrouw' toen ik je over haar vertelde – en ik hoop dat je haar woorden tot de laatste druppel op zult drinken.

De tweede boodschap is deze: 'Huil niet als je hebt gebloed. Het was geen goed bloed. Zet je lamp neer, en pak je pen weer op. Wees trots op wat je met je onschuldige blik hebt gezien, niet alleen de schoonheid, maar ook de schaamte en het vuil, een onherstelbaar verminkte buik, de oneindig tedere blik van een minnaar, het miskende talent van een prostituee en, niet te vergeten, de sterren aan de hemel.'

Ook stuur ik je gedroogde wortels. Voor elke soort is er een aparte gebruiksaanwijzing. Volg die goed op. Ze zijn alleen voor jou. Iedereen kan vallen, maar iedereen kan ook weer opstaan. Kom terug naar Bali… zoals ik je zag aan het begin.

Nutan